108 1230
.JCMA

Bendita tú eres

VÍCTOR SUEIRO

Bendita tú eres

La mujeres son
las manos de la Virgen

Editorial El Ateneo

Sueiro, Víctor
    Bendita tú eres : las mujeres son las manos de la Virgen-
1a ed. - Buenos Aires : El Ateneo, 2005.
    280 p. ; 23x16 cm.

    ISBN 950-02-9833-3

    1. Virgen María.2. Milagros. I. Título
    CDD 232.917.

Bendita tú eres. Las mujeres son las manos de la Virgen
© Víctor Sueiro, 2005

Derechos mundiales de edición en castellano
© 2005, Grupo ILHSA S.A.
    Patagones 2463 - (C1282ACA) Buenos Aires - Argentina
    Tel.: (54 11) 4943 8200 - Fax: (54 11) 4308 4199
    E-mail: editorial@elateneo.com

Primera edición: septiembre de 2005
Primera reimpresión: junio de 2009

ISBN 950-02-9833-3

Diseño de interiores: Lucila Schonfeld

Agradecemos a Rocío Sueiro
su colaboración en el diseño de la tapa

Impreso en Verlap S.A.
Comandante Spurr 653, Avellaneda,
Provincia de Buenos Aires,
en el mes de junio de 2009.

Queda hecho el depósito que establece la ley 11.723

Libro de edición argentina

Índice

A Rosita, mi esposa, el aire que respiro,
la mujer más bella del mundo, por fuera y por dentro.

A Rocío, mi hija, la luz de mis ojos,
la mujer más linda, más noble y más divertida del mundo.

Advertencias

Todos los hechos y los datos que aparecen en este libro son absolutamente reales. Las personas que aquí aparecen figuran con sus nombres y apellidos verdaderos, sin excepción. Sólo la intervención de Mariano podría ser producto de la imaginación, aunque el autor no está nada seguro de eso.

El resto de las entrevistas están registradas en sus correspondientes grabaciones. Cualquier parecido con la ficción es sólo una coincidencia. Una vez más, los hechos reales que leerán aquí son mucho más impresionantes y bellos que lo que podría crear la fantasía. Siempre es así.

Los testimonios, como en otras ocasiones, están reproducidos sin arreglos especiales ni maquillaje literario. El autor considera que, en estos casos, es mucho más importante la verdad pasional que la gramática impersonal.

Ante todo

No quiero decepcionarlos, pero lo de las tres carabelas de Colón no era cierto. La *Niña* y la *Pinta* sí eran carabelas, pero la *Santa María*, en la que viajaba el genovés, era una nao, una nave muy diferente de las carabelas.

Y hay más: cuando a alguien le viene una mala detrás de la otra, suele decirse que le tocaron "las siete plagas de Egipto". Bueno, no son siete, son diez: sangre, ranas, mosquitos, moscas, peste, úlceras, tormenta, langostas, tinieblas y muerte de los primogénitos.

Lejos de mí está ponerme molesto, pero habrán escuchado por ahí que lo que hoy llamamos "operación cesárea" debe su nombre al hecho de que Julio César nació de esa manera. Y es falso aunque lo lean en algunas enciclopedias a cuyos autores les encantó la anécdota, lo sé porque fui uno de ellos. En realidad se origina en *caesure*, palabra latina que significa "cortar". Las cesáreas, que sí se practicaban en el Imperio Romano, terminaban sin excepción con la vida de la mujer. Recién diecisiete siglos después se logró mantenerla con vida. La mamá de César, llamada Aurelia, vivió hasta sus sesenta años.

Podría seguir un buen rato rompiendo mitos y otras cosas más sensibles, pero ya está bien si sólo agrego una pregunta: ¿de qué trabajaba María Magdalena antes de saber de Jesús? Casi puedo escuchar un coro que se complace en gritar: "prostituta". Y no es así. No hay ni una sola mención en los Evangelios que afirmen semejante cosa. Sólo se dice que Jesús la exorcizó, sacándole siete demonios. Y nunca, pero nunca, nadie menciona algo que tuviera que ver con la prostitución de María Magdalena, que viene cargando con el fardo desde hace dos mil años.

Ya estamos en tema: algunas mentiras que se dan por ciertas y mujeres que deben demostrar su heroísmo de fe a pesar de lo que sea.

Hoy se huele en el aire un tufo de anticatolicismo. En Europa hay países como Francia o España que fueron desde siempre tradicionales bastiones católicos y en estos días rifaron siglos de bautismo. En América en general la cosa tambalea y oscila entre la fe popular y ciertos gobiernos que no ocultan su ateísmo o su fobia a la religión. En Argentina hay mucha tensión con este tema, para decirlo suave. Digamos que en buena parte del mundo está de moda ser anticatólico. Uno empieza a saber, aunque sea en una dimensión muy pequeña, cómo se sintieron siempre los judíos.

Muy bien. De la misma manera en que, de tanto oírlo, nos creímos lo de las carabelas, lo de las plagas egipcias, lo de Julio César o lo de la Magdalena, y asumimos todo eso como cierto, si los católicos no hacemos algo para defender aquello que amamos, vamos a terminar en la vereda de enfrente, tirándole huevos podridos a la Iglesia, convencidos de que, si tanto se repite el ataque, por algo será.

Nunca se está tan solo como ante el dolor.

A la Iglesia se la hiere desde afuera, pero también desde adentro.

Unámonos para no estar solos ante el dolor de algunos ataques que tienen fundamento y de otros que son inflados.

Para unir y pelear, entonces, con las manos abiertas y el abrazo fácil, con ganas de reconciliarnos unos con otros, con amor y esperanza, no hay nada mejor que llamarla a la que puede todo eso, La Mamita, la Virgen, Nuestra Señora del Alma, una advocación que acabo de inventar y que me encanta como suena. Nuestra Señora del Alma. No hay nadie que sepa luchar mejor estas batallas.

Y el ejército que estará en la primera línea es el de las mujeres. Ya verán por qué, paso a paso. Nota: se aceptan hombres, pero con tanto coraje como el de ellas. Y los hay, ya verán eso también.

Vamos. Abran los arcones para que salgan las esperanzas y los sueños guardados. Quítenles el polvo a las espadas de pétalos de rosa. Salgan a beberse el sol con una sed insaciable. Píntense el corazón de celeste.

Cada uno que traiga lo que tiene para esta lucha.

Avalado por gente como San Juan Bosco, al que quisieron meter en un manicomio porque soñaba premoniciones; por San Juan de la Cruz, al que metieron preso por su fe; por San Francisco y Santa Clara, que fueron repudiados en Asís por sus dones sobrenaturales; por Santa Teresa, a la que acusaban severamente por los prodigios que vivió; a Santa Juana de Arco, a la que mandaron a la hoguera porque escuchaba voces santas, y por tantos, tantos otros, yo traigo aquí lo mío.

Traigo una mochila llena de milagros, testimonios magníficos, gente que demuestra que nada está perdido, la Virgen en un cerro de Salta, la vidente María Livia que habla por única vez porque sabe que estamos en batalla, cartucheras cargadas con amor y con humor, con pasión y con furia, con risas y con llantos. Traigo la vida.

Vamos, atrápenla.

VÍCTOR SUEIRO
Agosto 2005

1

Adán y ella

¿Vos sos varón o mujer?

—*¿Querés hacerte el gracioso de entrada?*

No. Sólo te pregunto si sos varón o mujer.

—*Ninguna de las dos cosas, ya lo sabés. O las dos.*

Y no miente. Porque quien responde es mi ángel, Mariano, el mismo que se mete en casi todos los libros a opinar, a interrumpir, a censurar, a romper.

—*Las reglas de la literatura, ¿no?*

Exacto, ¿qué otra cosa? Y no miente al responder, ya que, como todo ángel, no es varón ni mujer. Los ángeles son andróginos. No, no, no se escapen del libro, les aseguro que no he cambiado, sigo escribiendo en un lenguaje cotidiano. Lo que pasa es que no hay otra palabra: andrógino nos llega del griego y es la unión de *andrós* –que significa "hombre"– y *gyné* que quiere decir "mujer", de allí "ginecología".

Un ángel es andrógino porque en su naturaleza tiene los dos sexos. Es un espíritu puro, como lo define el Catecismo de la Iglesia Católica, por lo tanto, podría ser varón y podría ser mujer. En rigor, es ambas cosas.

—*Todos lo somos, no me hagas sentir diferente.*

Bueno, sí. En el Génesis ya lo dice con absoluta claridad: "Y creó Dios al hombre a su imagen, a imagen de Dios lo creó; varón y hembra lo creó". No sé si leyeron bien: varón y hembra lo creó. Y no está hablando de Adán y Eva sino solamente de Adán.

Al mismísimo primer hombre, el gran macho inicial de la especie, el galán del Paraíso, "varón y hembra lo creó".

Eva vino más tarde, incluso ya había terminado la semana de la Creación cuando Dios trajo a Eva al universo.

El Génesis cuenta que Dios creó los cielos y las tierras, después hizo la luz, las aguas, los mares, los ríos, las hierbas, los árboles, los frutos, las montañas, los valles, el día, la noche, las estrellas, las ballenas, las aves, los reptiles, los animales de tierra. Al sexto día creó al hombre. Tal vez estaba cansado. A tal punto que al día siguiente descansó.

Pasó un tiempo que no está determinado en el Antiguo Testamento.

Posiblemente Dios estuvo dándole un vistazo a Adán sin ser visto por él. Vio al hombre correteando desnudo por ahí, revolcándose en el pastito como un animalito doméstico, rascándose las nalgas, comiendo una frutita aquí y otra allá, orinando de parado y mojándose las piernas porque ni siquiera sabía cómo se hacía, riéndose con el sonido de sus propios flatos y eructando después de varios tragos de agua. No me miren así, ¿qué creían? ¿Que era un galán perfumado de mirada seductora? En verdad debe haber estado más cerca de Homero Simpson que de Brad Pitt. El Creador lo observó por un rato y hubiera mostrado su decepción musitando "¡Dios mío!" si no fuera porque Dios era él. Miró un rato más a Adán, que tal vez estaba jugando a tirar cocos a los hormigueros mientras se reía y se babeaba, y luego el Señor debe haber pensado: "Puedo hacerlo mejor". Y creó a la mujer. (De nada chicas, esa última hipótesis me la sopló mi hija.)

Le dijo a Adán: "No es bueno que el hombre esté solo". Esperó a que se durmiera y le sacó una costilla, cerrando de inmediato la herida.

El Génesis dice, en su capítulo 2:

22 Y de la costilla que Jehová Dios tomó del hombre, hizo una mujer, y trájola al hombre.
23 Y dijo Adán: Esto es ahora hueso de mis huesos, y carne

de mi carne: ésta será llamada Varona, porque del varón fue tomada.

24 Por tanto, dejará el hombre a su padre y a su madre, y se allegará a su mujer, y serán una sola carne.

25 Y estaban ambos desnudos, Adán y su mujer, y no se avergonzaban.

De este relato se desprenden algunas cosas interesantes. Para advertirlas, analicemos cada uno de esos versículos transcriptos textualmente.

El 22 deja en claro que la mujer fue creada a partir de carne humana y hueso humano. Si tenemos en cuenta que el Génesis ya contó que el hombre fue creado del barro, no nos hacen un gran favor a los machos. La diferencia es notoria. (Puedo escuchar la ovación de las chicas.)

El 23 señala lo dicho por Adán que suena a compromiso para toda la vida: "Esto es ahora hueso de mis huesos y carne de mi carne". Es romántico, no lo nieguen. (Hay murmullos de aprobación en la tribuna de varones.)

El 24 dice que, por tanto, dejará el hombre a su padre y a su madre, y se allegará a su mujer, y serán una sola carne. Vamos, Adán, todavía, muy jugado el hombre. Pero, con el Antiguo Testamento yo tengo algunos desencuentros, cosas que no entiendo y esta es una de las gruesas: Adán se desconcertaba enormemente el día del padre y el día de la madre, no sabía qué hacer, simplemente porque Adán no tenía ni padre ni madre. ¿Cómo es que menciona aquí que el varón, para acercarse más aún a su mujer, dejará a su padre y a su madre?

El 25 dice que "estaban ambos desnudos, Adán y su mujer, y no se avergonzaban". Como unas cuantas vedettes argentinas. Nada nuevo.

Luego viene el tema del árbol del bien y del mal. Dios les prohibió comer frutos de ese árbol. La serpiente los tentó para hacerlo. Ella comió y le dio a su marido Adán. Dios se enojó y le preguntó al hombre por qué hizo algo así. Adán fue un auténtico buchón señalándola a Eva. Ella dijo que la culpa era de la serpiente. Y aquí viene algo interesante.

Dios se enoja mucho con la serpiente, la maldice y termina diciéndole: "...enemistad pondré entre ti y la mujer, entre tu simiente y la simiente suya; y ella te aplastará la cabeza...".

Esto coincide con el Apocalipsis de San Juan, escrito muchos siglos más tarde, donde se menciona al gran dragón rojo (Satanás) y el enfrentamiento con "una mujer vestida de sol con una corona de doce estrellas sobre su cabeza".

La Tradición de la Iglesia señala a esa mujer como la Virgen María.

Sin siquiera tener en cuenta algo tan importante, lo que no admite discusión es que una mujer, la mujer, está presente con un peso muy grande en el origen del universo y en la batalla final en la que el maligno será vencido con una intervención de ella fundamental.

Descubrí, hace tiempo, que las mujeres son, por lo general, mucho mejores que los hombres en la relación con lo religioso. Desde lo más chiquito, como persignarse siempre al pasar frente a una iglesia mientras que el hombre piensa si lo estarán mirando o qué van a decir de él o "van a creer que soy un chupacirios" o lo que sea, y cuando se decide, ya el templo quedó atrás. Hasta lo más grande, como sacrificarse para cumplir en secreto y en silencio promesas que hicieron por los que aman. O comer mucho menos para que los suyos tengan más. O abrir su corazón de par en par al dar un testimonio de amor a Dios contando una historia personal que desnuda su intimidad de manera desgarradora, como leerán aquí si no cambian de canal.

Es rigurosamente cierto que una mujer puede llegar a ser la pesadilla de un hombre, alguien que lo lleve a matar o a morir, incluso. Pero la mayoría es la luz nuestra de cada día.

Mujeres. Este librito es un tributo a ellas desde mi parte más masculina. No es un texto feminista ni femenino, ninguno de los dos sacos me quedaría bien. Es un homenaje de un macho viejo, gordo, miope y con poco pelo, a todas las que han hecho que su vida tuviera sentido. En la vida de todo hombre siempre hay detrás no sólo una mujer sino muchas, contando a madres, esposas, hijas, hermanas, amigas, novias, secretarias o lo que fueran.

Y, por supuesto, está Ella, a quien le decimos "bendita Tú eres entre todas las mujeres". La Mamita. Nuestra Señora del Alma.

A Ella y a las mujeres que han aprendido algo de Ella, les dejo aquí mi corazón y este librito en el que, como verán, están presentes en cada página. Dios las salve, Marías.

2

Mujeres con el corazón en la boca

Ese primer capítulo me pareció un poquito demagógico.
Ey, esperen, yo no escribí eso.

Parecía que estaba haciendo campaña política y buscaba el voto femenino.

No, no, no hagan caso. Ese que escribe no soy yo, es Mariano, mi ángel, que se enfunda mis dedos y teclea con mis propias manos porque él no tiene, claro. Nunca lo vi, siempre lo siento y, a veces, se toma licencias como esta. Opina. No me parece mal, pero me pone nervioso cuando usa mi tipografía y dice cosas como si fuera yo.

—*¿Acaso no te sonó a vos también un poquito demagógico?*

Un poquito. Pero lo sentí así.

—*Eso está mejor. "Ese primer capítulo me pareció un poquito demagógico pero lo sentí así." Muy bien. Acordate: la verdad aunque duela, te moleste o te perjudique.*

Ya que estamos hablando de nuestro reglamento, recordá que en las entrevistas no podés meterte a menos que te llame.

—*Hoy estás algo nervioso, ¿dormiste mal?*

Dormí como un angelito.

—*Los ángeles no dormimos.*

Por eso. Yo tampoco. Di muchas vueltas en la cama. Me desvelé.

—*Como siempre al comenzar un librito. Descansá y dejame que yo cuente lo que sigue...*

¡No! Es una entrevista, mirá desde afuera.

—Pero vigilaré, para que no digas palabrotas.

Palabrotas, palabrotas, ¿qué son palabrotas?, ¿caca?, ¿pis?, ¿caca y pis? Guerra es una palabrota, aborto es una palabrota, y odio, envidia, egoísmo, traición, deshonor, deslealtad, indigno, hambre son palabrotas. Pero, bueno, como quieras. ¿Vas a estar allí?

—Siempre estoy aquí.

Una tarde casi mágica

Era enero de 2005, una tarde. Quedamos en encontrarnos en mi casa. Llegaron puntuales, las cuatro. Tres de ellas pasaron los cincuenta pero no mucho. La cuarta, Susana, apenas superó los cuarenta. Son muy simpáticas, alborotadoras, borrachas de fe, corajudas y sensibles. Las quise de entrada. Nos sentamos en el living. Las tres mujeres de nombres raros (Elina, Iria, Nerea) y Susana, la del nombre fácil que tiene un testimonio difícil, muy difícil y conmovedor.

Todas habían ido a Salta más de una vez. A un lugar llamado Tres Cerritos, donde una mujer de nombre María Livia cuenta ver a la Virgen y recibir sus mensajes que no se apartan en absoluto de la doctrina de la Iglesia sino al contrario. Ella no dice curar ni nada parecido. Cada sábado sube al cerro adonde la esperan entre tres y ocho mil personas llegadas de todo el país y –últimamente– también del exterior. Llama la atención que haya gente de todos los niveles socioeconómicos, pero sobresalen entre los visitantes muchísimos apellidos ilustres, gente de muy buen pasar y de una educación evidentemente superior a la media. Allí arriba rezan el Santo Rosario y luego María Livia cuenta recibir a la Virgen. Luego lleva a cabo una suerte de reconciliación entre cada persona frente a la cual se coloca y Nuestra Señora y Jesús. Nada menos. A ese acto se le llama oración de intercesión, ya que intercede por esa persona ante lo divino y se producen cosas impensadas. No sólo la gente cae hacia atrás y es sostenida por los servidores de la Virgen, que lucen pañuelos celestes grandes, puestos como pequeñas capas triangulares, sino que los que vivieron todo eso cambian de una manera increíble. Lo irán viendo ustedes a través de los testimonios de gente conmovida, llena de alegría, mareada de milagro. Pero eso vendrá después, incluyendo una charla con María Livia por primera y única vez, ya que guarda un prudente y razonable silencio, aunque en esta ocasión los dos sabemos que estamos en la misma trinchera y, además, yo me encomendé a la Virgen. Si era para bien, debía lograrlo. Y bueno, ha de ser para bien. Ahora entremos de a poco en el tema. Hemos dejado a las cuatro mujeres sentadas en el living de mi casa, no seamos desatentos. Voy a resumir lo de cada una de ellas para hacer la cosa más fácil.

Elina Talento es ama de casa, está casada y tiene cinco hijos. Dice:

—Lo mío es bastante simple. Alguien me habló de lo de Salta, de las apariciones de la Virgen, de María Livia, y yo sentí una gran necesidad de ir. No me estaba pasando nada en especial, no estaba enferma, no tenía un problema grave, nada. Sencillamente sentí que tenía que estar ahí. Era un 8 de diciembre y me habían avisado: "Mirá que no va a haber oración de intercesión". No me importaba, yo tenía que ir y fui. A pesar de que el viaje en ómnibus se hace un poco largo desde Buenos Aires, pero valía la pena, después supe que valía la pena. Esto fue el 8 de diciembre del 2003. La misa se ofició en el cerro, en Tres Cerritos, con coros y un clima espiritual hermoso. Después se llevó la imagen de la Virgen en procesión otra vez a la capilla. Yo nunca sentí lo que sentí allí en ese día, nunca experimenté algo religioso de esa manera tan total. Era como una especie de sueño suave y reconfortante, mucha paz, mucha paz. Lo que vino después fue una necesidad de que mi familia y mis amigos conocieran aquello y, también, reunirnos a rezar el rosario, todos los lunes, con otras mujeres que conocí allí...

Iria Solari, ama de casa, tres hijos:

—También tomé contacto con lo de Salta en el año 2003. Viajé y estuve allá, después asistí a una charla de los Tanoira (nota: ya leerán sobre ellos, son extraordinarios), que me llegó muchísimo, me conmovió. Desde ese día hasta hoy han pasado dos años y ya fui a Salta siete veces.

—¿Por qué siete veces en tan poco tiempo? Son mil ochocientos kilómetros... ¿Tenías algún problema serio?

—No. No fue por un problema, en absoluto, ni siquiera por una crisis. Fui porque sentí la necesidad de ir, era como si algo me dijera "andá". Y Dios me hizo un regalo. Un regalo que...

Iria se interrumpe porque ve venir, montando en sus propias palabras, al jinete de la emoción. Me hago el tonto y no digo nada, dejo que corra el silencio. Sus amigas también. Hay un clima de paz y de sentimientos que bailotean traviesos por ese living que me alegro que sea el de mi casa, me la están bendiciendo con puro amor, pura fe, pura esperanza. Estas cuatro muchachas son algo serio.

—¿Te pasó algo especial en esos viajes? —le pregunto suavecito.

—Allí todo es especial, pero una vez yo tenía la sensibilidad a flor de piel porque en esos momentos sí necesitaba ayuda para mi hija, algo que ella te va a contar luego... Estando allá me senté al lado de una chica que había viajado conmigo y que veo que está mirando a lo lejos, con la vista que parecía perdida. "Iria, mire el sol", me dijo. Le dije que no podía, que ya otras veces me habían invitado allí a mirar al sol pero que yo tenía algunos problemas en los ojos y no podía hacerlo. Pero la vi tan compenetrada, tan quieta mirando un punto fijo, que me animé a probar... Y vi el espectáculo más hermoso que pueda...

Iria se quiebra con la dulzura de quien busca el desquite de las lágrimas cuando la emoción lo golpea. La voz le cambia porque el recuerdo la está aferrando del cuello. Y es algo grande, muy grande.

—Me emociona recordarlo —dice con una voz apretada.

—La danza del sol —arriesgo siempre hablando despacito para no romper ese clima de amor y de armonía, que no me jodan más diciendo que está todo perdido. Ahí tenía yo a cuatro mujeres que fueron a buscar lo que se suponía perdido para otros. Y lo trajeron para contarlo.

—Sí —dijo Iria—, el regalo que me hizo Dios.

—No sabía que hubo danza del sol en el cerro...

Para los que recién llegan a la función y no saben qué es la "danza del sol", les hago un resumen. Y, aunque ya conozcan lo ocurrido, vale la pena volver a leerlo. A mí me estremece cada vez que lo hago.

La danza del sol

Es el 13 de octubre de 1917. Dos chiquitas y un niño, todos ellos pastorcitos del lugar en que vivían, estuvieron contando que veían a una Señora que parecía flotar en el aire y les hablaba. Dijeron que la primera vez fue el 13 de mayo de ese 1917 en el que el planeta estaba envuelto en esa aberración que se llamó Gran Guerra o Primera Guerra Mundial. Esa vez no era un cerro, pero por poco, era la bajada de una colina, un sitio conocido como Cova da Iria. Esto ocurría en un pueblo llamado Fátima, en Portugal, un país que por esos tiempos tenía un gobierno decididamente anticatólico que incluso había roto relaciones con el Vaticano hacía ya tres años. Las políticas de Estado eran cada vez más radicales y no entraba dentro de los planes de ese gobierno nada que tuviera que ver con Dios o con la religión. Vale la pena destacar esto para dejar en claro, blanco sobre negro, que no había de manera alguna un clima o un sentimiento de fervor religioso que pudiera empujar a estos chiquitos a sentir lo que contaban. Todo lo contrario, nada más lejos de la fe doctrinal que el Portugal de entonces. Y ni hablar de milagros. Hacerlo era la peor de las opciones ante ese tufo a ateo violento. Era, también, la idea más peligrosa, ya que se podía terminar en la cárcel como ya había ocurrido con algunos curitas. Los chiquitos estaban asustados porque hasta su propia familia los instaba a decir que todo había sido una mentira. Pero ellos no aflojaron. Cuando el primer día en que apareció aquella Señora le preguntaron quién era y Ella, simplemente, dijo "Soy del Cielo", los niños no tuvieron dudas, ayudados de manera magistral por la inocencia y, sobre todo, por la pureza. Lucía, Francisco y Jacinta se llamaban. La primera de ellos no podía imaginar en esos días que sería Sor Lucía Dos Santos, que se transformaría en la celosa guardiana del que se llamó Tercer Secreto de Fátima, que su hogar sería un convento en Coimbra, que viviría hasta febrero de 2005, que partiría con Dios a los 97 años y que, con certeza, se ganaría los altares. Francisco y Jacinta se fueron mucho antes, aún siendo niños, dos y tres años después del episodio de 1917. Hoy son beatos, el paso previo a la santidad.

Volvamos al 13 de octubre de 1917. En la Cova da Iria se habían reunido nada menos que setenta mil personas. Una multitud formada no solamente por fieles católicos (tal vez el menor porcentaje) sino por cantidades de burlones que esperaban festejar un fiasco. Los chiquitos habían anunciado lo que la Señora, la Santísima Virgen María, les había prometido para ese día: una señal que todos podrían ver. Y esos burlones, además de gente del partido gobernante que iban a lo mismo, policías de civil, periodistas y curiosos, eran, casi en su mayoría, absolutamente escépticos. Pero también había investigadores científicos interesados en todo aquello. Y los fieles. El mayor tesoro de la Iglesia en toda la historia, la gente, que son la sangre misma de la religión, los que se quieren re-ligar entre ellos y con Dios, los que enfrentan siempre a cualquier idea radical, a cualquier gobierno, a cualquier tipo de ateísmo totalitario. La gente.

Todos esperando. De pronto, una gran tormenta. Una lluvia que daba la sensación de que habían abierto los diques del cielo. No había dónde refugiarse. Tan rápidamente como se desató, la lluvia cesó. Sólo se oían murmullos destemplados y alguna blasfemia. Todos quedaron empapados y con pésimo humor.

Así estaba todo cuando la pequeña Lucía señaló el cielo y les dijo que miraran allí. Ella misma, en un escrito suyo llamado "Habla Lucía", dice que lo hizo porque allí habría algo ya que la Santísima Madre se dirigió a ella en una de las apariciones para advertirle. Lucía cuenta así ese encuentro:

28

Tomando un aspecto más triste, dijo la Virgen:

—*Que no ofendan más a Dios Nuestro Señor, que ya está muy ofendido.*

Y, abriendo sus manos, las hizo reflejar en el sol y mientras se elevaba el brillo de su propia luz continuaba proyectándose en el sol.

He aquí el motivo por el cual exclamé que mirasen al sol. No era para llamar la atención del pueblo pues, en ese momento, ni siquiera me daba cuenta de su presencia. Fui inducida a hacer eso por un impulso interior. (Se da entonces el milagro del sol, prometido tres meses antes como prueba de la verdad de las apariciones. La lluvia cesa y el sol, por tres veces, gira sobre sí mismo, lanzando a todos lados fajas de luz de variados colores: amarillo, lila, anaranjado y rojo. Parece, a cierta altura, desprenderse del firmamento y caer sobre la muchedumbre.)

Lucía tiene, en ese momento, otras visiones celestiales. El fenómeno, mientras tanto, era presenciado por todos y existen muchos relatos de personas muy calificadas que fueron testigos –junto a los setenta mil asistentes– de lo que allí ocurrió. Todos coinciden en que la lluvia cesó por completo, las nubes se abrieron rápidamente y el sol –al que describen como un enorme disco que oscilaba entre un tono plateado y otro dorado– apareció bruscamente y comenzó a girar de manera enloquecida e inusual al mismo tiempo que despedía rayos de diferentes colores. Luego pareció abalanzarse sobre la tierra de una manera tan inesperada y veloz que la mayoría de los asistentes sintió pánico por el espectáculo. De pronto detuvo en seco su descenso, quedó quieto muy cerca del suelo durante unos cuantos segundos y se elevó otra vez para volver a ocupar su lugar en un cielo ya por completo despejado. Al hacerlo, todos los allí presentes comprobaron en un nuevo asombro que sus ropas –empapadas hacía muy poco– estaban completamente secas, lo mismo que la tierra del sitio que había sido barro muy poco antes.

El extraño fenómeno duró doce minutos.

Entre los más destacados testigos rescato a uno y a sus dichos.

El doctor Almeida Garrete, profesor de la Universidad de Coimbra, era un joven veinteañero cuando presenció aquello. Luego recordaría:

El sol radiante se abrió paso entre las nubes y todos alzamos los ojos hacia él como atraídos por un imán. Yo mismo lo miré de frente y advertí que, a pesar de su luz tan poderosa, no me enceguecía. No había el menor rastro de niebla que alterara esa visión a la que describo como una claridad cambiante con tonos de perla. Daba vueltas sobre sí mismo a una velocidad vertiginosa. De repente se descolgó del firmamento y tomando un color rojo sangre se lanzó sobre la tierra dándonos la sensación de que iría a aplastarnos con su masa de fuego. Un clamor de pánico surgió de la muchedumbre. Sentimos miedo. Luego volvió todo a la normalidad. Declaro que todo esto lo presencié personalmente, con calma y frialdad, sin agitación mental de ningún tipo.

Aquello se llamó desde entonces y para siempre, la danza del sol. Una bella manifestación colectiva que es típicamente mariana, una de las cien mil maneras que la Mamita tiene para decir "Aquí estoy, no tengas miedo".

El fenómeno se repitió desde aquel 1917 sólo algunas veces en distintos lugares del mundo. En la Argentina ocurrió, al menos, en dos lugares muy puntuales: en la ciudad de San Nicolás, donde se levanta el santuario de la Virgen del Rosario, y en la provincia de Santa Fe, un nombre muy apropiado para que ocurra algo así. En ambos casos hay muchos testigos. Ahora mi nueva amiga Iria me cuenta que ella —y muchos otros, en más de una ocasión— había disfrutado, desde el cerro donde María Livia recibe a la Virgen, de ese espectáculo que está dirigido expresamente al alma.

Qué curioso. Me ocurre todo el tiempo. Se daba, una vez más, una de esas diosidades que tanto me gustan. Nada de casualidades. Son diosidades, casi, dicho con todo amor, travesuras divinas. Y esta era bien clara como señal: lo que me hace repetir aquí el milagro de Fátima, las apariciones de la Santísima en la Cova da Iria es una mujer que se llama, precisamente, Iria. Y no es un apodo, es su nombre de documento. Iria. Travesuras.

Es Iria, Iria Solari, quien mejora muchísimo el silencio del living con su relato sobre lo que vio en el cerro salteño:

—Era un disco azul profundo, de un azul hermosísimo, que se movía. En su interior, se movía como en ondas. Alrededor tenía un halo de color rosa y, más hacia fuera, un halo dorado... Era un espectáculo como jamás había visto... Tengo fotos muy buenas que entregué a quienes se encargan de registrar todo lo que ocurre en el cerro, de clasificar, de informar. Son las carmelitas, ellas son como ángeles.

Nerea López Iñigo, ama de casa, cinco hijos ("uno está con la Virgen, los otros cuatro están acá, con mi marido y conmigo").

—¿Por qué fui a Salta la primera vez?... Siempre que me han dicho que hay algo de la Virgen en algún lado, si puedo, no pregunto más nada y allá voy. Esta vez fue igual. Pero esta vez había un motivo: mi nuera tenía un problemita de salud y fuimos con ella y con mi hija... Cuando llegué al cerro, desde que llegué a la una y media de la tarde hasta las siete y media, lloré sin parar. No podía saber lo que me pasaba. Lloraba y lloraba y lloraba, pero al mismo tiempo sentía una paz enorme, notaba que estábamos todos acompañados allí, que estábamos unidos alrededor de algo mucho más grande. Y bueno, María Livia me dio la oración de intercesión. Me caí. Yo no sabía qué pasaba, me sorprendí, y después pensé que era una suerte haberme caído de esa manera, supe que era una forma de recibir a la Virgen y de purificar todo lo que fuera necesario. Desde ese día mi forma de vivir la fe cambió, fue como una reconversión. Yo siempre fui mariana pero una mariana *light*. En cambio ahora rezo el rosario como una necesidad, comparto con mis amigas ese rosario pero de otra forma, mejor. También sentí, como mis amigas, la sensación de querer volver y volver al cerro. Porque la felicidad que allí se vive uno la siente en el corazón. Ese lugar es otro mundo. No dan ganas de volverse.

—¿Fuiste testigo del momento en que María Livia cuenta recibir a la Virgen?

—Cuando María Livia se arrodilla, cuando Jesús y María bajan y es como una despedida, es algo que queda en el corazón nuestro para siempre. Es algo maravilloso. Nos cuesta explicarlo. Desde entonces trato de que toda la gente que quiero vaya al cerro. Porque en el cerro están Jesús y María, no tengo ninguna duda.

—Pero solamente María Livia los ve.

—Pero yo lo siento.

—¿Por qué te caés? ¿Por qué mucha gente se cae? —quiero saber.

—Porque estás recibiendo el amor de Jesús y de la Virgen. Y es tan grande el amor que sentís que te vas. No es que no lo soportás. Te vas y te dejás ir. Y es más: no te querés levantar. Cuando estás en el suelo sentís un estado de amor. De amor, amor, sentís que recibís amor. ¿Viste cuando vos te das cuenta de que alguien te quiere, que alguien te quiere proteger, que alguien te cuida, que alguien te mima, que alguien te quiere hacer mejor persona en todo sentido? Bueno, yo siento todo eso. Y me voy acordando de mis hijos, de mis amigos, y quisiera abrazarlos a todos juntos...

—Pero, ¿estás conciente? ¿No perdés la conciencia?

—Nooo. —Aquí fue como un coro en el que todas saltaron al mismo tiempo para dar una respuesta múltiple. —No se pierde la conciencia.

—Sentís el amor, bien conciente —continúa Nerea—. Es como cuando vos ves por primera vez a un hijo que nace y sentís una cosa que sólo quien lo vivió lo siente. Yo siento eso, el amor así, tan absolutamente puro.

Nerea tiene una historia que la toca de cerca y que es muy especial. En su casa trabaja desde hace mucho tiempo una señora llamada Sonia. Está casada con Iván, que sufre de epilepsia. Nerea y su hija la invitan a Sonia a viajar con ellas a Salta, al cerro. Lo hacen y la invitada vive la experiencia de la mayoría, cae hacia atrás de manera involuntaria, es sostenida y apoyada en el suelo. Nerea es quien relata lo que sigue:

—Antes de salir para Buenos Aires yo compré en Salta un diario de allá, El Tribuno, que traía un suplemento con fotos de lo que ocurría en el cerro. Se lo di a Sonia para que le mostrara a Iván. Así lo hizo. Iván le preguntó si ella también se había caído para atrás como esa gente de las fotos y Sonia le dijo que sí. El marido le pregunta qué sintió y ella le dice, con sus palabras, lo que yo te conté a vos, que sintió mucha paz, mucho amor. Iván le dice: "Porque yo, a esa hora que vos me decís, el sábado, estaba viendo televisión y me caí al suelo, pero fue una caída rara, porque los que estaban ahí me quisieron levantar y yo no quise, porque me sentí muy bien, con algo distinto, como una paz interior fuerte...". Así se lo dice, con esas palabras: "como una paz interior fuerte".

—Yo iba a preguntar si no pudo ser un ataque de epilepsia, pero con...

—Nooo —nuevamente el coro angélico de mis cuatro amigas nuevas como para refirmar—. De ninguna manera, nada que ver. Un ataque de epilepsia es algo traumático, feo. Iván se cayó sin saber por qué se caía. Y sintió eso que define como "una paz interior fuerte". ¿Te parece que un epiléptico siente eso en medio de un ataque?

—Por supuesto que no. Precisamente yo iba a decir que, al escuchar lo de la caída, pensé en un ataque, pero lo de la paz no encaja...

—Claro. Es como "me voy a quedar en la cama, qué lindo que es estar así descansando, mi alma siente el amor". Así lo sintió él, a tantos kilómetros de distancia... Y él no tuvo otro ataque de epilepsia.

—¿Él conoció el cerro, la vio a María Livia?

—Sí, se lo invitó a Salta por medio de la obra de la Inmaculada Madre y él fue a la peregrinación del 8 de diciembre de 2004. Y me dicen que lloró todo el tiempo y que siente mucha necesidad de volver a Salta.

—¿Sonia había pedido por él?

—Ella llevaba una foto de él y, la aprieta fuerte contra su pe-

cho cuando María Livia se acerca y le da la oración de intercesión. Allí ella cae.

—¿Y él cae a la misma hora?

—Ellos hicieron los cálculos y creen que sí, que fue exactamente a la misma hora.

Les pregunté a las tres por qué ir a buscar a la Virgen a Salta
si está en todas partes. Y la respuesta coincidió por completo: "no
lo sé, es una gran necesidad que siento"; "no lo puedo explicar, es
algo que sentís en tu corazón"; "es una fuerza que te lleva".

Por supuesto que lo mío era, tan sólo, una pregunta retórica
para saber qué me respondían ya que valdría, también, para los
millones de fieles que han pasado por San Nicolás, Lourdes, Fátima y los centenares de sitios en el mundo en los cuales La Mamita se apareció para confortar o aconsejar al planeta.

Susana Solari, hija de Iria, poco más de cuarenta.

—Mamá viajaba a Salta y, al principio, no se explayaba mucho en sus relatos, al volver. Yo tampoco preguntaba demasiado,
es la verdad. Era como que no me interesaba.

—¿Vos estabas bien espiritualmente? ¿Todo estaba bien?

—No. Yo hacía mi vida. Casada, divorciada, la última vez
que había entrado a una iglesia creo que había sido cuando me
casé… Tenía que hablar de algunos conflictos con mi hija, que en
ese momento tenía 22 años, y necesitábamos irnos de Buenos Aires, estar solas. Podría haber sido la costa, pero le pregunté por
qué no íbamos a Salta, para ver eso de lo que hablaba mamá. Y
fuimos. Esto fue en marzo de 2004… Llegamos. Al día siguiente
era sábado y fuimos al cerro. Me acordé que había que subir por
el sendero y lo hicimos, pero no por una sensación de fe. Por curiosidad, por pura curiosidad.

—¿Cómo era la situación religiosa de ustedes en ese momento?

—El papá de los chicos tuvo una conversión muy fuerte después de que nos separamos, se aferró mucho al catolicismo. Siempre fue motivo de crítica por parte mía, lo acusábamos de fanático, de pesado, de exagerado.

34

—Volvamos al cerro.

—Subimos y no sentí nada en especial, esa es la verdad. El sendero muy lindo, es cierto, pero nada más. Llegamos a la ermita, la imagen de la Virgen me pareció muy linda pero eso era todo. Mi hija me dice: "Bueno, ¿y ahora?". "No sé", le dije yo, creo que ahora hay que rezar un rosario. "Ah, no, yo no —me dijo— yo me voy a fumar un pucho por allá". Y se fue. Yo me acerqué a la gente más que nada para ver cómo se hacía. Nunca en mi vida había rezado un rosario. Lo que me gustaba, sí, era el lugar, toda esa vegetación, la música, el clima del lugar que hacía que me fuera sintiendo mejor. Hasta que vi que llegó una señora que supuse que era María Livia y ahí empieza el rosario. Cuando veo que el rosario es el avemaría y el padrenuestro, bueno, ahí me engancho y lo empiezo sin problema. Mi hija, que me había dicho que no, apareció de a poco al lado mío y terminamos las dos rezando el rosario juntas. Todo esto yo lo elaboré después, en ese momento es como que no me daba mucha cuenta. Al terminar el rosario mi hija volvió a preguntarme: "Bueno, ¿y ahora?", porque no sabíamos qué pasaba en ese lugar. "Vamos a hacer lo que hace todo el mundo", le dije. Y empezamos a ver que pasaban los enfermos a recibir la oración de María Livia. Cuando vemos que se ponían delante de ella, ella les daba la oración y la gente empezaba a caer, yo empecé a cuestionarme qué estaba haciendo ahí, porque me vino a la memoria un día en que una amiga me llevó a un templo evangélico y yo salí espantada de ahí, espantada. Eso de ver a la gente que caía me trajo ese recuerdo, lo hablaba con mi hija y le decía: "¿Qué es esto?, ¿dónde nos metimos?". Mi hija se lo tomaba con más calma: "Y bueno, vamos a ver". Y me hacía bromas: "Mamá, no te vayas a caer que no nos vamos más". Como ahí está todo muy organizado, empieza a pasar la gente y nos toca pasar a nosotras.

—¿Tampoco sentías nada especial?

—No, la verdad que no. Ni siquiera pensaba en esas cosas, ni emoción, ni nada, estaba tranquila. Pero me impactó ver cómo caía la gente. Y lo único que hice fue decirme a mí misma: "Dios mío, si esto es verdad, dame alguna prueba"… Automáticamente, en ese mismo instante, pensé: "No puedo ser tan soberbia de pedirle a Dios que me pruebe algo". Tuve unos segundos de sentimiento contradictorio; me preguntaba: "¿Me quedo?, ¿me voy?"... No entendía qué pasaba. Y nos toca al grupo nuestro, unas diez personas. María Livia empieza a dar la oración por el extremo opuesto al que estábamos mi hija y yo a su lado. Confieso que yo estaba a esa altura como un poquito asustada. Faltaban ocho personas hasta llegar a mí. Cierro los ojos y lo único que se me ocurrió pensar es...

No pudo seguir. Susana venía contando su historia con naturalidad, un ritmo de relato atrapante, un tono casi casual. Pero al llegar exactamente a ese punto ("lo único que se me ocurrió pensar es..."), se quebró. Algo pasó dentro de ella. Cerró los ojitos como lo había hecho aquella vez en el cerro y apretó los labios porque el llanto que la asaltó sin aviso luchaba por salir y ella lo reprimía con todas sus fuerzas. Era una lucha desigual, el llanto iba a ganar, tarde o temprano, sus fuerzas eran muy superiores. Las demás mujeres, incluyendo a la mamá de Susana, con los ojos llenos de lágrimas, se mantuvieron quietas en esa tarde mágica. Esperando. Alguien tiene que decir algo en un momento así y, por lo general, lo hacen los tontos. Por eso le apreté la mano a Susana, que estaba a mi lado, y dije suavecito:
—Ya. Tranquilita. Tenemos todo el tiempo del mundo. Y especialmente vos, con tu edad, tenés por delante todo el tiempo del mundo.

Susana lloró con ganas, liberó sus dudas, sacó a pasear a sus fantasmas, hizo entrar a la casa sus sentimientos y todos juntos –las ganas, sus dudas, sus fantasmas, sus sentimientos y los que allí estábamos– bailamos de manera espiritual parados en la puntita exacta de una emoción muy noble. Unos segundos después, Susana siguió con la garganta llena de angustias:
—Hacía mucho que no me pasaba esto...
Y luego, intentando componerse y componernos, continuó:
—Lo único que pensé en ese momento fue: "Dios mío, yo me

entrego a vos, que sea lo que vos quieras…". Y de repente María Livia estaba frente a mí y me tocó el hombro. Apenas te toca el hombro, es como una caricia que hace, es una caricia. Yo sentí algo que me invadía y que no puedo describir porque se puede hablar de una energía o algo así, no sé, era una sensación tan hermosa, tan hermosa, que me aflojaba y caía. Pero no me importó si me caía, si me golpeaba, si me agarraban o no me agarraban. La música se sigue escuchando todo el tiempo. Lo primero que recuerdo es que sin haber dejado de escuchar la música en ningún momento, es decir siempre consciente, abrí los ojos y vi el cielo, los árboles…

—¿Qué sentías?

—Sentía que debía tratar de levantarme pero, al mismo tiempo, tenía ganas de quedarme en ese estado para siempre, así, allí… Giré la cabeza y la vi a mi hija, que estaba llorando, pero no llorando como de amargura sino como diciendo "no entiendo nada". No entiendo nada. Nos levantamos y salimos siguiendo un circuito que está muy ordenado para que vos no molestes a las otras personas que están allí. Nos separamos hasta un lugar de recreo que hay y, ya solas, lo único que se me ocurrió preguntarle fue: "¿Qué pasó?". Ella me dijo: "Nada, mamá, vos estabas parada y yo estaba mirando todo, María Livia apenas te tocó el hombro y vos te fuiste para atrás. Y María Livia se puso frente a mí y me miró y a mí se me nubló la vista y también me caí, pero porque se me aflojaron las piernas, no como vos que caíste para atrás de golpe"… Me acuerdo que yo me desperté llorando. Era una necesidad muy grande de llorar, pero no desconsoladamente, llorar de emoción, me caían las lágrimas y era como si me fuera purificando… Ese día nos fuimos enseguida, algo desconcertadas. Al día siguiente tratamos de que todo fuera habitual, hicimos vida de turistas en Salta.

—¿Y allí terminó la experiencia?

—No. Todo empezó al poco tiempo, ya en Buenos Aires. Yo trabajo a media cuadra de la iglesia de Nuestra Señora del Carmelo. Y empecé a sentir, un día, la necesidad de pasar por allí, persignarme. Después todo fue creciendo, ya mi necesidad era entrar a ver una imagen. Lo hice durante varias semanas: entraba, hola, me persignaba y me iba. Si había una misa, para mí era lo mismo, yo estaba yendo a saludar. Después tuve necesidad de comprarme una Biblia. En mi vida había leído la Biblia. Y empecé a leerla, al principio no entendía nada porque empecé a leerla por el lado equivocado, pero fui a ver a un sacerdote que me orientó y ahí las cosas fueron cambiando. Luego tuve necesidad de confesarme. Confesarme. Si hasta hacía poco, para mí Jesús y la Virgen eran estampitas, como si fueran figuritas. Ya te conté que la última vez que había estado en una iglesia había sido al casarme, hacía veintitantos años. Si alguien me hablaba de la Virgen yo decía "pero este está loco, fanático". Para mí la vida pasaba por otro lado... Bueno, leyendo la Biblia, me empezó a pesar algo. Ese algo era el adulterio. Porque yo me divorcié y...

Otra vez la emoción nos interrumpe. Démosle tiempo. Hablemos de las mujeres, por ejemplo, para que ella se reponga mientras tanto.

Las mujeres

Ojalá ustedes, que ahora leen esto, pudieran imaginar la voz de Susana, suave pero firme. Sus tonos, con dulzura pero con decisión. Ella es joven, está en una etapa de su vida en la que las mujeres dan sus mejores flores, regalan sus mejores besos, paladean sus mejores sueños. Las mujeres, siempre, diría yo, han tenido no sólo una espiritualidad mucho mayor que la de los varones sino que, además, siempre han tenido más coraje. Nosotros somos los machos que ponemos caras de peligrosos y pretendemos defenderlas de algo o de alguien. Tal vez ellas deberían defendernos a nosotros, aunque ahora que me acuerdo me parece que lo hacen, pero sin cacarear. No caigamos en el lugar común de decir que ellas son más fuertes y valientes porque son capaces de parir. Bueno, "lugar común" para ellas. Para el hombre parir no es precisamente algo común. Pero ni lo mencionemos, en especial porque sé que muchos de nosotros llamamos a una ambulancia si nos hace-

38

mos un pequeño corte al afeitarnos. Más allá de parir, decía, muestran una agallas que nos superan. Por muchas cosas. Es posible que ustedes conozcan a más de un hombre que sonríe con una mueca boba cuando se habla de religión y adopta una posición de tipo que se las sabe todas cuando afirma –como si se las supiera todas en serio– que "no, gracias, Dios no es para mí, yo no creo en esas cosas". Y el muy débil cree en algunos políticos, cree en que él es el centro de la Tierra, cree en que su intelecto se vería averiado públicamente si admitiera que es un hombre de fe. Entonces la posa de ateo o, para alivianar y hacerse el amplio, dice ser agnóstico sin siquiera, por lo general, tener idea de lo que significa la palabra. Hay muchos hombres así. Temen que los confundan con las viejitas que rezan en la primera fila una tarde cualquiera en una iglesia cualquiera. Si hasta en un tangazo precioso, *Malevaje*, el tipo canta que ella lo dejó hecho pluma de tan enamorado, dice que lo cambió, que perdió las ganas de guapear y termina con "ya no me falta pa' completar, mas que ir a misa e hincarme a rezar". Cosa de flojos, la religión. Si uno es macho, no entra a una iglesia ni se persigna al pasar por una. Según el imaginario machista absurdo, a Dios sólo se recurre cuando ya todo está perdido: "salvame a la viejita, Dios, y yo te prometo que...", o "no permitas, Tata Dios, que ella se vaya de mi lado", o "no dejes que me muera de esta cuchillada tremenda que me di al afeitarme". Y eso hablando de los que creen. Los ateos y agnósticos son más intelectuales, que es una de las peores cosas que le puede pasar a una persona. Creer saber es un error hijo de la soberbia, saber creer es el bebé preferido de la humildad. Me gustó eso. Lo voy a escribir en un librito, un día de estos.

Tenemos claro un cierto tipo de hombres, muy bien. ¿Cuántas mujeres conocen ustedes que son así? Pocas, ¿no es cierto? Por supuesto que hay féminas que son religiosamente descreídas o simplemente ateas, esa es una elección que nadie, ni el más espiritual, tiene derecho a criticar mal. Pero lo hacen de otra manera, con más respeto, sin sonrisitas de costado, sin frases que suenen burlonas, sin mala leche, sin ironías baratas.

Y, las que tienen fe la muestran de todas las maneras posibles.

No sienten "vergüenza" por profesar sus creencias, por el contrario. Y me refiero a las amas de casa, las abogadas, las empleadas, las médicas, las prostitutas. No se asusten: las prostitutas, sí. Conozco algunas de esas chicas que tienen una devoción envidiable, que lloran nada más que ante una imagen de la Virgen, que no saben lo que es ser hipócritas religiosas, que son absolutamente incapaces de abortar y por eso hay tantas de ellas que son solteras con hijo. Y el que esté libre de pecados que tire la primera piedra. Y que lea ese hermoso tramo de los evangelios. Decía que me refiero a todas las mujeres cuando hablo de la forma ejemplar en que demuestran sus creencias. Sin excepción, a todas las que sienten fe. Lo hacen, ahí volvemos al principio, con un coraje que enternece.

Son mejores que nosotros, los varones, en muchas cosas. Pero nunca lo diré públicamente, eso sí que no.

Susana, ahora, estaba vistiendo de gala a su coraje para decir lo que seguía en su relato. Puso con cuidado su alma sobre la mesita ratona de mi living y a manera de prólogo susurró: "Yo no hablo de mis cosas íntimas, pero ahora lo voy a hacer porque debo dar testimonio y esto le puede servir a alguien".

Susana. La confesión

—Es muy fuerte lo que te voy a contar, es muy íntimo, pero lo hago porque creo que hay que dar testimonio y este es mi mayor testimonio.

Susana no pudo y tal vez no quiso disimular lo que le costaba hablar de lo que sigue. Pero lo hizo a conciencia de que era una suerte de tributo que estaba dando.

—Estoy divorciada. Pero estoy en pareja desde hace ocho años. En los últimos cinco años estuvimos conviviendo. La segunda vez que fui a Salta fui con él. Para mí era importante que viniera conmigo porque empezó a ver cosas que él no entendía en nuestra relación. Pero él vio realmente lo que me pasaba y, a partir de ese momento empezó a respetar lo que yo sentía y a ubicar-

40

se en esto. Después de cinco años de convivencia, yo le dije que no podía seguir conviviendo con él, pese a quererlo como lo quiero y saber cómo me quiere. No podíamos seguir así por mi necesidad de comunión y confesión. Y... la gracia más grande que yo recibí... —(vuelve a quebrarse)—... no sólo es haber sido rescatada por la Virgen y hoy ir diariamente a misa, comulgar diariamente, confesarme una vez por mes. La gracia más grande es sentirme acompañada por el hombre al que amo, el hombre que me ama. Porque respeta, entiende y apoya. Además, él es judío, nada más lejos para entender qué me pasaba, ¿no?

—María era judía. Jesús era judío.

—Sí, lo sé. Pero María, los apóstoles, los fieles de esa época, eran judíos de los que creían en Jesús. El hombre que amo es judío de los que no creen en Él... ¿Cómo hago yo para hacerle entender a él que yo estoy enamorada de Jesús? A él lo quiero como hombre, pero estoy enamorada de Jesús... Y bueno, él hoy está informándose, leyendo, quiere saber, entender por qué es tan fuerte lo que me pasa... Es médico y nunca había leído las cosas que lee ahora, por amor. Porque me sigue manifestando su amor y eso yo no creo que sea fácil para él.

—No, claro. Y te está dando una prueba fenomenal de ese amor. ¿Tenés alguna llave para abrir esa puerta de par en par?

—Lo estoy intentando. Estoy iniciando los trámites para la nulidad de mi primer matrimonio. Y dejo todo en manos de Dios. Como persona ya hice todo lo que puedo hacer, incluso dar este testimonio que te estoy dando. Fui a Salta siete veces y llevé a mi papá, a mi hermana, a amigas...

—Susy, la experiencia de Salta te cambió por completo. Mucho.

—Toda mi vida me cambió. Si a mí me dicen volver a vivir mi vida como la viví antes, no. No.

—Vos no eras mala gente antes de la experiencia...

—No, yo sé que no era mala persona. Me preocupaban los demás, no le hacía daño a nadie, pero no por Dios, por la Virgen... Dios o la Virgen para mí no contaban, eran algo que estaba ahí pero no formaban parte de mi vida. Hoy los siento. Los siento acompañándome, los siento en la misa, los siento en la comunión, los siento en la oración, los siento por manifestaciones especiales que he sentido estando en mi casa, por ejemplo, cosas muy personales, de decir "sé que acá estás". ¿Y cómo lo podés demostrar? No tengo que demostrarlo a nadie, para mí es suficiente porque yo lo siento y los que quieran creer conmigo son bienvenidos, pero no hacen falta pruebas, la prueba es la fe, el amor...

Susana es muy clara: su vida cambió y se llenó de luz de golpe, el que quiera ligar algo de esa luz que se ponga bajo el farol de colores de su fe, su amor y su esperanza, ella estará feliz si eso ocurre pero no pretende andar por el mundo intentando convencer a la gente. Una vez yo escribí que, a veces, me daban ganas de tomar por las solapas a los que no creían, sacudirlos y pegar mi cara a la de ellos para decirles: "No podés ser tan imbécil, no sabés lo que te estás perdiendo". Creo que, en lugar de "imbécil", dije algo más fuerte, pero hoy me desperté con un ataque de buena educación. También escribí, pegado a aquello, que esa no es la forma. No se puede empujar a nadie a la fe como no se puede empujar a nadie al amor, son dones que están ahí, colgando del árbol imaginario de Dios, del árbol de la vida, y que cualquiera puede extender las manos del alma para tomar el fruto dulce y reconfortante.

Pretender meter la fe por la fuerza, imperativamente, no sólo es volver a la época de la Inquisición, sino que es absurdo e inútil. Sería como sacudir a alguien gritándole que debe tener de manera natural ojos verdes en lugar de negros. Hay otras formas de acercar la fe a la gente y la gente a la fe, una de ellas, impresionante y efectiva, es el testimonio. Susana la puso en práctica a pura lágrima y ternura. Habló con el alma puesta en sus palabras, con el corazón en la boca. Me conmovió.

—*A mí también.*

Cuánto me alegra.

—*¿Por qué no hacés un librito donde la mujer sea lo fundamental? Y, en primer lugar, la Virgen, claro.*

Qué buena idea. Pero, ¿no es "un poquito demagógico"?

—¿Y con eso qué?

Tenés razón. No sé cómo no lo pensé antes.

—Y *ahora hay que seguir con un testimonio, ¿eh? Dale que me gustan. Un testimonio de esos que te hacen suspirar profundo.*

Alto. Aquí el que decide qué sigue soy yo.

3

Para creerte mejor

Más adelante seguiremos con el caso de la Virgen en Salta, leerán hechos y dichos que nunca imaginaron. Escucharán, como si les estuviera hablando al oído, a María Livia, la vidente de la Virgen en Salta. Pero aún no. Vamos a otra mujer.

Este es, como pide Mariano, el testimonio de un hecho milagroso. Más aun: es el relato de varios hechos milagrosos. Es la historia, también, de una mujer, de una mujer y su hijo.

Paula Folco tiene 34 años y es maestra, pero **Mateo,** con seis añitos de edad, es el que parece dar las clases. Van a advertir la peculiar manera en que el relato va creciendo como una sinfonía que busca su final a toda orquesta. Y lo encuentra. Es éste un testimonio de esos que nos marean un poco, por prepotencia de milagro. Un relato apasionante.

—¿Cómo arranca todo, Paula? Empieza mal, empieza con un dolor duro para vos, creo, en el 2002.

—El 2002, sí, en febrero. El día trece de febrero mi hijo Mateo despierta con fiebre, digamos que es algo que normalmente los nenes de su edad pueden llegar a levantar...

—¿Cuántos años tenía Mateo en ese momento?

—Dos. Le faltaban unos días para cumplir los tres.

—Nosotros habíamos ido a un club, pensamos que podía haber sido el sol. Durante todo el día estuvimos tratando de bajarle la fiebre, como nos decía el pediatra por teléfono, pero subía. Yo vivo en Quilmes, viste, y el pediatra de él en Caballito. Yo quería evitar trasladarme hasta donde estaba él. Dijimos: "Si la fiebre no llega a bajar, vamos a verlo". La cuestión es que llega mi marido de trabajar y hacía diez minutos que lo había bañado para bajarle la fiebre y estaba otra vez en treinta y nueve y medio. Lo metemos en la pileta para bajarle la fiebre y cuando lo saca de la pileta me dice: "Mirá", y tenía por debajo de las axilas unas manchas muy chiquititas moradas. "Debe ser una eruptiva."

—No era la primera vez que tenía fiebre, ¿no?, con los chicos pasa a menudo. Pero ¿él estaba igual que en otras ocasiones similares?

—No, yo lo vi bastante diferente a lo normal de cuando él tiene fiebre. Yo tenía un frasquito de agua de Luján que mi mamá había traído. Bueno, tiré agua bendita en mi casa, que no venga nada malo a mi casa, esas cosas que uno a veces hace sin saber por qué. Bueno, en ese momento que lo sacamos del baño le vemos esas manchas, dijimos no vamos a ir a Caballito. Llamo al servicio de emergencias, que en general te dicen en dos horas tienen un móvil ahí, cuando yo les digo lo que pasa me contestan que en quince está la ambulancia. Eso me llamó la atención, me dije qué raro quince minutos, nunca vienen tan rápido. La ambulancia creo que estuvo en diez.

—Vos llamaste para que lo vieran, no por una emergencia.

—Sí, "mirá tengo el nene con fiebre", me preguntan qué otra cosa tiene y le digo que le encontramos unas manchitas.

—Eso bastó para que llegaran mucho antes.

—En diez minutos llegó la ambulancia, ya te digo. El médico lo revisa, en el ínterin de estos diez minutos las manchitas se entraron a propagar. Ya no tenía solamente en el pecho, se empezaron a propagar por los brazos, por las piernas, eran muy chiquititas, pero eran manchitas moradas, como si fueran pequeños moretoncitos. Cuando el médico lo revisa, me dice: "Hay algo que no me gusta, quiero que vayamos a hacerle un hemograma".

—Y ahí es cuando van al Hospital de Quilmes.

—En realidad, me ofrece ir al Francés, por la obra social que tenemos. Pero le pregunta al que maneja la ambulancia: "¿Cuánto tenemos hasta allá?"... "Y habrá cuarenta o cincuenta minutos." Y en ese momento el médico dice: "No, vamos a hacer algo por acá, no hay tiempo". No me dice ni qué tiene, nada. La cuestión es que se pone en comunicación con el Hospital de Quilmes. Imaginate, yo le decía: "Tengo una obra social, no me hagas ir al hospital". Y él me dice: "Tienen todo para atender a tu hijo, nos vamos ya". Llegamos, entramos a la guardia y lo empiezan a revisar. Parecía un complot de médicos. No nos explican nada y dicen: "Vamos a punzarle la médula". Yo digo: "No, yo quiero que lo vea mi pediatra, cómo le van a punzar la médula para hacer un estudio", ahí me frenan y me dicen: "Lo que tu hijo tiene es una meningocoxemia que es una infección generalizada fulminante".

—Es una enfermedad muy grave.

—Lo que ellos me decían era eso, una infección generalizada fulminante y "en dos horas tu hijo se muere".

—Ey, ¿tan así te lo largaron?

—Sí, para frenarnos, porque nosotros queríamos trasladarlo adonde estaba su pediatra. En ese momento, me dijeron que, si yo quería sacarlo, podía ir presa porque el nene ya estaba a cargo de los médicos del hospital. Que si yo lo movía, el nene se me moría en el camino.

—Dios mío.

—Estoy hablando de un nene sano que nunca había tenido nada y de golpe es esto... La cuestión es que le punzan la médula, le empiezan a infiltrar suero con un antibiótico, con una cosa, con otra, hablándole para que no perdiera la conciencia, porque una vez que entra en desmayo es como que se hace difícil sacarlo. Lo que ellos me explicaban era eso, hay nenes que están dormidos que no se despiertan más. Son segundos. Me dicen: "Lo más urgente ya está hecho que era darle este antibiótico". Cuando le punzan la médula, me dicen: "Mirá el líquido salió blanco, afortunadamente no llegó hasta las meninges", pero bueno, había que esperar, a partir de ese momento eran cuarenta y ocho horas. Y si pasa las cuarenta y ocho horas, hay que ver en qué estado queda. El tema fue que el nene no puede quedarse ahí porque no hay sala de infectología. Gracias al pediatra del gordo nos trajeron a Casa Cuna a terapia intensiva.

—¿Cómo se llama el pediatra?

—Se llama Horacio Vaccaro. Hasta ese momento ni lo había visto, fue todo muy rápido. En Casa Cuna entra en terapia intensiva y también nos dicen que tenemos que esperar y que, si sabemos rezar, que recemos.

—¿Así les dijeron?

—Sí. No hay nada para hacer con esa enfermedad. Siguieron sacándole sangre para ver si era otra cosa. Después nos decían que no descartaban que fuera una leucemia y otras tantas enfermedades. Lo más urgente era eso, "porque se muere instantáneamente", nos dijeron.

—En horas. Y te dicen así: "Si saben rezar, recen".

—Tal cual. Que lo único que se puede hacer es esperar y rezar.

—Ustedes estaban destruidos.

—Yo no hacía más que llorar y llorar, no entendíamos nada.

—Es hijo único.

—No, era el más chiquito en ese momento. Teníamos otro que en ese momento tenía nueve. Pobre, lo dejamos con un vecino. Nos fuimos a hacerle un examen al hermanito y volvimos a los quince días. Se hicieron cargo tíos, todos. Quince días fueron que estuvimos en Casa Cuna. Ya te digo, fuimos a hacer un examen y no volvimos más.

—Pero ¿los quince días se quedaron a dormir ahí?

—Estuvimos en Casa Cuna, sí, sí. Permanentemente al lado del gordo.

—¿Tu marido?

—Ariel, mi marido, iba y venía, pero no volvíamos acá a casa y él se iba a la casa de su mamá, para darse un baño.

—¿Y vos te quedaste, todo el tiempo, al lado del gordo? ¿Sin moverte para nada?

—Me fui, creo, tres veces para darme una ducha y volvía en un lapso de media hora. Tenía mucha necesidad de estar ahí.

—Las primeras horas fueron las más duras, ¿no?

—Mirá el tema es así, él entró en terapia intensiva el día 13, digamos. No te dejan pasar cuando querés y eso te mata. Ya a la mañana del día 14, cuando nos permiten pasar, nos dicen: "Bueno, agradezcan a lo que ustedes crean porque su hijo vive milagrosamente".

—Te dicen que vive milagrosamente, pero no te garantizan que siga viviendo.

—O sea, pasó la noche. Vive milagrosamente. Dale gracias a lo que creas. Eso es lo que me dijeron.¿Y vos en qué creías, a propósito?

—Mirá, yo creía en Dios, pero estaba bastante alejada, no soy una persona de ir mucho a la iglesia. En alguna época de mi vida sí. Fui una chica que se la pasó en la parroquia con grupos de jóvenes hasta el día en que me casé.

—Y en esos días, ¿pensaste en Dios? ¿Rezaste?

—Me acuerdo que no pude rezar nada. No recé nada, salvo cuando podía entrar donde Mateo, ahí rezaba la oración del ángel de la guarda.

—Dulce compañía.

—Exacto. Esa oración es la que rezo a mis hijos desde que nacieron. Aunque estuvieran dormidos, yo se las rezaba, era instantáneo. Bueno, y Mateo, a pesar de que tenía dos años, repetía la oración conmigo. Fue en los momentos en que estaba lúcido o que me hacían pasar porque Mateo se arrancaba las sondas. Nos hacían estar al lado de él. Solamente podía estar uno de nosotros dos. Ahí, cuando se entraba, era rezarle al ángel de la guarda, acariciar a Mateo y decirle que le rezara a su angelito.

—¿Y él le rezaba?

—Sí. El día 14, que era el aniversario de nuestro casamiento por iglesia, le digo al nene: "Bueno, Matu, le vamos a pedir a tu angelito que te cuide". Él empieza a rezar y, cuando terminamos, me dice: "Má, tapalo". Yo le pregunto a quién y me dice: "A mi angelito". Te puedo asegurar que en ese momento se me desarmó el mundo, me dije, este nene está viendo lo que yo no veo, se me muere.

—Claro, ni pensaste en lo sobrenatural.

—No, yo pensé que él estaba viendo un ángel, que se me mo-

49

ría, que lo venían a buscar, yo pensé eso. Le digo: "No está tu angelito". "Sí, mamá, está acá." Agarra la sábana de la cama donde estaba él y tapa como quien tapa un muñeco. Y se duerme enseguida, pero bueno, no había nada.

—No había nada que vos vieras.

—Nada que yo viera, sí. Se durmió instantáneamente. En ese momento yo recuerdo que salí de la sala de terapia intensiva. Me abracé a mis viejos y lloraba, lloraba, y les dije: "Mateo se muere, está viendo un ángel...".

—¿Cómo siguió su estado de salud?

—Yo recuerdo que vino el pediatra de él a verlo. Cuando yo le dije: "Mirá cómo está, está desfigurado", él me dijo: "Oíme, a tu hijo lo pasó un camión con acoplado por encima, y está acá, y vos me preguntás por qué se le cae el pelo". O sea el me quiso decir...

—Te quiso decir que vos le preguntabas por una pavada al lado de lo que había sido.

—Exactamente... Y el día catorce pasó. El día quince al mediodía me dice que le iban a dar de comer, hasta el momento no había comido, le traen la comida, come. Y me dicen: "Si el nene sigue así, a la tarde lo vamos a trasladar a la sala de infectología, porque está estable". Bueno, lo pasan a la sala y ahí es donde permanecemos el resto del tiempo, digamos, hasta que nos vamos del hospital. Bueno, vamos a la sala, las enfermeras nos dicen que tenemos que tener mucha paciencia, que es una enfermedad muy larga, que hay casos de nenes que están internados hasta seis meses.

—Ay, Dios.

El panorama que les pintaban a los papás de Mateo no era nada bueno. No les daban más que la información necesaria, pero fueron sabiendo por boca de los médicos que el chiquito iba teniendo muchas complicaciones debido a la infección contra la que se luchaba. No podía caminar, no controlaba esfínteres, no podía tomar algo con sus manitas porque se le caía aún lo más liviano, le apareció un soplo al corazón, le hacían todo el tiempo exámenes oftalmológicos porque se corría el riesgo de que quedara cie-

50

go, al igual que un control diario de orina para prevenir daños en los riñones.

—Creo que no quedaba una parte en su cuerpo que no estuviera en peligro. Como era generalizado, el bicho se mimetizaba con cada sector de su cuerpo, iba afectando distintos sectores. Hacía poco yo había visto *La vida es bella* y recordaba todo lo que este papá hizo con su hijo para que no viviera el tormento de una situación muy fea. Yo decía: "No quiero que mi hijo viva como algo traumático estar acá". Me prometí no llorar delante de él y lo único que pedí eran fuerzas para no llorar y, en ese tiempo, no lloré. Me acuerdo que me mantuve firme, que estaba al lado de de él, le hablaba, rezándole al angelito. Un día aflojé y me puse a llorar. Mateo me dice: "Mamá no llorés porque yo me voy a poner bien". Aunque yo no sabía qué pensar, le digo: "Yo sé que te vas a poner bien". "Sí —me dice—, me voy a poner bien en serio. Me voy a poner bien porque me lo dijo mi angelito." "Ah, sí —le dije yo— ¿y dónde está tu angelito?" "No, ahora no está, pero estaba aquí." Entonces, yo me hice como que iba al baño y buscaba. "Acá no hay nadie." "No, mamá, te dije que no está, está cuidando los nenes enfermos." Fue todo lo que él me dijo. Me puse a llorar, le dije: "Qué suerte que tenés un angelito que te cuida"…

—¿Mejoraba?

—Como me decían los médicos: se vivía el día a día. A pesar de todo, me preguntaba cuándo le iba a poder festejar su cumpleaños. Yo empiezo a perseguir a los médicos con eso. "Mirá, yo le quiero festejar el cumpleaños, Mateo va a cumplir años dentro de poquito y no quiero que su día de cumpleaños pase desapercibido." Nadie me daba bolilla. El día 21 me dicen: "¿Querés festejarle el cumpleaños? Está bien". Mateo estaba estable, mejor. Todo lo demás seguía existiendo, no caminaba, no controlaba esfínteres, no podía agarrar las cosas, pero no tenía fiebre. Entonces, me dicen: "Si vos querés, le vamos a festejar el cumpleaños. Si tenés amigos o familia que quieran venir, le vamos a dejar el pasillo del hospital". El día 23 de febrero le festejamos el cumpleaños. Cuando entramos a la salita donde él estaba, después de que estuvo con sus amigos y con su familia que vinieron a verlo, empezó a pararse, solo. A los tres días me estaba volviendo a mi casa. Le volvimos a hacer estudios del corazón, el soplo ya no estaba más. Seguimos haciéndole estudios y me acuerdo que las chicas me decían: "Pero ¿qué tiene este nene? porque una meningocoxemia no puede ser. Si de eso no está dado de alta todavía. No puede ser, es un diagnóstico falso, no puede ser".

—¿Las chicas de donde?

—Ahí, en Casa Cuna. "No puede ser que tenga esto", me decían. Ellas mismas no lo podían creer. El médico que le estaba haciendo el eco doppler no podía creerlo, tampoco.

—Todos los médicos fantásticos, ¿no?

—Excelentes. Te digo, una atención impresionante.

—¿El nene te contó cómo era el ángel que veía?

—No, en ese momento, no contó nada. A lo mejor él estaba viendo un amigo invisible, yo lo asocié a un amigo invisible...

—Cosa de locos los adultos. Es más difícil un amigo invisible que un ángel, si lo pensás. Pero es cierto, uno busca por el lado de la razón ¿no?

—Y, sí... Después le pedimos a la Madre Maravillas. Y las monjitas me mandaron decir: "Que se quede tranquila que la foto de Mateo va a los pies de la Virgen del Carmen".

La Madre Maravillas fue una carmelita descalza a la que se le han atribuido una considerable cantidad de milagros, en especial en lo que respecta a niños. Era española, murió en 1974 y fue canonizada en 2003. Hoy es, entonces, Santa Madre Maravillas de Jesús. Cuando Paula le hace llegar su pedido a las carmelitas argentinas (que son monjas de clausura y no tienen contacto con el exterior del convento más que a través de su confesor y algunos familiares), la Madre Maravillas aún no era santa, pero ya había sido beatificada, que es el paso previo.

—¿Las monjitas de la Madre Maravillas te dijeron eso?

—Exacto. Y yo volvía a asociar esto con la Virgen del Carmen, porque Ariel y yo nos casamos en esa iglesia. Y allí lo bautizamos a Mateo, mirá cuánta casualidad, ¿no?

—Sí, claro. Casualidad. La vida está llena de casualidades.

—Y después está lo del padre Mario, yo también tenía la foto. Te cuento esto porque en algún momento Mateo me nombra al padre Mario.

El padre Mario es hoy casi una leyenda. Su nombre completo era Mario Pantaleo y durante muchos años lo fueron a ver miles de personas a su casa en González Catán, en el oeste del Gran Buenos Aires. Tenía poderes de videncia y de sanación. Murió en agosto de 1992, pero aún sobrevive su fundación en la que funciona desde una panadería en la que trabajan discapacitados, hasta una escuela de muy buen nivel en un barrio humilde como ese, pasando por un centro médico de atención pública. Todo eso fue creación exclusiva y personal de Mario Pantaleo.

—¿Mateo te nombra al padre Mario? ¿Y qué sabe Mateo del padre Mario?

—Él no sabía nada. Pero te cuento después, ahora te voy a continuar la historia. Nosotros nos volvemos a casa el día 26 de febrero. Cuando Mateo nació, también volvimos a casa con él un 23 de febrero...

—Ahora era un segundo nacimiento.

—Un segundo nacimiento. Mateo estaba bárbaro, veníamos haciendo controles en el hospital, no tenía nada, íbamos y decían: "Está todo bien. Creo que hay una revisión más y ya tiene el alta". Veníamos de una enfermedad que era terrible. Habrán pasado dos meses. Un día, volvíamos del jardín y Mateo me mira y me dice: "Mirá mamá, allá arriba en el cielo vive mi angelito". "Ah, sí", le digo yo. "Sí, cerquita de la luna. Pero no está ahora. Está cuidando a los chicos enfermos." Vuelve a mencionar lo mismo que me dijo estando internado.

—Lo dice así, con naturalidad.

—Sí, no es un momento en especial. Él está jugando, por ahí viene y se te mete y te dice: "Vos sabés que mi angelito no vuela". "Ah, no", le dije yo. "No, porque no tiene alas."

—Y está bien. No siempre los ven con alas, está bien.

—Entonces le digo: "¿Por qué, Mateo?, ¿es un bebé?". "No, no es un bebé, es como Lucas." Lucas es su hermanito, que tenía nueve años ahí.

—¿Te había dicho el nombre de su ángel ya?

—No, eso fue al tiempo. Un día viene y me dice: "Mamá, mi angelito se llama Francisco". "Ah, sí." "Sí, se llama Francisco." "¿Y vos cómo sabes?", pregunto. "No sé. Se llama Francisco." Otro día viene y me dice: "Porque Francisco tiene el pelo amarillo y los ojos azules".

—Tenía bien en claro cómo era.

—Sí. Mirá, yo soy maestra. Cuando fue el cumpleaños de Mateo que celebramos en el hospital, mis compañeras de trabajo le llevaron una medallita con un angelito. Mateo la miró y la rechazó enseguida. "Yo no quiero eso", dijo. Cuando pasó el tiempo, ya estábamos en casa y encontré la medallita. Le dije: "Mirá, Mateo, vamos a colgarnos la medallita de tu angelito". Me miró serio y me dijo: "Ese no es mi angelito, ¿no ves que tiene alas?". Es el día de hoy que no se la pone.

—¿Y lo del nombre del ángel, Francisco?

—Durante todo el 2002 yo le contaba a mis amigos y mi familia lo del ángel. Me escuchaban, pero nadie me decía nada. En enero de 2003 vos empezaste tu programa de televisión, *Misterios y Milagros*...

—Sí.

—Cuando pasan la propaganda del primer programa, dicen que iban a hablar del ángel de un niño, una cosa así. Nosotros nos preparamos para ese programa, para ver de qué se trataba. O sea, estábamos todos pendientes de lo que pasaba con Mateo, si es que tenía algo que ver. Justo fue el primer caso del primer programa...

—Sí, es cierto. El del bebé Buroni que le ponen agua de Fátima, agua bendita, de Fátima que había traído de allí monseñor Puyelli, mi amigo.

—Exactamente. Cuando dicen que le encomiendan el bebé a la Virgen de Fátima, Puyelli nombra a Francisco, uno de los pastorcitos...

—Claro, claro, sí.

—En un momento yo, te aseguro, empecé a temblar, me agarró una angustia muy grande y me largué a llorar.

—Era razonable.

—Porque yo no lo podía creer. Hablan de los niños enfermos, de Francisco, y cuando habla de la Virgen y Puyelli dice que él le pone agua bendita de Fátima en la frente a ese chico desahuciado... en ese momento me acuerdo que en el hospital alguien le acercó a mi mamá un frasquito de agua bendita de Fátima que habían traído de Portugal y que con mi suegra durante todos los días que estuvo Mateo en el Hospital, al levantarse y al dormirse, yo le hacía la señal de la cruz con el agua de Fátima...

—Ah, bueno...

—Cuando vimos esto, te imaginás, mi casa era una cosa que suena y suena el teléfono. La gente me decía: "Puede ser que tenga que ver". Y yo decía no sé, no sé. Me agarró un ataque de nervios. Al día siguiente voy a buscar una iglesia de Fátima, no tenía idea de dónde había. No le dije nada a Mateo. Y lo agarré, lo llevé a la Iglesia de Fátima que está en el Bajo de Flores, coincide que era un día trece, el día en que a él lo habían internado...

—Y el día de la Virgen. Todos los días 13 son de la Virgen de Fátima.

—Exactamente.

—No el trece de enero, pero los trece es el día de la Virgen de Fátima.

—Me acuerdo que entré con él de la mano y él no sabía adónde estábamos entrando, porque de afuera no parece una iglesia, el nene no se dio cuenta en ningún momento de lo que era. Cuando entramos, él me dijo: "Mirá, es una iglesia". "Sí, vamos a agradecerle a diosito", le dije yo. Cuando me estoy acercando, hay un estandarte en el que está la Virgen y están los tres pastorcitos al pie de ella. Mateo me dice enseguida: "Mirá, mamá, como este es Francisco".

—Y te señala a Francisco. ¿Él no tenía idea de quién era? ¿No le habían contado que era un pastorcito de Fátima?

—No, no. Mateo me dice: "Como este es Francisco". Entonces, vamos acercándonos, le digo: "Bueno, vamos a verlo bien".

Nos acercamos y me dice: "Mamá, es Francisco". A mí me entraron a temblar las piernas, me temblaba todo.

—Qué te parece.

—Yo no entendía nada. Me agarró una angustia que dije necesito hablar con un cura. Busqué a ver quién estaba ahí; justamente estaba el padre Ramón que es quien atiende la Iglesia de Fátima. Y bueno, me acerqué y le dije: "Mire, escucheme, necesito hablar con usted". Le cuento lo que me había pasado con Mateo, la enfermedad y lo que él empieza a partir de la enfermedad. Y yo lo que recuerdo es que él salió de detrás de una ventana, como si fuera una secretaría y él estaba atrás de la ventana y me escuchaba. Cuando le conté lo que pasaba, salió de ahí adentro, vino y me dijo: "Esta es la criatura de Dios". Lo abrazó y se puso a llorar.

—¿El cura?

—El cura.

—Qué grande.

—Y me abrazó y me dijo: "Señora, una criaturita así no puede inventar lo que su hijo está contando".

—¿No te acordás cómo se llama el cura, no?

—Se llama Ramón y no sé el apellido.

—Ramón...de ahí, de Fátima del Bajo Flores. Qué grande el cura, qué grande.

—En ese mismo momento, él me dice: "Vení, vení". Me llevó enfrente de donde nosotros estábamos. Había una librería de la iglesia y le dice a la señora que atiende: "Mirá, ahí hay unos libritos, dame ese que tenés ahí". Me acuerdo que ni siquiera nombró nada, uno que tenía en la tapa la cara de un nene. Me lo acerca y me dice: "Llevate este libro para leerlo". *Francisco, el niño que veía a la Virgen*, decía el libro. En el ínterin que la mujer me lo está dando, Mateo dice: "Mamá, este es mi angelito". Se abraza al libro y se pone a llorar, le da besos al libro.

—¿Mateo?

—Mateo.

—Me vas a hacer llorar a mí, hermana.

—¿Te imaginás ese momento? La mujer no entendía nada y también se le caían las lágrimas. Fue una cosa muy fuerte.

—Qué te parece.

—Bueno, el padre Ramón tenía ahí un escapulario, digamos, donde está Francisco con Jacinta que es la hermanita y del otro lado tiene a la Virgen. Dijo: "Tomá Mateo, yo te voy a regalar esto para que vos estés con Francisco, te duermas con Francisco, que lo tengas, que te acompañe". Y le da un beso a Mateo. Bueno, nos volvemos a casa. Yo le contaba a todo el mundo y nadie lo podía creer. Pasó un mes. Un día estábamos aquí en casa y Mateo empieza a llorar desconsolado, pero desconsolado, de la nada, porque te aseguro que era de la nada. Y lloraba y lloraba como nunca lo vimos llorar y le digo: "Mateo, ¿qué tenés?, ¿qué tenés?". No me contestaba, después en un momento me abraza y me dice: "Es que me quiero ir con Francisco y no puedo". Entonces yo le digo: "Pero, Mateo, ¿por qué decís así?". "Porque yo me quiero ir con Francisco y con el padre Mario y no puedo", decía. Nombraba a ellos dos...

—Pero ¿de dónde sacó al padre Mario?

—Hasta el momento no sé.

—¿Cómo no sabés?

—No sé, no sé. No tengo ni idea.

—¿Nadie le habló del padre Mario?

—No, no sabía nada del padre Mario. Yo misma sabía poco y nada. Sabía, pero nunca le presté atención, de estar pendiente, de rezarle al padre Mario, de tener estampitas, nada. Excepto que tenía un rosario violeta que le habían traído las chicas, que me dijeron que era de la salud, cuando fueron a llevar la foto de Mateo al santuario del padre Mario. Eso es todo lo que teníamos, un rosario violeta y no hay otra cosa.

—Pero de dónde... yo estoy preguntando pavadas, perdoname, porque esas cosas no se preguntan. ¿De dónde sacó lo del padre Mario? Y bueno lo sacó de un lugar al que vos y yo no tenemos acceso. De ahí lo sacó.

—Te puedo asegurar que hasta el día de hoy yo no lo sé... Bueno, Mateo, vos no te preocupes, cuando quieras pensar en él tenés tu estampita de Francisco y lo abrazás. "Pero yo no quiero el de mentira yo quiero el de verdad", me dice.

—Claro, Dios mío.

—Después yo empecé a buscar qué es lo que pasa. Por qué este nene se quiere morir. Porque aparte mi otro hijo lo veía llorar así y me dice: "Mamá, Mateo se quiere morir". Entonces, tratando de explicarle, busqué apoyo en los curas, tengo un sacerdote que está al tanto de todo y que es el que me acompaña a mí en un montón de cosas. Cuando yo lo fui a ver y le conté, también se me puso a llorar.

—¿El cura también?

—Era devoto del padre Mario y me dijo: "No te quepa la menor duda de que él lo vio al padre Mario".

—Claro, claro. El cura este, ¿cómo se llama?, el amigo tuyo.

—Humberto Bellone.

—¿De dónde es?

—Es de Reina de los Apóstoles. En el barrio de Flores.

—El cura me dijo: "Lo que vamos a hacer es esto: poné estampitas y no le digas nada. Vos, buscá estampitas de varios santos, poné sobre la cama, poné sobre la mesa, poné estampitas, muchas. No le digas nada a él y meté por ahí, entre todas, una del padre Mario. A ver qué es lo que pasa. Pero dejalas ahí, no lo llames para decirle: mirá lo que hay acá".

—Muy piola, pero muy piola ese cura.

—La verdad que sí.

—Porque además el nene no sabía leer, claro.

—Tenía tres años. Bueno, yo puse una serie de estampitas y él empezó. A esta la conozco, dice. Y era la madre Maravillas.

—¿Y agregó algo?

—No. Después me dijo: "Esta es la que me curó", y me mostró la Virgen del Rosario.

—¿Te dijo así, derecho viejo, esta es la que me curó? Papito.

—Después me dijo: "A este no lo conozco y a este sí lo conozco pero no sé como se llama porque no me habla..." y era el padre Mario. Lo reconoció.

—Esto es demasiado hasta para mí.

—Después de eso fuimos a la Virgen del Rosario, a San Nicolás, sin saberlo él, no le dijimos nada a propósito, fuimos en forma de paseo. Hicimos la cola para ver de cerca la Virgen. Cuando llegamos y nos acercamos, él estaba en brazos de mi marido y apoyó las manos en el vidrio y dijo: "Gracias por curarme". Pero nadie le había dicho nunca que ella lo curó, volvió a afirmar lo que él había dicho de la estampita.

—¿Cuándo fue eso?

—Y nosotros fuimos para octubre del 2003.

—¿Gracias por curarme, dijo?

—Gracias por curarme.

—Dios mío... Precioso, Pauli, realmente precioso.

Es posible que Mateo tenga algún don, se hace difícil opinar sobre esto. Es tan impresionante lo que contó su mamá que, en algunos tramos, yo esperaba que apareciera alguien diciendo que era una de esas cámaras sorpresa que se hacen por televisión. Mateo cumplió seis años el 23 de febrero de este 2005. Y sigue viendo a Francisco y hablando con él. Hay algo indiscutible: él no puede inventar todo eso. Paula, su mamá, llegó a coincidir en lo asombroso de su propio relato:

—Hoy yo creo en todo lo que me dijo y lo que me dice, pero siempre, en el fondo, tengo esa cosa que vos decís: entiendo que es muy raro, que es muy difícil de aceptar. Pero yo lo viví. Es mi hijo.

—Una cosa antes de que nos despidamos. Supongo que ya conozco un poco la respuesta, pero quisiera saber si tu visión con respecto a la fe, a la religión, a la Iglesia cambió desde entonces.

—Totalmente. Te puedo asegurar que sí. Sin palabras. Mi marido, si bien cree en Dios y creía en la Virgen, no es una persona para nada religiosa, ni tomó la comunión, imaginate. Sin embargo, bueno, se fue solo hasta Luján. Vamos a bautizar al bebé que tenemos y la decisión salió de él. Creo que fue un acercamiento a nivel familiar. Mirá cómo son las cosas: a Lucas, el más grande, ya hacía mucho tiempo que yo le venía diciendo que tenía que tomar la comunión y no, ni loco, no quería. Después que pasó esto, un día vino y me dijo: "Mamá, yo tengo que tomar la comunión".

—Qué grande. ¿Cuánto tiene Lucas?

—Once. Tomó la comunión el año pasado.

—Es curioso que siendo, en principio, una familia que no era religiosa, los chicos se llamen Lucas y Mateo, son nombres de los evangelistas. Lucas era médico y Mateo era recaudador de impuestos, eran dos de los cuatro evangelistas.

—En realidad no fue puesto por eso, para nada.

—Y tenés un hijo más, el bebé.

—Sí. Tiene nueve meses. Se llama Jonás. También es un nombre bíblico. Se llama Jonás Francisco. Le tuvimos que poner Francisco, cómo no le íbamos a poner Francisco...

—*Me gustó, Galle. Y me gustaron los dos curas, sensibles e inteligentes, que se le cruzaron a ellos en el camino.*

A mí también, Mariano, tuvieron suerte.

—*¿Los curas?*

Ellos. Con tanto sacerdote que atiende a la gente como si fuera de otro planeta y la escucha como si lloviera, es fantástico señalar a los buenos. Y los curas también tuvieron suerte, ya que preguntás: se emocionaron con los dones de un chico.

—*Eso es cierto. Contá algo de los dones, ¿eh?*

Esta vez voy a hacerte caso.

4

Creer vale la pena. Y la alegría

Bases para defender los milagros, los dones de las personas y las apariciones de la Virgen

¿Hay gente que tiene dones especiales? Por supuesto. Y reparen en que no digo "es posible", "quizá", "bueno, yo...", ni nada por el estilo. La respuesta es absolutamente afirmativa. Hay gente con dones especiales. Sin ninguna duda. Y esta certeza no parte de mí que, aunque sea especialista en lo sobrenatural religioso, soy apenas un fulano al que le da placer sentirse el detective de Dios, como lo bautizó un periodista hace muchos años.

Esta rotunda afirmación es oficial de la Iglesia Católica. No me refiero a ser "el detective de Dios", claro, sino al hecho de que existen personas con dones que no son comunes.

En el Concilio Vaticano II fue uno de los temas que se trataron y se llegó a conclusiones que no se discutieron casi nada. Todos estaban de acuerdo en que hay carismas, dones, poderes, que han sido dados a gente de todo tipo. Y esto es muy importante teniendo en cuenta que el Vaticano II no fue precisamente un concilio de la Edad Media, sino que se inició en 1962 bajo la tutela del papa Juan XXIII y terminó en 1965 con Paulo VI como pontífice. Tiene aún más peso cuando recordamos que dio un golpe de modernización, por llamarlo de alguna manera, a algunos temas y a la Iglesia misma. Para algunos, esa "modernización" fue necesaria, para otros fue demasiado brusca. Lo cierto es que fue muy realista, casi racionalista en algunos de esos cambios. Sin embargo, se dijo claramente lo que se pensaba de los dones y las personas capaces de vivirlos. Esto le da más peso, como digo, a esa oficialización de lo asombroso en lo que hace a revelaciones privadas.

Como si hiciera falta algo más para darle autenticidad y un gran valor de tipo espiritual a lo allí expresado, hay algo más para tener en cuenta y no es poca cosa: en el Concilio Vaticano II se dieron a luz varios documentos y una buena cantidad de declaraciones, pero sólo cuatro Constituciones Dogmáticas sobre la Iglesia, figurando este texto en una de ellas.

Una constitución dogmática es, para decirlo fácil, algo que simplemente no se puede discutir.

Una de esas cuatro de aquel concilio fue la llamada Lumen Gentium, algo así como "Luz de la Gente" o "Luz de los Pueblos o para los Pueblos".

En su capítulo II dice, de manera textual (léanlo despacito y con atención):

Además, el mismo Espíritu Santo no solamente santifica y dirige al Pueblo de Dios por los Sacramentos y los ministerios y lo enriquece con las virtudes, sino que "distribuye sus dones a cada uno según quiere" (1Cor., 12, 11), reparte entre los fieles de cualquier condición incluso gracias especiales, con que los dispone y prepara para realizar variedad de obras y de oficios provechosos para la renovación y una más amplia edificación de la Iglesia según aquellas palabras: "A cada uno se le otorga la manifestación del Espíritu para común utilidad" (1Cor., 12, 7). Estos carismas, tanto los extraordinarios como los más sencillos y comunes, por el hecho de que son muy conformes y útiles a las necesidades de la Iglesia, hay que recibirlos con agradecimiento y consuelo. Los dones extraordinarios no hay que pedirlos temerariamente, ni hay que esperar de ellos con presunción los frutos de los trabajos apostólicos, sino que el juicio sobre su autenticidad y sobre su aplicación pertenece a los que presiden la Iglesia, a quienes compete sobre todo no apagar el Espíritu, sino probarlo todo y quedarse con lo bueno (cf. 1Tes., 5, 19-21).

62

Más claro, échenle agua. Bendita, por supuesto.

También está claro que "los que presiden la Iglesia" son los que deben "probarlo todo y quedarse con lo bueno", es decir, separar la paja del trigo, discernir. Y no es una tarea sencilla hacer algo semejante.

Hubo una considerable cantidad de errores con respecto a esto en la historia de la Iglesia. Errores que, afortunadamente, luego se corrigieron. Es posible que haya obrado el Espíritu Santo y, a menudo, el sentido común, la gran evidencia de la gente, el pueblo de Dios como motor.

Sobran los ejemplos, pero tomemos algunos de la canasta:

La Virgen de Guadalupe

Ya conté esta historia en otro librito, pero vale la pena recordarla. El sábado 9 de diciembre de 1531, unos minutos antes del amanecer, un hombre se dirigía lento y cansado a la ciudad para oír misa. No hacía mucho que ese hombre, un indígena, se había convertido al catolicismo. Y lo había hecho con todas sus fuerzas. El lugar era el cerro Tepeyac, en México.

Sonaba una música delicada y desconocida. El lugareño escuchó una voz muy suave, tanto que podía confundirse con el arrullo de los pájaros. "Diego –decía la voz–, Dieguito." El indio, llamado por su nombre, apenas se desvió un poco de su camino y fue hacia el lugar del cual provenía la voz.

Cuando acudió a ese misterioso y cálido llamado, alzó la cabeza y se encontró de pronto con "una señora muy bella, con un vestido brillante como el sol, plena de luz y en pie sobre unas nubes", según su relato. La aparición le dijo dulcemente:

—Juanito, el más pequeño de mis hijos, yo soy la siempre Virgen María.

Así comenzó todo. Juan Diego, de rodillas, escuchó a la Santa Madre decir que deseaba que en ese lugar se construyera un templo para poder allí prodigar todo su amor, auxilio, compasión y defensa a los que lo necesitaran y en Ella confiaran. Lo instó a llevarle ese pedido al obispo. Juan Diego se presentó ante Fray Juan de Zumárraga, el obispo de México, y relató lo ocurrido. El prelado apenas lo escuchó. El indiecito volvió al día siguiente al cerro y, frente a la Virgen, le contó su fracaso. Los relatos publicados por editoriales religiosas, no cuentan con sus reales palabras –supongo que por pudor– la traducción de lo dicho por el indígena. Según Nican Mophua, otro indio de la época en cuyo testimonio escrito se basó toda esta historia, Juan Diego, lleno de amor y desazón, le dijo a la Virgen que nadie le creería a él ya que: "Madre, yo soy la mierda de este pueblo". Juanito era todo lo contrario, un puro absoluto, pero explicaba con sus propias palabras que él era demasiado insignificante como para que lo escuchara nadie y, en especial, un obispo.

Casi todos los relatos que se hicieron y se hacen de la aparición de la Santísima a Juan Diego hablan de él como "el indiecito". Cuando esta historia ocurre él tiene cincuenta y siete años de edad, es casado y hace seis que se convirtió al cristianismo, con mucha fe, con mucha fuerza, la de los puros. Tal vez, eso de llamarlo "el indiecito" sea una manera de acercarnos a su humildad, su calidez infantil y, por eso, más valiosa. ¿Quién diría de sí mismo, con palabras tan crudas y a la vez inocentes, lo que dijo él para justificar su fracaso con el obispo?

María, con dulzura, le recordó que eran muchos los servidores y devotos que Ella tenía pero que era él quien debía cumplir esa misión.

Juanito obedeció. Nuevo fracaso. El monseñor le dijo que, si en verdad era la Santísima Madre quien lo enviaba, que, la próxima vez, le llevara algo de ella, alguna señal tangible. Juan Diego se fue muy triste. Al día siguiente tomó por otro camino ya que debía ir a ver a un tío moribundo al que debía buscarle un sacerdote para que le diera la extremaunción, pero allí también se le cruzó la Señora del Cielo. Con pesar, Juanito le contó del obispo y de su tío. Y la Virgen le dijo:

—Entiende, hijo mío, el más pequeño, que no es nada lo que te asusta y preocupa. ¿No estoy yo aquí, que soy tu Madre, tu

64

ayuda y protección? ¿No soy yo la salud? Tu tío ya ha curado de su mal. En cuanto al obispo, junta algunas flores del cerro y tráelas aquí.

El indiecito obedeció. El no podía saberlo pero, mientras hacía eso, su tío se levantaba de la cama en perfecta salud ante la sorpresa de los que lo rodeaban. Pero el verdadero misterio aún no se había producido. Todavía faltaba lo mejor. Juan Diego subió a la cumbre del cerro Tepeyac y se asombró mucho cuando vio allí, a muy bajas temperaturas y en medio de un suelo de piedra, una cantidad impresionante de rosas. Juntó unas cuantas y las puso en su poncho de color blanco. Las llevó a la Virgen y Ella le dijo que esa sería la prueba pedida por el obispo de México.

—Sólo ante él debes abrir tu manta, hijo mío, el más pequeño, mi embajador.

Al principio ni siquiera lo dejaban entrar al episcopado, pero luego el aroma de las rosas escondidas en el ponchito les llamó la atención y lo llevaron ante el prelado. Juanito, siguiendo al pie de la letra las instrucciones de la Madre, desplegó su manto por primera vez. Al hacerlo, las hermosas rosas cayeron al suelo y despejaron el poncho dejando ver en él una imagen perfecta de la Virgen. Todos los presentes cayeron de rodillas. El obispo Zumárraga puso las palmas de sus manos sobre su rostro y lloró con tristeza y arrepentimiento por no haber creído antes. Esto, francamente, lo reivindicó de manera plena. Luego llevó el poncho de Juan Diego al altar de su oratorio. Bajo sus órdenes se construyó el templo pedido por María en el lugar exacto y se le dio el nombre que Ella misma había elegido: Virgen de Guadalupe.

La manta con su imagen, de tejido rústico, se colocó en un cuadro de 1,43 metros de alto cubierto por un simple vidrio protector. Han pasado desde entonces 474 años y tanto la tela como la imagen se mantienen en perfecto estado, aun cuando eso es simplemente imposible, a menos que medie un milagro. Las investigaciones científicas que se han hecho ya en nuestra época y con elementos de alta tecnología confirman que la fibra rústica del ponchito no puede mantenerse más allá de los veinte años, luego de lo cual se deshilacha o desintegra por el polvo, la humedad y el simple paso del tiempo. Pero ahí está, en México. Más aún: en 1921 manos criminales hicieron estallar una poderosa bomba que destrozó en miles de pedazos casi todo lo que había alrededor del altar. Pero no el poncho con la imagen. A pesar del poder del explosivo ni siquiera se rompió el vidrio común y silvestre que protegía el manto. Un manto al que el doctor Richard Kuhn, premio Nobel de Química en 1938, analizó con suma prolijidad para informar luego oficial y científicamente: "Aunque resulte incomprensible, el elemento usado para los colores de esta pintura no es de tipo mineral, ni vegetal, ni animal. A mí también me resulta incomprensible y es todo cuanto puedo decir". De la misma forma, y a través de rayos infrarrojos, la tela fue estudiada por un grupo de científicos de la NASA, quienes determinaron sin dudar tres conclusiones rotundas e igualmente inexplicables:

1) Ese tipo de tela no puede haber durado tanto tiempo de ninguna manera y menos aún en las perfectas condiciones en que está.

2) Esa tela ha sido sometida a estudios de la más alta tecnología y no revela ningún elemento que la preserve o proteja.

3) La imagen que aparece allí no ha sido pintada con pincel o con cualquier otro elemento conocido, sino que parece impresa de una sola vez, sin retoques de ningún tipo. Teniendo en cuenta que el hecho ocurrió en el siglo XVI, no se puede saber cómo se imprimió de esa manera.

Eso fue en nuestros días, claro. Al principio era otra cosa.

En el siglo XVI la Iglesia condenó oficialmente el culto de la Virgen de Guadalupe a la que no reconocían. Los que se atrevieran a honrarla corrían el riesgo de ser expulsados del cristianismo ya que las autoridades no estaban seguras del origen del fenómeno y, desde Europa, dudaban de su veracidad. Recuerden que todo esto ocurría apenas treinta y nueve años después del descubrimiento de lo que luego sería llamado América. En aquellos tiempos todos eran un poco brutos, no como ahora que todos aceptan los milagros sin la menor discusión.

A pesar de las amenazas, el pueblo, emocionado por la historia de la aparición a uno de ellos –Juan Diego– construyó con barro y paja el primero de los templos, aun ante la oposición de la jerarquía eclesiástica. María le había hablado al indígena en su mismo idioma, no en español, lo que hacía aún más fuerte ese amor. Y la Virgen devolvió esa devoción con tantos favores y milagros como para que en los diez años siguientes se convirtieran al cristianismo nada menos que seis millones de indios, seguidores de una Virgen que era como ellos y para ellos, sin oros y brillantes, morena y noble como ese pueblo.

Este es siempre el mayor de los milagros: la conversión.

Mover montañas es más fácil que mover almas. Hacer que esos aborígenes adhirieran con todo su amor a esa Señora Hermosa fue lo que permitió que luego fueran conociendo y amando a Su Hijo, Cristo. A ver si lo decimos con todas las letras de una vez por todas: sin la Virgen y el impresionante sentimiento materno que despertó en todos los indígenas del Nuevo Continente, la conversión al cristianismo hubiera sido muchísimo más difícil de lo que fue. En América, Ella nos enamoró a todos desde el vamos. Y nos sigue enamorando.

Recién doscientos seis años después de la aparición, en 1737, el papa Benedicto XIV otorga misa y honores a la Virgen de Guadalupe, proclamada patrona de México. En 1910 se extiende el patronazgo a toda América. Mucho después otro pontífice, Paulo VI, le hace llegar a la Santísima una rosa de oro como prueba de su propia devoción.

El único Papa que visitó a la Virgen de Guadalupe fue, como no podía ser de otra manera, Juan Pablo II (santo ya), devotísimo de María. Honró a la Madre con emoción y llevó a Juan Diego a los altares.

Esta advocación es originalmente muy anterior a la aparición en América. Un antiguo relato asegura que San Lucas, el evangelista, pintó varios retratos de María cuando Ella aún vivía en el mundo y que una de esas pinturas, hecha sobre madera negra –de allí el color moreno de esta imagen– era su preferida hasta tal punto que Lucas quiso ser enterrado con ella. Con el paso de los años y el hallazgo de su tumba, encontraron aquel cuadro al que se fue honrando y defendiendo siglo tras siglo hasta llegar a España, donde es hallado en una orilla del río Guadalupe, de allí el nombre. Ya tenía muchos devotos. Entre ellos, Cristóbal Colón, quien en su diario cuenta que, al regresar de uno de sus viajes al Nuevo Continente, una feroz tormenta amenaza con hacer naufragar al barco que comandaba entonces, la *Niña*, pero que elevó los ruegos a "su" Virgen de Guadalupe y el mar se calmó enseguida. Desde sus orígenes fue una advocación considerada muy milagrosa. Y, en América, continuó con esa tradición. A propósito del bueno de Colón, casi nadie ha contado que su nombre –Cristóbal– significa "portador de Cristo". Y justito él descubrió el continente que terminaría siendo el más cristiano del mundo.

—*Qué casualidad ¿no? La vida está llena de casualidades.*

Uno de los milagros más impresionantes alrededor de Nuestra Señora de Guadalupe es que, siglos después de su aparición, un grupo de científicos analizó cada milímetro del poncho con la imagen de la Virgen y descubrió que había algo en los ojos de la Santísima. Un célebre oftalmólogo francés, el doctor Lauvoignet, fue el primero en observar con un potente microscopio la pupila de la imagen y advertir la figura de un hombre. El hecho desató una investigación que siguió por décadas. Otro científico, el doctor Tonsman, sacó una foto del ojo de María y la amplió más de dos mil veces. Ante el asombro general, pudieron ver que en esa pupila están reflejadas de una forma microscópica varias figuras humanas: un fraile anciano que se supone es el obispo; otro sacerdote con una mano sobre su barba con gesto de real asombro; varios sacerdotes en otros planos así como un par de indígenas más y el propio Juan Diego desplegando su poncho del que caen las rosas. En una palabra: todos los personajes presentes en el momento de producirse el milagro. Por supuesto jamás se pudo saber cómo era posible algo así.

La Virgen de Guadalupe, portadora en la mochilita de su alma de grandes cantidades de amor, es la Patrona de América, de todas las Américas. Pero, al principio, ya ven, no creían en su aparición. Y los que no creían no eran los enemigos, no. Eran de los nuestros, vaya paradoja.

La Virgen de Fátima

Nada menos que Ella en Fátima, Dios mío, tal vez la más impresionante de las apariciones de la Virgen, sufrió no sólo las dudas, sino los ataques de quienes se burlaban de los pastorcitos videntes. En los primeros tiempos, hacían fila para despreciar el hecho y decir bobadas. Ya saben lo que ocurrió luego.

Muchas más pasaron por largos momentos de prueba hasta que se decidiera su condición de opción doctrinal. Una de ellas está muy cerca de los argentinos, tanto geográfica como espiritualmente.

La Virgen del Rosario de San Nicolás

Las apariciones comenzaron en 1983. Vinieron acompañadas por milagros y señales muy claras. El primer sacerdote que encabezó una peregrinación a San Nicolás fue mi papá espiritual, monseñor Roque Puyelli, un curazo con la sotana muy bien puesta. Mariano enamorado, al punto de crear la Asociación Mariológica Argentina, que siempre me dio ternura porque su sigla, vaya coincidencia, es AMA. Unos pocos laicos viajaron con él a San Nicolás, pero Roque no afloja fácil. Y hubo un hecho fundacional de lo que luego vendría: el obispo del lugar apoyó el hecho.

Monseñor Domingo Salvador Castagna asumió como obispo de San Nicolás en 1984. En 1993, durante una entrevista, me aclaró muchas cosas. Cálido, afectuoso, sumamente inteligente, devoto de la Virgen pero con la tradicional prudencia eclesial, me regaló sabiduría: "La fe está allí, empujada por la gente. La obligación del obispo es acompañarlos y hacer que esa fe no vaya por un cauce que no es el correcto, que sea realmente auténtica".

—¿Cómo se comprueba la autenticidad de los mensajes, monseñor?

—Nuestro deber ha sido comprobar que esos mensajes estén de acuerdo con la fe cristiana, que no haya deformaciones ni nada que pueda contaminar la pureza de esa fe que es tradicional en la Iglesia. Y también es nuestro deber advertir que no hay obligación de creer en los mensajes. Son una cuestión de fe, pero no son dogma.

—En el caso de Nuestra Señora del Rosario aquí, en San Nicolás, no se advierte tanta carga apocalíptica como en otras apariciones. Los mensajes parecieran estar más llenos de amor y de esperanza...

—Sí, sí, sí... Es como si mostraran más el aspecto tierno y maternal de la Virgen ¿no? Siempre a través de un llamado a la oración y la penitencia pero abriendo el corazón a la misericordia de Dios, dejando en claro que Dios ama a los hombres, que Dios es el Padre ¿no es cierto? Eso también me admira a mí y le doy gracias a Dios de que sea así porque hubiera sido más difícil discernir sobre un mensaje apocalíptico...

—Monseñor, usted sabe que puede haber escépticos ¿verdad?

—Por supuesto. Uno transmite, pero está en la libertad del otro aceptar o no la cosa. Dios le da al hombre la fe pero también le da la opción de rechazarla ya que le dio libertad para elegir. La fe no se puede explicar. Es un don. Y, en el fondo, es un acto de amor.

—¿El mensaje de la Virgen es aun para los que no creen?

—Yo pienso que es para todos. Aquí se pone en acción un principio fundamental: María es Madre. No sólo de los católicos sino de todos los hombres, esto es fundamental. Ella llama a todos, todos son sus hijos.

Magnífico, monseñor Castagna. Apoyar las apariciones en San Nicolás no fue una decisión apresurada ni un capricho episcopal. Empezó a advertir que las conversiones ocurrían de una manera jamás soñada. Ese, tal vez, fue más signo aún que los mensajes, las sanaciones, los rosarios de madera que despedían chispitas o los estigmas de la vidente Gladys Motta.

La fe no se basa en los milagros, sino en Dios. No puedo estar más de acuerdo con eso. Pero los milagros son un signo de Dios.

—*Dígamelo a mí, señora.*

¿Perdón? ¿Señora? ¿Te parezco una señora?

—*No, no, no puedo ser tan malo con las señoras.*

Muy amable. ¿De qué se trata, entonces?

—*¿Vos te acordás del personaje de Niní Marshall conocido como Catita. Era una empleada doméstica muy pizpireta.*

Solamente alguien que es muy mayor, como vos, puede recordar no tanto a la magnífica y sana Niní y a su personaje, sino a la palabra pizpireta.

—*Pero vos me entendiste. Quiere decir que no sos un bebé.*

Yo te entiendo casi siempre. Bueno, ¿y a qué viene esto?

—*Cuando la patrona de Catita se quejaba con ella de los problemas de la vida cotidiana de entonces y le decía algo así como "¡qué difícil es todo hoy en día!", Catita le respondía: "Dígamelo a mí, señora". Era una frase que repetía siempre. Un latiguillo. Un amigo mío aún hoy lo usa.*

Un pibe, tu amigo. Y otra palabra moderna, ¿eh? Latiguillo. Vos estás saliendo mucho de noche, a bolichear por ahí, de jarana.

—*Si siempre estamos aquí, escribiendo. No me sacás a ningún lado y yo no te puedo dejar solo, harías un desastre. A propósito: "jarana" se dejó de usar uno o dos días después de las Invasiones Inglesas, las de 1806...*

Gracias por avisarme. Muy amable. Sos un ángel.

—*Así es.*

Sigo, si no te importa.

—*Faltaba más.*

Me alegra que estés de acuerdo y me permitas seguir. Ese "faltaba más" es, también, un poco antiguo, pero al menos es gentil.

—*El tono fue otro, no te quiero engañar. Fue algo así como "ufa, faltaba más, todavía". No te ofendas, pero yo te pedí un poco sobre los dones, nada más. Es que a la gente le gusta leer los testimonios, estremecerse con los milagros. Andá a eso, dale.*

Voy a lo que se me antoja. Esto que conté le sirve a la gente cuando alguien se pone pesado y toma posición en contra del milagro. Y "ufa" es otra antigüedad. ¿Cuántos años tenés, vos? ¿Todos?

—*Más o menos. Bueno, está bien, seguí. Deciles qué es milagro.*

La palabra milagro nos llega de *miraculum*, que significa "admirarse".

—*No, lo otro. La definición.*

La definición no religiosa es: "Un hecho insólito que supera la esperanza y la capacidad de quien lo observa". Observar que aún muy lejos de la religión se menciona la palabra clave –esperanza– al hablar de milagro.

—*Muy lindo pero deciles la otra definición, la de Tomasito.*

La definición religiosa, dada por Santo Tomás de Aquino, es: "Aquello que ha sido hecho por Dios fuera del orden de toda la naturaleza creada".

¿Tomasito? Debo haber oído mal.

Vamos a ver.

Nosotros, los humanos, pequeños e ignorantes pero atrevidos y simpáticos, rompimos muchas veces las reglas de la naturaleza. Inventamos los aviones y nos desplazamos por los aires a diez mil metros de altura y a mil kilómetros por hora cuando no estamos hechos para volar. Inventamos la energía eléctrica y las bombitas de luz, lo que nos permite romper la norma natural de la oscuridad de la noche con sólo tocar un botón. Inventamos las heladeras que nos dejan guardar alimentos durante mucho más tiempo ya que sin ellas se pudrirían en pocos días, que es justamente lo natural. No voy a seguir, ya saben, inventamos muchísimas cosas que "rompen las reglas de la naturaleza".

Aceptamos esto, ¿no es cierto? ¿Cómo no aceptar, entonces, que nuestro Creador, el que todo nos permite, no puede alterar un sextillón de veces por día las reglas de la naturaleza que, por otra parte, Él mismo creó?

Bueno, eso se llama milagro.

—*Dale, contales uno que se están aburriendo. Y que tenga que ver con alguna mujer, ya que en eso estamos...*

72

Está bien.

Hace unos cuantos años, en un pequeño pueblo de las afueras, la gente estaba alborotada porque se preparaban para un casamiento de una pareja del lugar. Tal como ocurría en los pueblitos por aquellas épocas, eso era un acontecimiento para todos. Se vestirían con las mejores ropas, usarían los perfumes guardados para ocasiones como esa, sacarían del baúl de las cosas buenas como sus mejores sonrisas y sus palabras más tiernas para desearles a los recién casados el mejor de los futuros. Era un día mágico para todos los del pequeño pueblo. Todo estaba preparado para festejar y compartir. Si alguien les hubiera ofrecido a aquellas personas un automóvil último modelo o esa fiesta, con seguridad hubieran elegido la fiesta sin darle ni la menor importancia al vehículo. Porque la fiesta era bien de ellos y el auto les hubiera sido por completo ajeno. La comida se había ido acumulando y guardando para la ocasión, además de unas cuantas cocineras vecinas que estarían revolviendo sus ollas a lo largo de esa semana para no dejar a nadie con el estómago desconforme. También el vino se almacenó en toneles que luego llenarían jarras infinitas, ya que en aquel pueblito, como ocurría en especial en todos los alejados de las grandes ciudades, al vino se le daba mucha importancia no sólo como acompañamiento de la comida sino como un alimento en sí. Tan importante era que a las bodas al estilo de aquella se las llamaba con un nombre que todo lo explica: "mistita", que significa "fiesta de la bebida".

La familia de los contrayentes era ciertamente humilde, al igual que todo el pueblo, pero ponían en aquella fiesta todo su dinero y todas sus esperanzas. Y llegó el gran día. La música comenzó a sonar desde temprano y la gente bailaba alborozada porque se estaba celebrando nada menos que al amor. Una mujer entre los invitados disfrutaba de manera especial ese momento. Ella había tenido su propia boda hacía ya muchos años, pero la emocionaba cada repetición de la ceremonia, tanta alegría, tantos sueños.

Estaba sentada en una de las mesas y desde allí advirtió, pasado un tiempo, que los padres de los novios se movían inquietos y hablaban entre ellos de manera ansiosa, moviendo demasiado los brazos y tratando de disimular malamente su preocupación. La mujer, de poco más de cuarenta y cinco años, no pasó por alto que algo ocurría. Le preguntó a uno de los que servían las mesas y se enteró del inconveniente. Para los padres del flamante matrimonio y para la pareja misma, aquello era mucho más que un inconveniente, era algo así como una pequeña catástrofe cotidiana que empañaría la fiesta para siempre y haría que se la recordara como un festejo miserable. Porque el problema era que se había acabado el vino y, si algo así ocurría en una boda, la mistita, la fiesta de la bebida, lo considerarían no sólo cosa de muy pobretones sino algo de mal agüero. La mujer no creía en supersticiones, pero sabía que lo otro era definitivo, todos hablarían por años de "la fiesta en la que se acabó el vino". Y se reirían, seguramente. Por eso, puso su mano sobre el brazo de su hijo, que estaba allí con unos amigos, y le dijo:

—No tienen vino.

—¿Qué tenemos que ver nosotros? —preguntó el hijo.

Ella simplemente lo miró a los ojos.

El hijo se quejó, respondiendo a esa mirada silenciosa. A pesar de esa aparente negativa, la mujer detuvo con un gesto a uno de los servidores de las mesas y, señalando a su propio hijo, indicó:

—Hagan lo que él les diga.

El hijo no opuso ninguna resistencia. Miró a su madre con el amor de siempre y, tal vez, con un levísimo dejo de reproche cariñoso, y luego se dirigió a los servidores. Señaló unas enormes tinajas de piedra cercanas y les indicó que las llenaran con agua. Así lo hicieron, hasta el borde. El hijo de la dama pidió por el maestro de sala, lo que nosotros llamaríamos "maître", quien tenía a su cargo la fiesta. El *maître* llegó, probó el contenido de una de las tinajas y, saboreándolo, le dijo al hombre que se había casado y que también se había acercado: "Todos sirven el vino bueno y, cuando ya han bebido bastante, sacan el de peor calidad. Tú has guardado el vino bueno hasta ahora". Y la fiesta continuó. La dama sonreía con esa sonrisa que sólo Ella puede tener y su Hijo la miraba con infinita ternura. Su madre lo había empujado suavemente a realizar su primer milagro.

Este fue, en efecto, el primer milagro público de Jesús, llevado por la indicación amorosa de su madre, María, para que unos recién casados y un pequeño pueblito de Galilea no perdieran la felicidad que los embargaba. Y ocurrió en una boda, en Caná. Así y allí "Jesús manifestó su gloria y sus discípulos creyeron en Él", como escribió textualmente uno de ellos allí presente, un tal Juan.

¿Te gustó?

—*Por supuesto, es muy tierno.*

Y, además, deja en claro algunas cosas. Una de ellas es que María tiene un peso fundamental en la formación de Jesús a través del amor. Otra, que la mujer es tan importante en la vida de la historia de la humanidad como para hacer que los hombres –y hablo del más grande también– sean llevados a realizar milagros. Y otra, para los cristianos que son reacios a los milagros, dejar en claro la frase final: "Así Jesús manifestó su gloria y sus discípulos creyeron en él" (Jn. 2, 11). Empezaron a creer en Él por un milagro, luego vendría el resto, que irían aprendiendo como aún hoy lo hacemos día a día cada uno de nosotros. Eso que vendría es lo más importante, sin duda alguna, pero fue necesario un milagro para llegar allí.

—*Muy bien, muy bien... pero hay algo oscuro...*

Se llama "noche", entrá que hace frío.

—*Obviaré tus gracias que pretenden distraerme. ¿Mencionaste un automóvil último modelo o me pareció a mí?*

Sí, lo mencioné. Fue para despistar, para que no se dieran cuenta en la segunda línea de que mi relato era Las Bodas de Caná.

—*Pero es obvio que en la época de Jesús no había autos. ¿Mentiste?*

Vos sabés que nunca miento. Es simple. Yo no dije que hubiera un auto. Dije, textualmente: "Si alguien les hubiera ofrecido a aquellas personas un automóvil último modelo o esa fiesta, con seguridad hubieran elegido la fiesta sin darle ni la menor importancia al vehículo. Porque la fiesta era bien de ellos y el auto les hubiera sido por completo ajeno".

Y así es. Si les hubieran ofrecido un automóvil ni siquiera hubieran sabido de qué les estaban hablando, mientras que la fiesta estaba allí, tangible y divertida. Como digo, no le darían ni la menor importancia al auto, porque les era por completo ajeno. Nada más ajeno a un galileo del año 30 que un automóvil, ¿no?

—*Sí, está bien. A veces pienso que hubiera sido mejor ser el ángel de la guarda de Jack el Destripador.*

Yo también te quiero.

5

Los espantafieles

A veces, para hacer que la gente se acerque a la Iglesia, habría que hacer que algunos que están adentro se vayan de ella. Como se trata de apuntalar la fe, cosas como ésta que leerán también hay que contarlas. Aquí ocurre un hecho con cierto toque increíble, pero lo que sigue luego es más increíble.

Stella Maris Valinotti, 42 años, profesora de inglés, casada, tres hijos, vive en Monte Buey, provincia de Córdoba.

Stella me mandó una carta muy, pero muy larga (dieciséis carillas escritas a mano y de los dos lados) que encaré como cumpliendo una promesa. Era un récord para mí. Por la tercera página me dice que había leído varios libros míos y pensé que eso hacía razonable que yo leyera su carta. Pero cuenta cómo leyó el primero y eso solo me hizo sonreír porque la pintaba de alma entera. Es alguien sin vueltas, que va al grano, ese tipo de mujer que te dice lo que sea sin protocolo ni diplomacia y, pa' pior, te lo dice en voz alta, alguien que jamás podría trabajar en relaciones públicas pero que tiene un tesoro: es sincera y nada afectada. En la carta me contaba que estuvo en cama durante cuatro meses, por el delicado embarazo de su hijo mayor, hace diez años. Y dice: "Pero ¿qué pasó en esos cuatro meses? Un día, nunca supe cómo, llegó a mi cama un libro tuyo: *Más allá de la vida*. Comencé a leerlo por no tener otra cosa más entretenida que hacer".

Maravilloso. Me han dicho muchas cosas sobre mis libritos,

pero era la primera vez que alguien me decía algo así. Me reí, por supuesto. En especial porque enseguida escribe que el librito le dio mucha paz, tanta como para cambiar la vida ansiosa que llevaba hasta entonces. Es para creerle. Si alguien es tan brutalmente frontal como para poner un trabajo tuyo en el último puesto de sus prioridades, y te lo dice, cuando te cuenta algo bueno debe ser bueno en serio.

La carta sigue diciendo que luego leyó otros libritos y que sintió que su fe había crecido mucho. En eso está cuando algo ocurre.

—Lo tuyo fue en el 99, ¿no?

—En el 99, sí. Yo tenía treinta y seis años. Empecé a tener muchas enfermedades menores, resfríos, gripes, esas cosas, pero una atrás de otra...

—Baja de defensas...

—Claro. Pegado a eso el médico empieza a notar que el pelo y la piel se me resecan y me manda a hacer unos análisis de tiroides.

—Eras muy joven.

—Y, sí. Pero de todos modos mi clínico supuso que podría haber un problema de tiroides. Me hace hacer los análisis, yo los voy a buscar con una frescura total, se los llevo. No entendía nada, entre tres y cuatro no sé de qué cosa. Se los llevo, el tipo dice esto no puede ser. Andate urgente a un endocrinólogo, te aconsejo a fulano de tal, me dice. Me voy a fulano de tal, le doy los análisis. Cuando el tipo mira los análisis, dice: "¡Uh! Si esto es cierto, hay que pensar en un adenoma de hipófisis". Yo sabía que todo lo que es *oma* es tumor y que la hipófisis es la glándula madre de todas las otras glándulas.

—¿Y te disparó así, a quemarropa, directamente?

—Así. Yo me había ido en mi bicicleta, lo más bien, pensando que me diría quedate tranquila, no es nada, tomate esta pastillita y ya está. Y de pronto salí con ese diagnóstico. Yo me venía en bicicleta y sentía como que flotaba, no podía creer lo que el tipo me había dicho. ¿Cómo le digo a mi familia esto?

—Ahí empieza el vía crucis.

—Sí, sí. Bueno, la cosa es que el endocrinólogo me indica hacer estudios complementarios a los que yo ya tenía y siguen dando resultados totalmente alocados, diríamos así. Y él me seguía confirmando que había problema de hipófisis. Que hubo una disfunción en las glándulas suprarrenales, bueno, no sé qué cosa. Además, yo tenía una dificultad en el ojo izquierdo y el médico me indica hacer un campo visual. Me hago un campo visual en lo del oftalmólogo habitual. Me lo manda con otro oftalmólogo, un muchacho de una familia conocida. Ahí se veía toda una cosa negra que yo no entendía, marcada alrededor de un círculo. Yo me vuelvo y le digo al tipo: "Explicame qué es esto". "Hay un problema en el nervio óptico", me dice. Yo le cuento que el estudio me lo piden por tal y tal cosa. "Ah, claro —dice—. Como el nervio óptico pasa por arriba de la hipófisis, seguro que el adenoma lo está afectando y por eso el problema en el ojo izquierdo", y blablablá...

—Ahí es cuando te cuenta como va a ser la operación.

—Claro. "Pero quedate tranquila —me dice—, es una operación mínima, con un taladrito te abren acá al costado y te lo operan".

—¿Acá al costado era la cabeza?

—Acá al costado era la cabeza. El tipo me señalaba así como arriba de la oreja y me decía: "Acá, más arriba, te hacen con un taladrito un agujerito". Yo me acordaba, viste, de mi papá cuando estaba con el taladro y me imaginaba eso... "Y después se llega hasta el centro del cerebro." Porque ahí está la hipófisis, en la silla turca, que está en el centro del cerebro... ¿Te imaginás?

—No. Es difícil hasta de imaginar.

—A la miércoles, si me tocan ahí, pifiaron dos milésimas de milímetros, no sé cómo se dice.

—Un micrón, supongo. Yo tampoco sé.

—Qué sé yo cuánto es, ahí movieron, un movimiento mínimo, irregular que hagan y soné. Salí disparada de ahí. Llegué a mi casa y mirá, mis viejos lo único que hacían era preguntarme qué era lo que tenía, porque yo era mirarlos y llorar. Lo único que pensaba era: "Yo me quedo muda o ciega, o qué sé yo qué".

—Allí te rezaste todo.

—Sí, esa fue una época en que leía tus libros y tenía bien la fe, yo rezaba mucho y me encomendaba a Dios y a la Virgen, pedía que esto se resolviera bien, que fuera lo que tuviera que ser pero con un final feliz, con operación o sin operación. Bueno, cuando ya está confirmado esto me hacen realizar una resonancia para detectar exactamente tamaño, lugar, y todo lo demás de este adenoma de hipófisis. Y la resonancia da que no tengo absolutamente nada.

—¿Nada?

—Absolutamente nada.

—¿Dónde fue esto, dónde te hiciste la resonancia?

—En el Instituto Roentgen de Villa María, en Córdoba, donde vivo.

—Pero ¿y los análisis?

—El endocrinólogo estaba tan desconcertado con el resultado del primer análisis que me mandó a hacer otro. Tres me hicieron. Era algo loquísimo los resultados que a mí me iban dando que eran estudios muy complejos, de análisis de glándulas. También me implicaban una preparación previa jodida, bueno, qué sé yo, una cosa bastante fea. La resonancia la hacen y no tengo nada. Cuando yo le llevo la resonancia al endocrinólogo, el tipo me dice: "Yo no sé cómo explicártelo pero vos no tenés absolutamente nada. No hay nada".

—¿Y no te dan ninguna explicación?

—No, porque él dice que no sabe qué explicación darme. "Yo no sé como decírtelo —me dice— pero vos no tenés nada". Y yo lo miraba y le decía: "Pará, decime la verdad". Porque pensé que, de pronto, el tipo me ve desesperada y ahora me dice esto para que yo me tranquilice. "No, no, estás bien, no tenés nada y acá no hay nada." Y bueno, repetimos los primeros análisis. Yo realmente no tengo nada. Entonces, ahí pase por toda una época de dudas en que pensaba que en una de esas me habían hecho mal los primeros análisis...

—¿Tres laboratorios diferentes? ¿No es demasiado errar?

—Yo pensaba eso, también: ¿Tres laboratorios erraron?

—Es imposible.

—El estudio del ojo me dio mal, ¿y en eso también le erraron?

—El que estuvo fenómeno, como vos me ponés en la carta es el clínico tuyo, ¿Brunacci, no?

—Sí, Javier. Ese estuvo fenómeno. Me dijo: "Oíme. Stella, estás sana, qué más querés, qué más, listo". Porque yo lo fui a ver un día, con todos los estudios, le tiré todo arriba del escritorio y le dije: "Javier, explicame esto porque yo no entiendo un carajo". Tenemos mucha confianza. Y, bueno, cuando yo preguntaba cómo era posible que ahora no tuviera nada, él me decía: "Hacela corta, no le busqués la quinta pata al gato, esto es así, dejate de joder".

—¿Y no tuviste más problemas?

—No, estoy bárbara. En un festejo de todo eso quedé embarazada de Ana Paula. Cuando parecía todo imposible y fuera de todo cálculo, y con todo eso en la espalda, apareció ella, en el 2000.

—Vos me decís que en esa época estabas más creyente que nunca, le pediste a la Virgen y lo demás. ¿Vos pensaste de pronto que eso pudo haber tenido su importancia, su fuerza?

—A mí lo único que me queda es la certeza con que me decían es tal cosa, me lo tiraban así en la jeta. ¿De qué me agarro? De mi fe. Y bueno, fue de donde me agarré, y era mi consuelo y mi pedido y mi esperanza.

Y aquí ocurre un choque feroz. Peor que golpearse a 300 kilómetros por hora contra una montaña es toparse de golpe con un boludo.

—*Eh, ¿qué hacemos?*

No me interrumpas porque esta vez vas a estar de acuerdo conmigo.

—*No lo creo.*

Vas a ver que sí. Te apuesto una cena.

—*Yo no como.*

Bueno, dos botellas de vino.

—*Yo no bebo.*

Está bien, lo que quieras. Te apuesto lo que quieras.

—*Yo no apuesto.*

Oíme, Mariano: no comés, no bebés vino, no jugás, ¿eso es el Cielo?

—*Tampoco hago bromas pesadas como esa pregunta.*

Qué poco sentido del humor, hermanito. Parecés el cura.

—*¿Qué cura?*

Ese sí que no cura nada. La montaña contra la que chocó Stella. El boludo.

—*Pará, viejo, te estás pasando.*

Al revés, me estoy quedando corto. Porque eran dos.

—*Esto ya no puede ser, Galle.*

Estoy completamente de acuerdo. No puede ser. Pero fue. Te cuento.

Stella me dice en su carta que, ante lo inexplicable de la desaparición del adenoma, va a hablar con su párroco. Usando las palabras de Stella, este hombre "enfrió" todo su entusiasmo. Para seguir con su relato de manera textual, ella sintió como que le decía: "Andá con esa cantinela a otra parte". "Esa cantinela" era haberle preguntado si la Virgen pudo haber tenido intervención en la desaparición de su adenoma, que estaba en todos los estudios realizados. Félix, se llamaba. El cura, no el adenoma. Y Félix estuvo poco feliz. Tal vez estaba por comenzar un partido que pasaban por la tele o quería dormir la siesta, no sé. Pero pateó el castillito sin piedad. Poco faltó para que le dijera que los milagros no existen, cuando había uno muy evidente: él era cura.

La cosa sigue. Ese párroco se va a dañar a otro lado y llega uno nuevo pero peor.

Stella había estado casada y se había separado, mal. Sus padres tuvieron un accidente y su mamá perdió el brazo derecho. Stella, hija única, con treinta y un años, fue madre de sus padres, anímicamente caídos, en medio de severos problemas económicos. Tenía la mochila llena de peso. Se reencuentra con un viejo amigo y se enamoran. Es el soplo de alivio que Dios le manda. Aún hoy, doce años después, José y ella se aman como adolescentes. José es el padre de sus tres hijos: Alejandro, Franco y Ana Paula. Stella renació cuando se creía muerta.

Muy bien, volvamos a la parroquia.

Al irse el párroco que no tenía la fe bien puesta, vino otro. Stella intentó verlo en varias ocasiones y el hombre siempre la eludía. Hasta que un día no tuvo más remedio que verla. Ella cuenta en la carta: "...le 'bajé la persiana' el día que me dijo que yo no era un buen ejemplo de vida cristiana ya que no estaba casada...".

Y bueno, bingo. Este no es lugar para discutir la situación personal de Stella pero sí para aclarar algunas cosas. Aun aceptando que ella "no es un buen ejemplo de vida cristiana por no estar casada" hay dos puntos fundamentales: uno, que ella no pretende ser buen ejemplo, solamente se acercó a la Iglesia a través de uno de sus representantes; y dos, me pregunto qué tipo de ejemplo de vida cristiana es ese cura que en lugar de hablar con ella como se debe, la patea de la religión. Es, más o menos, como si uno fuera al médico a contarle que algo le duele y el hombre le dijera: "No te puedo atender porque tenés una enfermedad". Oíme, trucho, ¿dónde aprendiste a tratar a los fieles?, ¿dónde leíste que Jesús haya espantado a alguien, por más pecador que fuera?, ¿qué cosa te impulsó a ser sacerdote? y, por último, ¿por qué no le hacés un gran favor a la Iglesia y te hacés hare krisna o como sea que se escriba? Ya tenemos bastantes problemas con los ataques de fuera de la Iglesia para soportar las idioteces dentro de ella. No estoy diciendo que viva la pepa y que todo vale, que nadie se confunda. Digo que el pastor debe tener maneras mejores de cuidar el rebaño. Hay formas de decir las cosas con más delicadeza, dulzura y –sobre todo, padre Mongo– con más piedad, con más amor por ese prójimo. Y si esas formas se desconocen, uno no sirve para ser cura, hermano.

Stella cuenta en su carta que esas dos actitudes la alejaron por completo de la Iglesia. Agrega cosas muy feas, insultos inmerecidos hacia todo lo clerical y dice, también, "pero mi fe sigue intacta".

Y, bueno, fue a ver a dos curas. Uno le tira encima su indiferencia y el otro su intolerancia. Uno la ignora y otro la echa. ¿Qué se puede esperar? Pero, como yo soy muy cabezadura y en especial en estos temas, hablé mucho con ella tratando de que no siguiera cometiendo la injusticia de meter a todos en la misma bolsa. Le nombré a mi amigo monseñor Roque Puyelli, como buen ejemplo, y conseguí·un:

—Ah bueno, con alguien así es otra cosa. ¿Ves? Yo volvería a la Iglesia si todos fueran como él.

Ahí está: vos volverías a la Iglesia si todos los curas fueran como Roque, pero sabés que no es así; ¿no es injusto que te hayas ido de la Iglesia por dos tipos tan equivocados? Si también sabés que no todos son así. Es como enojarse con el fútbol porque hay un jugador que es un desastre.

—No sólo sos "gerente de marketing de Dios", como te llamó ese amigo tuyo, sos también gerente de marketing de la Iglesia...

—No, Stella. Es que conozco muchos curas extraordinarios que la pagan por imbéciles como los que te tocaron a vos.

—Es una cargada lo del marketing, no te enojés.

—Ya sé. Hay otras cosas que me hacen enojar.

Stella me prometió repensar las cosas. Tal vez el cuerpo todo de la Iglesia debería prometer lo mismo. ¿Y, Mariano? ¿No tenía razón al llamar así a esos dos tipos? Son espantafieles. ¿Cómo debo llamarlos?

—*Llamarlos tontos sería un elogio.*

Estamos de acuerdo. En otro orden de cosas, el hijo mayor de Stella, Alejandro, de diez años, cuenta desde chiquito que tiene contacto con su ángel. Algo más común de lo que creen algunos adultos. Y registra una anécdota muy simpática. Cuando era chiquito, unos tres años, Stella le decía la oración del Ángel de la Guarda cuando estaba por dormirse.

Me cuenta:

—Yo le decía "Ángel de la Guarda, dulce compañía...", ¿te acordás?

—¿Qué te parece?

—Y un día me dice que tiene hambre.

—Está bien.

—Y que quería comer panía.

—¿Qué cosa?

—Panía.

—¿Y eso qué es?

—Yo le pregunté lo mismo. Y me dijo: "Lo que come mi angelito".

—¡Ah, buenísimo! "Dulce con... panía"...

—Exacto. Él entendía eso.

A Stella le encanta que su hijo tenga contacto con el ángel. Los tres chicos están bautizados (¿habría que excomulgarlos, padre Mongo?). Alejandro está por tomar la primera comunión. Stella y José se aman mucho, en verdad. Y Ana Paula, la menor, que ahora tiene cinco años, se llama Ana Paula del Rosario, como la Virgen de San Nicolás.

Entre la gran cantidad de gente que me llama o me escribe hay unos cuantos casos similares al de Stella. Elegí éste para hacernos pensar. No se imaginan cuánta gente hay por ahí con el tristemente famoso planteo: "Yo creo en Dios, pero en los curas, no". Y es muy injusto. Sé de muchos curas capaces de dar la vida por su fe. El único santo argentino, Héctor Valdivieso, fue ejecutado a sus veinticuatro años de edad durante la Guerra Civil española, junto a otros siete hermanos de la comunidad de La Salle, sin renegar de su fe sino defendiéndola. En la canonización, Juan Pablo II (santo ya) dijo que era una muerte provocada por el *odium fidei*, es decir por odio a la fe. La única manera de combatir eso es como lo hizo él, con amor a la fe. Y hay muchos curas que lo hacen. Recuerden que en el capítulo 3 hay dos buenos ejemplos. Y, más adelante, encontrarán otros. Hay muchos curas que tienen ganas de ser curas. Palabra.

Ya está, Mariano. Dije lo que tenía que decir.

—*Así es. Dijimos lo que teníamos que decir.*

Esta vez me alegro de que pluralices. Necesito ayuda.

—*La tenés, sabés que la tenés.*

No te vayas de mi lado, por favor.

—*¿Y quién te dijo que estoy a tu lado?*

Bueno, atrás o arriba o en mi bolsillo, qué sé yo.

—*O en tu alma.*

No te vayas nunca, amigo.

—*Siempre estoy aquí.*

Lo nuestro ya está. Aunque algunos puedan enojarse, hay que ser firme en lo que uno siente, piensa y ama. Listo. Voy a comer algo, ¿vamos?

—*Claro. Yo invito. ¿Querés unas panías?*

Bueno. Me encantan.

6

Médicas: ciclón y brisa

Con vos nunca me siento solo y me divierto. Es muy cierto que te quiero. Sos mi ángel, Mariano. ¿Qué haría yo sin vos?
—*Casi nada.*
Eh, viejo, no te agrandes.
—*¿Eh?... Oh, no, perdón. No te estaba escuchando. Miraba por la ventana y vi a un hombre en la playa que se acercó al mar y se preparó para largarse al agua, pero se arrepintió. Y yo dije "casi nada", es decir, estuvo a punto de nadar pero no lo hizo...*
¿Vos te estás riendo de mí?
Si bien era invierno y estábamos en mi casita de la costa, sospeché que me había respondido eso con toda la intención (mala). Desconfié. Me acerqué a la ventana y sí, había un tipo en la playa. Con uno de esos trajes negros de neoprene o como se llamen, los que usan los buzos para nadar. No me había mentido. O me creó una ilusión óptica, con los ángeles nunca se sabe. Tuve que disculparme con Mariano, pero jamás sabré si ese tipo de la playa era real o no. De todas formas, el cariño que siento por él es muy real. Me refiero a mi ángel, no al tipo de la playa. Tan real que es un placer complacerlo y escribir justo aquí un capítulo con aroma de rosas, como a él tanto le gusta.

Yo estaba en Pinamar, escribiendo este librito desde hacía meses, cuando en una de las mil charlas diarias telefónicas con Rosita, mi amada esposa, ella estalla de entusiasmo al contarme que acababa de llegar de una misa dada por el padre Darío Betancourt y agregó, como una manera de enfatizar aún más su alegría, que aquella había sido la misa más hermosa de su vida. Y fue a muchas, ya lo creo. Pero es así: Betancourt oficia cada misa como si fuera la última que dará, con toda su energía puesta en eso, con pasión, con amor incontrolado. No habla, dice. Y lo hace de maravillas.

Darío rezó por mí en el Instituto del Diagnóstico, junto a mi cama, en uno de mis momentos de salud más críticos, pocas horas antes de ser abierto como un pollo para que intentaran arreglar mis coronarias. Esas cosas no se olvidan. Ya éramos amigos entonces, en 1996, pero ese gesto me conmovió y es posible que haya ayudado lo suyo en la operación, así como las decenas de cadenas de oración que nunca podré agradecer y que, aun ahora, al recordarlo, me emocionan y pido por los que pidieron por mí. En síntesis (algo muy difícil para mí): siento un gran cariño por Darío y una necesidad de cuidarlo y protegerlo. El padre Darío Betancourt fue ordenado sacerdote a los veinticinco años en Colombia, su país natal. Estudió en Medellín, adonde había nacido cuatro años después del accidente de Carlos Gardel en el aeropuerto de esa ciudad y, como todo es posible, parece haber heredado lo que el Gran Zorzal Criollo desparramaba a su paso, un carisma impresionante, un no-sé-qué de líder y de hermano, un aspecto de galán y amigo, un ángel gigantesco igual a él. A mi juicio es el símbolo más grande en todo el mundo de la Renovación Carismática Católica, un movimiento de la Iglesia que fue traído hace años a la Argentina por el notable jesuita Alberto Ibáñez Padilla, que no cesa de crecer en el mundo y que se apoya, nada menos, en el Espíritu Santo.

Darío habla y fascina. Es evidente que tiene el don carismático de la palabra. Hace unos años reunió en el estadio de Vélez Sarsfield un grupito de 35.000 personas que fueron a escuchar lo qué el dice sobre la fe y, sobre todo, cómo lo dice. Darío vive en Queens, un barrio medio de Nueva York, pero nunca está en casa ya que su trabajo y su pasión lo han hecho un cura itinerante. Dio esa misa que tanto emocionó a Rosita y dos días más tarde estaba haciendo lo mismo en Canadá, dispuesto a partir en cuarenta y ocho horas para Alaska, curiosa escala para charlas espirituales a la que ya había visitado en tres ocasiones. Ese es él.

En la misa de Buenos Aires habló de la mujer y la fe, sin tener ni la menor idea de que yo escribía sobre ese tema a 400 kilómetros de distancia. Esas cosas pasan y por algo pasan.

—*Qué casualidad ¿no? La vida está llena de casualidades.*

Allí recordó enfáticamente a Gianna Beretta, una mujer extraordinaria de la cual resumí su historia en mi librito *Líbranos del Mal* (Atlántida, 2000) cuando aún no era Santa Gianna Beretta, algo que ocurrió con su canonización el 16 de mayo de 2004.

No hay amor más grande

"No hay amor más grande que el que da la vida por sus amigos", dice la Biblia (Jn. 15, 13). Y es muy cierto. Eso, en boca de Jesús, se refiere no solamente a los amigos como tales sino a toda aquella persona que amemos. Una hija, un hijo, la esposa, el esposo, los padres, también pueden ser –y en su justa medida deben ser, si es posible– amigos.

Gianna Beretta es la primera madre de familia llevada a los altares siendo madre y esposa. Demuestra –y no es el primer caso– que se puede llegar a la santidad sin que sea necesaria una vida monacal, aislada del mundo y de lo cotidiano. A veces es aún más difícil intentar ese estado del alma en medio de tanta porquería que nos rodea, tanto mal ejemplo, tanto mal.

Gianna Beretta perteneció a una familia social y económicamente acomodada de Milán, gente con una profunda actitud cristiana que supo transmitir a sus trece hijos. Gianna, uno de ellos, se crió en ese clima y, tal vez por eso, siempre consideró a la vida como un maravilloso don de Dios. De allí que la vivió con intensidad: pudo esquiar en los Alpes, tocar muy bien el piano, seguir sus estudios y ayudar a cuanta persona lo necesitara y estuviera a su alcance.

Había nacido en Magenta, Milán, Italia, el 4 de octubre de 1922. Durante sus estudios primarios y secundarios perteneció a grupos de la Iglesia en los que se dedicaba a visitar y ayudar a jóvenes, ancianos y necesitados, sin dejar por eso de vivir como una chica de su edad.

En 1949 se recibió de médica cirujana y se especializó en pediatría.

Se casó con el ingeniero Pietro Molla. Tuvieron tres hijos: Pierluigi, Mariolina y Laura. En 1962 faltaba poco para que naciera la cuarta, Gianna Manuela, cuando le descubrieron un cáncer de útero. Estaban por completo a tiempo de detener el maldito tumor, pero era imprescindible una operación. Todos sabían que, en ese caso, el bebé no podría ser salvado. Su esposo Pietro recordaría luego:

> Temía que nuestro hijo naciera con alguna enfermedad. Rezaba y rezaba para que no sucediera así. Muchas veces me pidió perdón por si acaso ella era causa de mi preocupación. Me dijo que nunca había necesitado tanto cariño y comprensión como en esos días. Cuando se acercaba el momento del parto, me dijo con tono firme y sereno, con una mirada profunda que nunca olvidaré: Si deben elegir entre el niño y yo, no lo duden; exijo que elijan al niño. Sálvenlo a él.

Gianna no pidió. Exigió. Y llegado el momento, su decisión no cambió en absoluto. Nació una niña, Gianna Manuela. Gianna por su madre y Manuela que significa, al igual que Manuel, "Dios está con nosotros". Los días posteriores al parto fueron feroces para la doctora Beretta y ella sabía con anticipación que aquello ocurriría. Vale recordar que era médica y, al negarse a sacrificar a su hijita para salvarse ella, no ignoraba su calvario y su muerte. A su lado estuvo durante toda su agonía Sor Virginia, su hermana de sangre. Ella contó que Gianna mordía un pañuelo para no gritar por los dolores y sus ojos estaban llenos de lágrimas, pero jamás dijo ni una palabra de arrepentimiento por aquel gesto heroico y final. Repetía, de manera incesante, una jaculatoria que era un pedido de auxilio: "Jesús, te amo. Jesús, te amo". En sus últimos momentos le pidió a la Virgen que la llevara al Paraíso porque ya no soportaba más. Poco después, el sábado 28 de abril de 1962, exactamente a una semana del parto, Gianna moría en su casa, en su cama, rodeada de todos los que amaba. Tenía 39 años.

En 1994 fue beatificada. El domingo 16 de mayo de 2004 fue canonizada por Juan Pablo II. En esa ocasión, su esposo Pietro se dirigió a ella diciéndole:

> Me has dado el ejemplo, me has demostrado que podemos cumplir plenamente la voluntad del Señor y hacernos santos sin renunciar a la plenitud de las alegrías puras y mejores que la vida y la creación nos ofrecen. Se puede gozar de la vida y la naturaleza, la música y el teatro, los montes y los viajes, el amor y la familia, con templanza y, para ti, los límites de la templanza estaban claros: eran los límites de la ley y de la gracia de Dios. Sabías ser sobria.

La hija por la cual dio la vida es hoy una prestigiosa médica pediatra.

—*¿Por qué llorás, Galle?*
Porque me emociona. No lo puedo evitar.
—*No lo evites. Llorás por amor, aunque no te des cuenta. Amor a la gente heroica como Gianna, amor a la vida. Pensás en tu mujer, en tu hija...*
Y, sí.
—*Y pensás en los que abandonan a sus bebés, los que promueven el aborto. O los tipos que violan a sus propias criaturas, esos hijos de perra.*
¿Qué dijiste, Mariano?
—*¿Yo? Nada.*
¿Cómo nada? Ahí está escrito, asomate y mirá.
—*Uy, qué horror. Vos escribiste eso.*
Mis dedos escribieron eso, pero es tu parte del diálogo, está en bastardilla, fuiste vos el que lo pensó y lo dijo.
—*No recuerdo. Creo que perdí la memoria. Al inclinarme para ver acabo de golpearme la cabeza.*

91

Vos no tenés cabeza.

—*Ahora me ofendés. A veces pienso.*

No me refiero a eso. ¿Así que son unos...?

—*¡No repitas! Yo te diría que hay que borrarlo. Poné suprimir y...*

No, no, no. De ninguna manera. Es lo que pienso, además.

—*Me arrepiento, no es nada misericordiosa la frase.*

Es justa. La misericordia tiene el límite de la justicia.

—*Ah, bueno. Ahí llegó el regimiento de filosofía a caballo.*

Listo, esto queda así, guarango pero vital, guaso pero emocional. No haré nada para borrarlo.

—*Ay, Dios mío.*

No pidas ayuda tan arriba, no es para tanto.

—*Ay, Gallego, Gallego...*

Bueno, no pidas tan abajo, tampoco.

—*Cuando Él me llame por esto, ¿qué le digo?*

Él piensa igual, estoy seguro. Bueno, más o menos seguro. Con Él y su infinita misericordia nunca se sabe. ¡Eh! ¿Qué pasó? Se borró lo que escribiste y ahora dice "perra" en lugar de...

—*Por favor, seguí. Contá qué pasó con el padre Betancourt...*

Después de que Rosita me contó de aquella misa de Darío, y sabiendo que se iba al día siguiente, lo llamé para que sumara a lo de Gianna. Y me dijo, con su espíritu en alza, como siempre, a pesar de estar cansado, como siempre:

—Lo de Gianna es fuera de serie, es increíble. Sobre todo porque ella era médica, así que sabía muy bien lo que estaba haciendo y sus consecuencias, pero de cualquier forma lo hizo. Prefirió morir antes que abortar su criaturita. Es maravillosa.

—Vos conociste a la familia, ¿no?

—Soy amigo del esposo de ella. Siempre bromeo con él y le digo: "Pietro, no sé si será mucho pecado que un cura católico esté enamorado de una mujer casada". Y se ríe el viejito.

—Es una santa distinta a lo conocido, ¿no es cierto?

—Claro. La figura de ella no tenía nada diferente a lo de cualquier otra mujer de hoy. Era de mucho dinero, de una familia muy rica y hay fotos donde se la ve cargando en brazos a su hijito mayor y luciendo un collar de perlas y unos aretes de diamantes y una pulsera de oro. Siempre estaba bien vestida, bien maquillada, bien presentada. Y de esa forma, más allá del dinero, vivió y murió santamente. Lo que siempre me llamó la atención de Gianna fue su manera de ser tan humana, tan femenina, tan linda, tan natural. Y es bellísima. ¿Y eso qué quiere decir? Que se puede vivir con los pies en la tierra pero con el corazón apegado a Dios. Vivió arreglándose, bien puesta, luciendo sus cosas, trabajando como médica pediatra, siendo una muy buena madre y una excelente esposa. Quiere decir que la santidad no es no ponerse esas cosas, es algo más, es algo que viene de lo profundo del corazón.

—Esto que decís es hermoso, ayuda a creer en la santidad real.

—No, Gianna... Yo ando con la reliquia de ella en el bolsillo. Porque me enamoré. Yo-me-enamoré-de-Gianna —pronuncia con un énfasis que sorprende, dándole fuerza a cada palabra que dice en voz más alta y subraya con el tono.

—Sí —digo, por decir algo nomás, ante tanto amor desatado.

—Y voy, cada vez que paso por Milán, a ver al viejito (el esposo de Gianna) para que me dé la bendición. Allí le llegan todos los días cientos de pedidos de personas por Internet, sobre todo de familias que no pueden tener hijos. Y vaya si les da resultado. A muchos, incluso a un pariente mío muy pero muy lejano que un día se me apareció en Colombia y me contó que habían intentado, con su esposa, todo lo habido y por haber para tener un hijo, incluso dos inseminaciones in vitro, que tú sabes que es pecado.

Darío llama "pasar la vida" a nacer. Y aquí emplea un juego de palabras:

—Yo llegué a Colombia y, en un estadio, así como aquí, prediqué y dije: "Vamos a orar por todos los que no pueden pasar la vida, al Dios de la vida, por intercesión de Santa Gianna, que dio su vida para que otro pudiera tener vida". Y luego la oración: "Señor, nos encomendamos a ti, ya hemos hecho lo posible. Danos tu bendición, la alegría y el privilegio de ser papá y mamá"... Y este pariente muy lejano me dijo que aquella bendición debió ser tan fuerte que "creímos que ahí mismo quedó embarazada". Ay, Gianna, Gianna, Santa Gianna, tan bella, tan hermosa, tan buena...

Médicos del cuerpo, médicos del alma

El padre Darío Betancourt, mi amigo, hace muchos años que lleva a cabo un seminario de espiritualidad para médicos. Aquí, en Argentina, es muy difícil, desde hace rato ya, conseguir una plaza para asistir a esas charlas. Muchos cientos de médicos –y no es una exageración ni una forma de decir, es tal cual, cientos– han pasado por esos seminarios. Son profesionales extraordinarios en el verdadero sentido de la palabra ya que son mucho más que lo ordinario, son fuera de lo común. A todos los que trabajan con la ciencia les ocurre, por lo general por carácter o porque han crecido mucho en su profesión, que necesitan más, buscar respuestas. Hasta al mismísimo Albert Einstein le sucedió y hay pruebas de que llegó a sentir una fascinación inusual por lo que no se puede ver ni tocar, por el más allá, por lo sobrenatural.

Con los médicos el tema aumenta como visto por una lupa gigantesca. Ellos, como nadie, ven de cerca a la vida y a la muerte, se tutean con el dolor y la enfermedad, se pelean con el sufrimiento ajeno todos los días. No es casual que los médicos sean los peores pacientes, como ellos lo saben muy bien. Saben, también, que existen imponderables, accidentes, situaciones inesperadas, enfermedades traidoras que parecen retroceder, pero atacan en silencio, hechos que al mejor profesional se le pueden ir de las manos en segundos. Saben, igualmente, que hay sanaciones que no se pueden explicar. Aun los que no son tan religiosos o creyentes intuyen que hay algo que a todos nos supera y que, a veces, se presenta para salvar a alguien de lo que se creía insalvable.

De la misma manera en que San Agustín buscó desesperadamente a la fe porque no le alcanzaba con su inteligencia superior, de la misma forma en que yo clavo mis uñas en la tierra buscando huesos que me den respuestas a lo inexplicable, ellos honran a sus propias inteligencias, pero clavan las uñas en la tierra. O en el cielo.

Leonardo da Vinci les pagaba a unos sepultureros para que le llevaran cadáveres robados del cementerio para abrirlos cuidadosamente y rastrear sus interiores. ¿Y saben qué buscaba Leonardo? El alma. Creía que así, tal vez, pudiera encontrar en qué lugar del cuerpo se escondía lo que le daba sentido. El alma.

En estos seminarios no hay sepultureros ni truculencias, pero sí una búsqueda apasionada del alma, un arcón lleno de porqués.

Los médicos todos, creyentes o no, les guste o no, son herramientas de Dios. Pocos como ellos. No perfectas, porque son humanos, pero una ayuda sin la cual muchos no andarían hoy por el mundo, incluyéndome. Gracias, Luis de la Fuente, mi amigo. Gracias, cada médico que me sufrió y me sufre, que Dios los bendiga mucho.

Las médicas son, cuando tienen fe, más que nunca las manos de la Virgen. Déjenme que les presente a una de ellas.

Ana Inés Saucedo tiene 36 años, está casada con Fernando Martínez Duarte, es madre de dos hijas y es –como Gianna Beretta– médica pediatra. No le tocó vivir algo similar a lo de la santa, afortunadamente, pero es tan firme en su profesión como en su fe. Eso no tiene precio.

Es bonita, agradable, inteligente, de carácter que se impone y con una voz muy segura –casi severa– que nada tiene que ver con ella, tan chiquita. Pero brava, parece.

Está, desde hace años, trabajando en el Hospital Pediátrico Dr. Pedro de Elizalde, al que todos llamamos aún "la Casa Cuna", un nombre que, hay que admitirlo, está lleno de ternura. El lugar donde recordarán que estuvo internado el chiquito Mateo, el que vive en el capítulo 3.

Ana, médica con el alma, tiene cosas para contar. Vale la pena oírla.

—Hace cosa de un mes había un chiquito internado con cefalea. Siempre internamos a los chicos con un familiar, en este caso estaba la tía. Le iba a dar el alta y le noto una cicatriz en el mentón. Y le pregunto: "¿Eso cómo te lo hiciste?". Y me dice la tía: "Eso le pasó cuando tenía dos años. Se cayó de una terraza, de un tercer piso, y una señora con gorrito le salvó la vida". Me lo dijo como lo más natural del mundo: "Usted entiende, doctora, *la señora de gorrito*". Yo sabía que era la Virgen...

—¿Y cómo sabías? Podía ser una enfermera, algo así, con gorrito...

—No. Yo sabía que era la Virgen. Lo sabía sin preguntar.

—¿Y cómo?

—Te la hago fácil: ¿quién te puede salvar la vida si te caes de cabeza desde una terraza?

—Eso es cierto. Pero un extremista del racionalismo puede pensar que fue una enfermera, una policía, qué sé yo.

—Los que digan eso no están ahí, en el hospital. Esa no era la primera vez que traían a un chico que se había caído desde una terraza y no le pasaba nada. Muchas veces hemos llevado chiquitos a otro lugar, para hacerle una tomografía...

—Perdón... ¿No tienen tomógrafo en la Casa Cuna?

—No, no tenemos. Si hay que hacer un estudio de urgencia llevamos al chico en la ambulancia al Hospital Gutiérrez, le hacemos la tomografía y vemos al neurocirujano. Si está todo bien, volvemos con el chico, si algo está mal, se queda.

—Ana, me da vergüenza escuchar que la Casa Cuna no tiene tomógrafo.

—Y bueno, no tenemos.

—¿De qué edad a qué edad son los pacientes del hospital?

—De cero a veintiún años. Somos el hospital más viejo de América latina. Tiene 229 años...

—No sabía. Es el hospital pediátrico más viejo de Iberoamérica...

—No, no sólo pediátrico. Es el hospital más viejo. Del año mil setecientos y pico. Lo inauguró el virrey Vértiz. Era la Casa de Niños Expósitos. Luego la Casa Cuna. Su nombre oficial es Hospital Dr. Pedro de Elizalde. Ahora lo están remodelando, pero el edificio tiene más de doscientos años...

—Y, por lo que oigo, los elementos no cambiaron mucho desde esa época, porque no tener tomógrafo en un lugar donde se atienden chiquitos con todo tipo de traumatismos, es una animalada...

—Los otros dos hospitales pediátricos, el Garrahan y el Gutiérrez, tienen tomógrafos, porque para tenerlos hace falta un neurocirujano de guardia y ellos lo tienen, nosotros no.

—Es municipal, ¿no?

—Sí. Y ocurren cosas que son muy difíciles de explicar desde lo racional, porque, por lo general, a los chiquitos que se caen desde algún lugar alto no los trae una ambulancia, vienen caminando de la mano de un adulto. Hubo veces en que, después de haberse caído, viajaron una hora en tren para llegar al hospital. Y se salvan, por eso digo que hay cosas difíciles de explicar. Cuando ya están curados, nosotros les decimos a los padres: "Bueno, a ver a quién le vas a agradecer ahora. Dios ayuda, pero ustedes tienen que ayudarlo a Dios, también. Un chico se cae porque no lo cuidaron lo suficiente. Esta vez zafaste, así que andá y agradecé".

—Por todo esto es que no te llamó la atención que el nene dijera que lo salvó "la señora de gorrito"...

—Claro. Y me dice, la tía: "Dos años después de que se cayera desde la azotea yo estaba acomodando unas estampitas y el nene me dice 'esa, esa es la señora de gorrito', y me señala a la Virgen del Carmen...".

—Que tiene una corona. El "gorrito".

—Sí, puede ser la corona o el manto que le cubre la cabeza.

—¿Cuántos años tenía el nene cuando se cayó de la terraza?

—Dos años.

—Y él dijo claramente que vio a "una señora de gorrito".

—Sí. Es más: me lo repitió esta vez que te cuento, hace poco. Y ya tiene nueve años. "Una señora de gorrito", volvió a decir.

Los chiquitos tienen tanta pureza que son mágicos. Aquí, la Virgen es "una señora de gorrito" que lo ataja en la caída. Hace unos años, fue un chico de Tandil, llamado Gonzalo, el que cayó desde un quinto piso sobre cemento cuando tenía tres años y medio y tampoco se hizo nada. Gonzalo dijo que fue sostenido y depositado suavemente en el suelo por una señora "que tenía un vestido largo hasta los pies y celeste como su chupete". En 1988 Daniela Pons, de tres añitos, cae por el hueco de un ascensor desde un quinto piso hasta el subsuelo, casi treinta metros, no sé si se dan cuenta. Y ni siquiera pierde el conocimiento. En esa ocasión contó a los suyos que "al caer fue agarrada por dos angelitos celestes que la llevaron volando hasta el piso". No tuvo ningún daño. Hoy, a los diecinueve años, sigue emocionándose al contarlo y dice que lo repite porque "esas cosas hay que decirlas, para ayudar a los que lo necesiten". Bendita sea. Estos casos ya los conté en detalle en *El ángel de los niños*, pero suman para este relato porque los chiquitos coinciden en relatar lo ocurrido con una naturalidad maravillosa.

Con todo derecho, alguien puede preguntarme por qué hay chiquitos que se caen y no se salvan. Si yo respondiera eso, sería Dios, pero esa plaza de trabajo ya está bien ocupada por quien tiene todas las respuestas y un plan que se cumple al pie de la letra. Si yo respondiera por qué unos se salvan y otros no, estaría guitarreando una canción barata. No tengo ni la menor idea. No sé por qué unos sí y otros no. Algún día todos lo sabremos. Hay un plan divino, eso es seguro. Y nada es para mal, también eso es seguro.

—En una guardia como la del Pedro de Elizalde debés haber vivido más de una experiencia asombrosa con chicos...

—Y, sí, todos los que estamos en un hospital pediátrico las vivimos. Uno a veces se da cuenta y otras, no. Me acuerdo de un caso, hace más de diez años... Nos traen a un chico de la provincia con una herida de bala en la cabeza. Era un disparo, creo, de calibre 22. La típica: tienen un arma en la casa, al alcance de los chicos, los chicos jugando, pum, bué...

—Pero una bala 22 le queda adentro, le hace un desastre...

—Bueno. El chico vino caminando. ¿Sabés dónde quedó alojada la bala? En el seno esfenoidal, en el esfenoides, que es un hueso que está en el medio del cráneo, justo en el medio. Toda esa zona tiene la característica de que los huesos tienen como agujeros. Es difícil de aceptar que haya pasado por esa zona, detrás de la nariz, en el centro del cráneo, y que no haya hecho ningún daño. Pero fue así, no tocó nada. Se alojó allí y no tocó nada.

—Perdoname, pero alguien puso el dedo ahí. Alguien que se escribe con mayúsculas.

—Y bueno. Le entró por el costado del ojo, dio vueltas en el cráneo y se quedó allí, sin provocarle ningún daño. Se la sacaron al día siguiente, por el paladar. Ni siquiera tuvieron que abrirle la cabecita.

—¿Perdió el ojo?

—No, nada. Ningún daño. Entró por el borde del ojo, rozando el globo ocular, tocando el hueso. No sé cómo hizo, pero no le tocó nada.

—No, no puede ser. Yo sí sé cómo hizo. Y vos también, ¿no?... ¿Vos sentís que está la mano de Dios en algo así?

—No tiene explicación médica. Pero hay muchas cosas que no la tienen y nosotros ya lo tomamos como algo normal, como algo que pasa a menudo, tipo "ah, un chico se cayó desde un tercer piso y no se hizo nada", "ah, ¿viste qué bien?"... Pero no es "qué bien". Aunque es tan habitual que ya es cotidiano, no es "qué bien". Me acuerdo de otra vez en la que trajeron a un chiquito de la misma forma: arma a mano, juegan, un disparo. Le cayó en el lóbulo frontal, en este caso. En el cerebro. Pero en una zona muda, es decir un lugar del cerebro donde no pasa nada. No es común eso.

—Vos vivís en un mundo lleno de la pureza de los chicos, Ana.

—Y con las cosas de los grandes también. En sus comienzos, hace más de dos siglos, era el lugar donde dejaban abandonados a los chiquitos. Y eso no cambió tanto. En esta época también dejan bebés abandonados. En un baño del hospital, en algún pasillo... Uno al principio juzgaba, después uno aprende a ver las cosas diferentes, con los años. Yo siempre digo que, entre que me traigan un chico maltratado, golpeado, y que dejen un bebé porque no lo saben tener, no lo quieren tener o no lo pueden tener, prefiero eso. Lo dejan ahí, en el hospital, donde saben que se los va a cuidar, después de todo. Y entonces una dice: "¿Quién soy yo para juzgar?". No sabés qué pasó por dentro de esa madre que tuvo una actitud como esa.

—Es cierto.

—A veces, también, llegan casos desesperantes en los que parece que no cabe ni siquiera una mínima esperanza. Y peleamos y peleamos. Y zafa. Como nosotros decimos: "Aquí planeó un ángel y bajó", porque desde la ciencia no hay explicación. Y bueno, unos creyendo más que otros, pero en definitiva todos seguimos, y creo que eso es lo importante. La actitud de cada uno de los que allí trabajamos depende en mucho de sus vivencias. En casos se puede entender... no, entender no, porque a veces no hay manera de entender cosas que te superan. De aceptar. Aun sin entender, aceptar.

—Ana, ¿es común que tus compañeras, tus compañeros, tengan un punto de vista cercano a la fe, como es tu caso?

—Mirá, ¿sabés lo que pasa?, generalmente uno no lo comenta mucho. Lo que es un hecho, más allá de las creencias de cada uno, es que hay casos en los que te preguntás: "¿Por qué este zafó y el otro no?, si nosotros somos iguales e hicimos lo mismo". En el fondo, creo que todos aceptan que hay cosas que nos superan, pero no nos preguntamos nada, creamos o no. Porque sabemos que, a veces, no hay respuestas.

—¿Ustedes rezan?

—Es cosa de cada uno, no se habla de eso. En el hospital hay una capilla. Hasta no hace mucho estaba el padre Pablo. Llegaba muy temprano, iba a neonatología a ver a los bebés con alto riesgo y los bautizaba a todos; después bajaba a oncología, a ver a los chicos y a los padres; después iba a terapia intensiva, cama por cama. No me preguntes cómo, pero cuando había que entregar un cuerpo, el Padre Pablo sabía y estaba ahí en la morgue, al lado del cuerpo, para entregarlo. Un compromiso enorme, por eso, cuando dicen "los curas esto o aquello", yo lo pongo como ejemplo. No te voy a negar que entre los curas hay de todo, pero el padre Pablo entró al hospital siendo joven y salió de allí con el pelo blanco, dando todo de él por los chicos y por los padres. Estuvo diez años.

—¿Por qué se fue?

—Porque no aguantó más. Es muy duro eso. Nadie puede imaginar lo que es convivir con la muerte, muerte de pibes. Él estuvo diez años. Una vez nos pidió la llave de la capilla, a la noche, para rezar un responso a un bebé de neonatología, porque se lo pidieron los papás. Eso no lo hace cualquiera. Él no esperaba que nadie lo llamara, se mandaba de una. Y no era sólo por la internación, les pedía el teléfono a los padres y llamaba para ver cómo seguía el chico. Y todo sin hacer barullo, desde la humildad.

—Ese es un héroe. Grande, Pablo... Me contaste que una compañera tuya del hospital, otra médica, también es alguien de fe...

—Sí, Viviana. A una amiga de ella le pasó algo especial. Le habían diagnosticado un cáncer de mama. Era joven, treinta y pico de años. Se estaba bañando y le pidió a la Virgen que no se muriera hasta que, por lo menos, los chicos terminaran el secundario. Tenía hijos chicos. Y, cuando sale del baño, la muchacha que trabajaba en la casa le dice: "Señora, ¿qué perfume se puso?". "No me puse nada", dijo ella. "Pero usted no tiene idea del perfume que irradia... perfume a rosas." Y bueno, hace nueve años de eso y ahí está.

—Qué fantástico lo del olor a rosas, tan típico de la presencia de la Virgen.

—Yo lo sentí más de una vez, yendo a San Nicolás. Era impresionante.

—Lo que es impresionante, Ana, es la cantidad de médicos que están cercanos a Dios. En todos estos años me han llamado cientos para contarme algún caso, para hablar de su fe. Yo creía que la mayoría eran cientificistas y me llevé un chasco. Además, los que están más arriba, los más importantes en la profesión, son los que más creen. Más de un cirujano me contó que rezaba antes de entrar al quirófano. Sin barullo, en silencio, a solas, con humildad. Rezan antes de operar.

—Yo rezo antes de entrar a la guardia. Y mi viejo, antes de entrar al hospital, pasaba por la capilla.

—Tu papá estuvo muchos años en la Casa Cuna y es como un prócer de la pediatría. No debe haber sido fácil para vos seguir la misma especialidad.

—No, no fue fácil. Pero también fue bueno aprender de él hasta esto que te cuento. Porque uno, si tiene verdadera conciencia, por más que sepa mucho de medicina sabe que puede ser falible. Cuanto más grande es alguien en la profesión, más advierte que hay un momento en que sólo Dios puede ayudarte. Y te entregás mansamente. Aceptás. Muchísimas veces he tenido que decirles a unos padres que su hijo tiene un tumor cerebral y hay que operarlo. Los cirujanos no se ocupan de eso y está bien, no tienen que tener un vínculo tan estrecho porque las emociones te traicionan y, si eso llega a ocurrir en la operación, puede ser terrible. Los clínicos estamos más cerca de la familia. Y siempre les digo lo mismo: que la peleen, que lo acompañen, que nunca está todo dicho, que no se entreguen, que el que tiene la última palabra es siempre El de Arriba, que no se vengan abajo delante del pibe porque eso le haría mucho daño, no hay nada peor para un chico que ver a los padres llorar. Yo me puedo bancar muchas cosas, pero no puedo ver a un pibe que sufra porque tiene miedo y, menos, si lo que tiene es miedo a morirse, eso no lo tiene que padecer ningún pibe, bajo ningún concepto. Tu función, si no podés curar, es consolar. Y te marca, te lo llevás a tu casa, es una mochila que nunca vas a poder sacarte. Yo me acuerdo. Me acuerdo de la cara de los chicos, de la cara de los padres, me acuerdo de lo que les dije. Y te hace mal, te hace pelota.

—¿Y tu fe?

—Mi fe sigue intacta. Todo bárbaro, pero yo pienso en el que queda. Mi fe es la que me ayuda a seguir adelante después de esos golpes. Rezo, eso siempre ayuda.

Bien por Ana, es un ciclón.

—*Por momentos es una brisa.*

Es verdad. No mucha gente puede tener las dos cualidades.

—*Conocí a uno, el más grande. Se enojaba y les aseguraba a los príncipes de los sacerdotes que no habían querido escuchar a Juan el Bautista que las prostitutas llegarían al reino de Dios antes que ellos, porque escucharon a Juan con respeto.*

O sacaba a los mercaderes del templo a latigazos.

—*Pero también llamó "hijitos" a sus discípulos y les dijo que debían amar al prójimo como a sí mismos.*

O, agónico en la cruz, le decía a su Padre que perdonara a sus verdugos porque no sabían lo que hacían.

—*Hablamos del mismo. Ciclón y brisa. Sólo hay que saber cuándo ser uno y cuándo ser otra.*

¿Sabés que Él era muy especial con las mujeres?

—*Dígamelo a mí, señora.*

Otra vez lo de tu amigo, el moderno.

—*Quiero decir que estuve allí. Sé como era.*

No digas nada. Dejame que lo cuente yo.

7

Jesús y las mujeres

Jesús iba caminando seguido por sus discípulos cuando se detuvo a hablar con una samaritana, una habitante de Samaria. Los discípulos se quedaron de una pieza, abrieron los ojos grandes de puro asombro y murmuraron entre sí porque eran un poquitín chismosos. "Se admiraban de que Jesús haya entablado conversación con una mujer" (Jn. 4, 27). Y la cosa era así, nomás. En los pueblos orientales, si una mujer hablaba con un hombre al que no conocía era, de mínima, indigna, y de máxima, adúltera. En este último caso, la pena era lapidarla, es decir, apedrearla hasta morir. Para ejecutar la pena con mayor precisión se autorizaba a todo el mundo, incluso a los que pasaban por ahí, a formar parte de los lanzadores de piedras.

Un hombre, por otra parte, no le dirigía la palabra a una mujer desconocida ni aunque ella lo silbara a su paso y le dijera un piropito.

—*Se me hace difícil imaginar a una de aquellas mujeres silbándole en la calle a un galán que estrena túnica, por ejemplo, y diciéndole un piropo.*

Porque no tenés imaginación.

—*O porque vos tenés demasiada.*

Vos, que estuviste en esa época, ¿cómo eran las mujeres?

—*¿Cómo eran? Eran maltratadas. Eso eran. Un espanto.*

Una mujer, debe ser...

En el mundo hebreo –y casi podría decirse que en todo el mundo oriental– la mujer no tenía cabida en nada importante. No podía ejercer la política, la vida pública en general, opinar sobre la paz o la guerra, discutir negocios o dirigirse a un hombre desconocido en forma directa ni aunque se estuviera ahogando y necesitara que el tipo le tirara una soga.

La mujer era considerada indigna, en el mejor de los casos, aunque no hiciera nada, que es lo que le pedían, que no hiciera nada y atendiera a su marido y a su casa todas las horas del día (¡qué tiempos aquellos!).

En muchos casos y lugares de oriente se le negaba a la mujer su naturaleza humana y se la consideraba dentro de los animales irracionales. (ay, cuántos chistes se me ocurren).

—*No se te ocurra.*

Sí, se me ocurren, pero no los escribo.

—*Ni lo pienses, portate bien. Bueno, eso no te va a costar mucho trabajo.*

¿Portarme bien?

—*No. No pensar. Seguí, por favor. ¿Qué más pasaba con la mujer?*

No podía participar de manera activa en las actividades religiosas.

No podía dar testimonio en ningún juicio y pobrecitas si un varón las acusaba de algo. No las salvaba ni Perry Mason.

—*Perry Mason. Qué moderno.*

Y bueno, ahora no hay abogados en la tele. Todos son Power Rangers, Pokemon, Bob Esponja, el dinosaurio Barney...

—*Perdón, ¿no tenés una pequeña regresión en tus gustos? ¿Qué canal ves, vos? ¿El Senil Channel?*

No voy a responder afrentas. Sigo con las mujeres.

No podían negociar, vender o comprar. (No puedo imaginar un shopping lleno de machos, sería como el vestuario de Chacarita Juniors.)

"Me gusta ser mujer", decía hace unos años un programa de

televisión. Vos, porque no estuviste allá en esa época. Para tener una idea, baste con lo escrito por el Rabí Simeón a mediados del siglo II: "Todos se alegran con el nacimiento de un varón. Todos se entristecen con el de una niña". Esos eran machistas. Y otras cosas más que ustedes están pensando, chicas, pero que no debo escribir aquí. Recuerden que soy inocente, sólo estoy contando.

Para tener otra idea, más seria y más acabada, hay una teoría histórica que me parece mucho más que interesante. Las mujeres estaban, siempre, en un proceso de purificación. Cuando tenía un episodio de sangre como la menstruación o el parto, debían vivirlo apartadas de todos en su etapa final. Cada casa de lo que sería "la clase media" de la época, en Israel, tenía una habitación especial y separada del cuerpo de la casa que no usaba nadie más que la mujer parturienta. A ella no se le permitía convivir en otro cuarto. Y aquí viene la teoría: cuando María y José viajan a Belén para el censo, obligados como otros tantos por la ley romana, no les dan albergue ni siquiera los parientes que allí tenían, porque no disponían de ese tipo de cuarto o lo tenían ocupado. Por eso, debieron pedir ayuda en una posada repleta de gente y el posadero, ocupado en ir de una mesa a otra, les dijo en medio del griterío que podían estar en el establo, en la parte trasera. De acuerdo con esta historia, así fue que el Rey de Reyes nació en un establo, un portal, y su cuna fue un pesebre. Claro que en todo esto pudo haber estado la voluntad de Dios que deseaba que naciera en el sitio más humilde, pero la condición de la mujer en esos tiempos y la terrible discriminación –en especial en el momento del parto– le dieron al Creador las armas para su plan.

Unos siglos antes de ese nacimiento trascendental, ya en la Antigua Grecia, bastión de la cultura occidental, centro de la inteligencia en la historia del mundo, lugar donde nace la democracia, la cosa no era mejor para ellas.

Sócrates y Platón no sólo las ignoraban de manera tajante, sino que decían no saber "para qué servían las mujeres". Más allá de parir, supongo que aclararían, porque ellos no crecieron en los árboles.

Los dos, según dicen los chimenteros de la historia, eran hombres que no le hacían asco a los atributos de otros hombres. Esto explicaría por qué se preguntaban "para qué servían las mujeres". Sin embargo, hoy en día, y por lo general, los gays son excelentes amigos de las mujeres y no las ignoran de ninguna manera, con lo que se deduce que la condición sexual de los dos notables filósofos no tenía ninguna influencia en sus dichos y sentires, sino el lugar y la época en que vivieron, donde había muchos pensadores y casi todos pensaban lo mismo: "¿Para qué sirven las mujeres?".

Mujer, si puedes tú con Dios hablar

Jesús trató a las mujeres con un gran respeto. Hay muchos ejemplos en los Evangelios y la samaritana es sólo uno de tantos. Les otorgaba dignidad y apreciaba en ellas sus enormes valores espirituales así como, también, creer en silencio, amar sin alardes, llorar a escondidas.

Rápidamente las identificó como pilares del hogar, centros de la educación de los hijos, dueñas de la ternura y de la paz.

—Es cierto. Fíjense que, a lo largo de los Evangelios, Jesús no llama "mamá" a María, sino que le dice "mujer". Se puede decir que, con el amor de Cristo a su Madre, al llamarla así, mujer, estaba honrando a todas las mujeres, las estaba haciendo partícipes de ese inmenso amor para siempre.

Alguien puede preguntar por qué las mujeres no pueden ser sacerdotes y dudar de ese inmenso amor. Sería un error muy gordo. Los motivos que esgrime la Iglesia son varios y parten de la Tradición. Que yo sepa, eso no está en estudio, pero en verdad pienso que las cosas cambiarán algún día. Más allá de eso, el lugar que le fue dado desde siempre a la mujer en el cristianismo ha sido más que importante. Nunca se discriminó a la mujer, por el contrario, y basta con repasar la larguísima lista de santas que adorna la historia de la religión. Y, por supuesto, tiene muchísimo más peso la santidad que el sacerdocio.

—Algunos sacerdotes ganaron la santidad, pero ningún santo, para serlo, necesitó al sacerdocio.

Exacto. Ser sacerdote no garantiza nada en esta tierra, son hombres, con sus grandezas y debilidades que a veces son más penosas de lo que uno quisiera. Ser santo o santa significa que esa persona tuvo más grandezas que otras personas, y eso sí tiene una absoluta garantía.

Volviendo a Jesús, en esa época en la que una mujer era, más que nada, un objeto, una posesión de su padre y luego de su marido, había que tener las sandalias muy bien puestas para desafiar al que era el mayor poder en ese tiempo y lugar, el poder religioso, y tratar a la mujer como Él lo hizo, como una igual. Ni mejor ni peor que a un varón, como una igual, eso fue lo realmente maravilloso.

Y hasta históricamente queda claro que ellas lo entendieron así y supieron cómo agradecerlo, como sólo una mujer sabe y puede, con una fidelidad y una lealtad entrañables que nada más que una de ellas puede poner en movimiento cuando quiere.

• En el vía crucis, cuando azotado y torturado Jesús apenas puede caminar, un hombre, Simón el Cireneo, es obligado por los soldados a prestarle ayuda, cosa que hace de mala gana. Pero, unos pasos después, es una mujer la que se abre camino entre los mismos soldados y, rompiendo todas las normas, encara al Cristo ensangrentado y con un lienzo le seca el sudor y la sangre de su rostro, conmovida por lo que ve. Milagrosamente, en ese lienzo queda grabada la imagen perfecta del rostro de Jesús agónico. Nunca se supo el nombre de esa mujer, pero en virtud de lo ocurrido se la llama Verónica (*vero*=verdadero e *ícono*=imagen), ya que obtuvo por su acto de amor el vero ícono, la verdadera imagen del rostro divino.

• En el Gólgota, con Jesús crucificado, eran las mujeres las que habían llegado hasta allí y eran separadas y mantenidas a unos cuantos metros por los soldados romanos. Muchas mujeres. Tantas como para que el Evangelio las destaque: "Estaban allí, mirando desde lejos, muchas mujeres que habían seguido a Jesús desde Galilea para servirle" (Mt. 27, 35).

• Junto a la cruz había tres mujeres, las tres Marías. La Virgen, María de Cleofás (hermana de la Virgen, tía de Jesús) y María Magdalena. Y un solo varón, Juan, que por entonces tendría unos diecinueve años. El resto de los apóstoles habían huido o estaban escondidos. A los pies de la cruz, entonces, había un adolescente. Y tres mujeres.

• Mujeres son las encargadas de lavar su cadáver y perfumarlo, como era la costumbre judía y una forma de honrarlo.

• También mujeres son quienes velan toda la noche sentadas solitas frente a la roca que tapa la entrada del sepulcro, mientras los guardias allí apostados las miraban con desconfianza y desprecio.

• Cuando Jesús resucita al tercer día, se les aparece, antes que a nadie, a unas mujeres encabezadas por María Magdalena.

• Esas mujeres fueron las elegidas por Cristo para que anunciaran la buena nueva de su resurrección. "De pronto, les salió Jesús al encuentro y les dijo: 'Dios os guarde'. Ellas se acercaron, abrazaron sus pies y le adoraron. Entonces Jesús les dijo: 'No temáis; id y anunciad a mis hermanos que vayan a Galilea; allí me verán'" (Mt. 28, 9). Les estaba encargando que dieran testimonio cuando, como ya está dicho, en aquella época sencillamente no se le daba ningún valor al testimonio femenino. Las estaba eligiendo como las primeras personas en la historia cristiana a las que encargaba salir a contar la buena nueva.

Los dos mayores anuncios

Isabel y Zacarías no podían tener hijos. Ella era estéril y ambos tenían una edad avanzada. Eran gente muy piadosa, muy llenos de Dios.

Un día, estaban en el templo y un gran ángel se apareció junto a Zacarías, que se pegó un susto considerable, imagínense, quisiera verlos a ustedes.

Pero el ángel le dijo lo de siempre cuando se aparecen:

—*No tengas miedo.*

Así es. Y le contó que Isabel y él serían padres de un varón al que llamarían Juan, un hombre importante. E Isabel quedó embarazada, milagrosamente.

A los seis meses de su embarazo, un día recibió a su prima María, que venía a verla desde otro pueblo. Salió al encuentro en la entrada de su casa para recibirla y, apenas la vio, Isabel sintió que el que llevaba en sus entrañas daba un brinco. En ese momento, quedó llena del Espíritu Santo y dijo a su prima María: "Bendita tú eres entre las mujeres y bendito el fruto de tu vientre". Ella no sabía que María recién había iniciado su propio embarazo y, sin embargo, la saludó de esa manera. La sintió Madre de Dios. Isabel sería la mamá de Juan el Bautista, el precursor.

María sería la mamá de Jesús.

Dos mujeres acababan de protagonizar el capítulo inicial en el que habían sido parte vital e imprescindible de uno de los dos anuncios más sublimes y magníficos en la historia de la humanidad: la llegada del Hombre Dios.

El otro anuncio era, por supuesto, el de la Resurrección. Y quienes dan esa noticia son, también, mujeres.

Los dos mayores anuncios de la humanidad —al menos para el cristianismo— tienen, entonces, a mujeres como protagonistas.

Y, por último, pero como la frutilla más grande y roja que va sobre la torta, un hecho deja en claro la importancia de la mujer en el catolicismo: ¿qué persona es la más importante en esta religión después de, obviamente, el propio Jesús? María, por supuesto. Nuestra Señora del Alma. La Mamita. Una mujer.

—*Perfecto. No sé si te diste cuenta de que eso te lo soplé yo...*

No. Eso lo pienso desde hace mucho.

—*Te lo soplé hace mucho.*

Está bien, es igual.

—*¿Así, tan fácil? ¿Estás enfermo?*

Estoy apasionado.

—*Es una linda enfermedad.*

Porque, después de todo, no hay tanto misterio en todo esto. Es normal.

Las mujeres comprenden los códigos del amor, conocen su lenguaje, lo hablan y ponen en práctica mejor que nadie. Y, al fin de cuentas, esos códigos, ese lenguaje, esa práctica y el amor mismo son el centro puro del mensaje y la prédica de Jesús. Qué joder.

—*Muy fino, muy fino. Mucha clase.*

Hablando de clase, vamos a escuchar a los Tanoira. Ya se los mencionó aquí, ahora los conocerán. Es hora de meternos de lleno en un tema que los va a fascinar. Se los aseguro.

8

La Virgen en Salta

Los Tanoira
PRIMERA PARTE

*A*quí estalla con fuerza el misterio de la Virgen en Salta.

Gonzalo Tanoira, a quien sus amigos llaman Talo, tiene 35 años al llevarse a cabo la entrevista. Es licenciado en administración de empresas, cursó un máster en Estados Unidos en su especialidad y es gerente general de un fondo de inversiones.

Pilar Tanoira, su esposa, tiene 34 años y da toda la sensación de haber hecho, ella también, un máster pero en simpatía y ternura.

Tienen cuatro hijos: Abril, de doce; Jerónimo, de nueve; Santos, de cinco y Salvador, de dos.

Gonzalo y Pilar son muy buena gente. Tienen clase, esa que no se adquiere con dinero, clase de verdad. Pero no voy a describirlos ni a contarles aquí su carácter y sus estilos, prefiero que los vayan descubriendo mientras ellos hablan y cuentan su historia. Esa que llevan a diferentes lugares del país robándole tiempo a sus tiempos, sólo para ayudar a la gente y honrar a la Virgen.

Estamos en el restaurante La Palmera, en Olivos, la noche del martes 15 de febrero de 2005. Grabador de por medio, los invité a comer para conocerlos y escucharlos, y no sabía que yo me iba a alimentar tanto, pero tanto, en esa noche. Siéntense. Disfruten el banquete que ya empieza.

A los diecisiete ya eran novios. Se casaron, tuvieron una primera hija, viajaron a los Estados Unidos donde Gonzalo obtuvo su máster, y volvieron cuando tenían veintisiete años. En esa década enterita no iban a misa ni cumplían con ningún tipo de ritual de su religión, la católica.

Gonzalo: Teníamos cero de vida espiritual, rezábamos una vez de cuando en cuando, cuando tuvimos problemas no pensábamos en Dios...

Pilar: Bautizados y punto. Cero practicantes.

—Ni hablar de milagros...

Pilar: No, nada. Bueno... en el año 1999 nace nuestro tercer hijo, Santos. Y al día siguiente de nacer, después de darle de comer lo pongo en su cunita y empieza a ahogarse. Gonzalo había ido a buscar a los otros chicos, yo estaba sola en la clínica, me habían hecho una cesárea y no podía moverme y tocaba todos los timbres. Vino una enfermera y se lo lleva volando a neonatología y allí ven que el chico tenía problemas serios para tragar, no podía tragar ni su propia saliva y tenía apneas permanentes, no podía respirar, se le cortaba la respiración y se iban descubriendo más cosas como problemas cardíacos, una malformación en los genitales, los ojitos un poco más separados, las orejas más bajas y raras... Y ahí empiezan a hablarnos de un genetista.

—Vos ya habías tenido dos hijos anteriores y sin problemas...

Pilar: En absoluto. Y este embarazo también, me había hecho análisis y todo estaba bien... A los quince días de haber nacido Santos nos dan un diagnóstico. Una enfermedad con un nombre rarísimo que, al buscarla en Internet, vimos que hay sólo 250 casos en todo el mundo. Se llama Opitz-Frías en Argentina y Opitz GBBB en Estados Unidos...

Nota: por lo que pude averiguar se llama síndrome Opitz-Frías en algunos sitios por ser los apellidos del primer médico que descubrió el síndrome en 1969, el doctor John Opitz, de la Universidad de Utah, y uno de sus continuadores más inmediatos, el doctor Jaime Frías, de la Universidad de Florida, ambos en los Estados Unidos de Norteamérica. Tiene todas las características que describió Pilar e, incluso, muchas más, todas ellas muy graves. Se la conoce, en efecto, de manera más común, como síndrome Opitz GBBB. Esas cuatro letras no son un tipo de código médico sino, simplemente, ocurre que la familia del primer bebé sufriente de ese mal que fuera atendido por el doctor Opitz tenía un apellido que empezaba con la letra G. Luego hubo tres pacientes que, por coincidencia, tenían apellidos con la inicial B. De allí Opitz GBBB. Es, realmente, algo muy raro y de una gravedad extrema. La organización hecha a pulmón por los padres de chiquitos afectados, la Red de Familias Opitz GBBB, tiene una página en Internet y allí figuran tan sólo 235 pequeños pacientes de todo el mundo. También allí está la foto de Santos cuando era un bebé. A pesar del calvario por el que pasaba, miraba fijo a la cámara y reía. Lo vi precioso, lleno de luz, embriagado de alegría, con un brillo en los ojos que es un faro de esperanza. No me avergüenza en lo más mínimo contar aquí que lloré un rato mirando su foto a solas y en silencio. Lloré por mí, que escribo libritos espirituales y, sin embargo, me quejo a menudo de cosas menores, mientras que Santos, desde la foto, se reía de todo como sólo puede reír un bebé. Pero un bebé muy especial. Una cosa es hablar de él, volver a escuchar el relato desde el grabador y otra verlo a toda pantalla, sonriéndome, sonriendo al que quisiera recibir ese regalo. Es un bebé sol. No importan los nombres raros, las siglas y los síntomas que tenía en el momento de esa foto, con menos de un año de edad, en 2000. Es allí un bebé sol.

Pilar: Una de las peores cosas que tenía Santos era una sucesión de agujeros entre la tráquea y la laringe y todo lo que tragaba, hasta su propia saliva, se le iba al pulmón. Hacía apneas todo el tiempo, no podía respirar y se corría el riesgo permanente de una neumonía que se sumaría a lo demás.

Y lo demás eran muchas cosas.

—¿Y ustedes?

Gonzalo: Shock inicial. Sobre todo, muy consternados por nuestro futuro. Hasta ese momento nosotros pensábamos que teníamos una familia perfecta, me iba bien en el trabajo, volvíamos de Estados Unidos después de una carrera… Estábamos para comernos la cancha y de repente todo se dio vuelta. Teníamos un chiquito minusválido al que no podríamos dejar solo ni un momento, que no viviría como todos, que nunca sería normal…

Pilar: Sí, fue un shock. Siguiendo el consejo de los médicos lo llevamos a casa adonde, gracias a Dios, podíamos rodearlo de lo que necesitaba, con enfermeras y atención permanente. Hacía apneas todo el tiempo y, el día en que cumplió un mes, tuvo un paro cardiorrespiratorio. Estaba más en manos de Dios que en las nuestras... Pero allí sentimos que la Virgen tenía ya participación en su vida, porque justo se había acabado el oxígeno y el técnico estaba conectando el tubo nuevo justo cuando tiene el paro. En ese instante era el cambio de enfermeras así es que había dos que son las que le hicieron la resucitación cardiopulmonar. Como la ambulancia no llegaba, lo subimos en un auto y, en el momento en que salimos de casa, pasa otra ambulancia, nos ven con el pañuelito fuera de la ventanilla y nos llevaron al hospital...

Lo que siguió fue una sucesión de sopapos. Santos tuvo un nuevo paro cardiorrespiratorio ya en el hospital, pasó por una internación de muchos días, nadie tenía experiencia sobre la enfermedad y no se sabía qué hacer.

Pilar: La estábamos peleando. La peleábamos en el día a día.

—¿Te enojabas con Dios?

Pilar: No, no me enojaba con nadie. Estábamos desesperados. A mi hija Abril, que en ese momento tenía siete años, se le caía el pelo por el estrés que estaba sufriendo. Yo estaba más desesperada por Abril que por Santos, en un momento dado...

—¿Y vos, Gonzalo?

Gonzalo: Yo sentía una impotencia terrible. Mi familia no podía hacer más que lo que hacía. Estaban todos a plena disposición mía para ayudar, pero no podían hacer nada... Y, en ese momento, la verdad es que todos los argumentos que tenía en contra de la Iglesia y en contra de Dios y en contra de la vida espiritual en sí misma, se me cayeron. Me caí como desde un piso alto. Agaché la cabeza y dije: "Dios, ayudame, porque no voy a poder pasar esto sin que me ayudes"...

A todo esto, Santos, que pesó al nacer 3 kilos y 100 gramos, sólo podía ser alimentado por una sonda debido a sus serios problemas para tragar y había bajado sensiblemente de peso. Apenas con tres meses de edad ya le habían hecho análisis de todo tipo para intentar lo que fuera sobre algo que apenas si se conoce. Y fue el turno de algo llamado potenciales evocados, con unos electrodos en su cabecita que hacen ruidos en sus oídos para medir su audición. Todo en un bebito, Dios mío, un puñadito de vida.

Pilar: Para hacértele corta, el estudio ese da que Santos era completamente sordo. Tenía una hipoacusia neurosensorial. Hasta ese momento yo venía peleándola, pero allí me derrumbé. Además de todo lo que ya tenía, nunca lo íbamos a poder estimular de ninguna manera porque no nos escucharía. Yo estaba destruida.

—Y, en ese momento, ustedes tenían 29 y 30 años.

Pilar: Y dos hijos más que estaban sufriendo todo eso y que lo sufrirían para siempre. Y bueno, yo estaba desesperada. Justo me llamó una amiga y yo lloraba en el teléfono, en medio del jardín, con el inalámbrico, lloraba tanto que mi amiga me dijo: "Voy para allá". Vino ella y otra amiga que vive cerca. Yo lloraba desconsolada y una de ellas me da tu libro de la Virgen. Me lo da para consolarme, en ese momento, porque llorábamos abrazadas, no había palabras que sirvieran. Empecé a leer el libro y me pasó algo rarísimo: yo sentía tan fuerte la presencia de la Virgen que a la noche me tapaba toda porque pensaba "se me va a parecer en cualquier momento y yo me muero de susto"...

Nota: había decidido no mencionar lo de mi librito por cierto pudor, pero debía hacerlo. En primer lugar porque es clave en la historia, recuerden que Pilar y Gonzalo estaban ajenos a lo religioso hasta allí. En segundo lugar, porque –pensé– si hubiera ocurrido con el libro de otro, no habría dudado en nombrarlo. En tercer lugar, porque la que estaba allí era la Virgen y me resulta imposible no destacarla. Y, por último, porque –les confieso ya sin pudor– que me dio un placer inmenso, mucho amor y mucho orgullo, que un librito mío pudiera obrar como vínculo de esa manera en alguien como Pilar, muy inteligente, culta, joven, educada y con un problema gigantesco que parecía sin solución. Si jugara al falso modesto, tal vez quedaría mejor, pero sería por completo un hipócrita, un mentiroso. Los que leen mis libritos saben que detesto a la mentira, madre del asco. Por eso: amo ese episodio. Disculpen.

Pilar: En una parte del libro vos hablás de consagrar los bebés a la Virgen. Yo no tenía ni idea de cómo se hacía. He ido a colegio religioso pero no tengo mucha formación, soy muy básica. Y lo consagré con mis palabras: "Yo no puedo hacer ya más nada por este chico, yo te lo entrego, todo tuyo, hacé lo que puedas por él". Le dije que lo que más me dolía era que Santos no escuchara, que si era neurológicamente impedido, si no podía caminar, si no iba a comer nunca por boca, yo me la bancaba, pero que Santos fuera sordo era lo que más me dolía porque nos dejaba sin armas para darle alguna ayuda, para estimularlo... No es que le ofreciera algo a cambio, pero le prometí, además, que cuando Santos cumpliera un año, si llegaba al año de vida porque tantas veces me había dicho que se moría, yo dejaba de fumar. Fumaba desde los diecisiete... Y bueno, pasó todo ese año, Santos siguió con enfermeras permanentes, con estimulación cada minuto del día, terapeutas de todo lo que se te ocurra, fonoaudióloga, el colegio de sordos, especialistas en parálisis cerebral, los que se ocupaban de todo lo que fuera deglución, kinesiólogo...

—Pobre, mi amor, tenía de todo. No era una enfermedad, eran muchas.

Pilar: Y así son las enfermedades genéticas, porque como son los genes, todas tus células están afectadas...

—Genética... pero ustedes no tienen antecedentes familiares...

Pilar: No, es cierto. Pero no se puede saber. A veces está como dormida y no es activa en una persona que, luego, lo transmitirá y ahí sí será activa. Y otras veces es mutación espontánea, es decir que aparece en el afectado por primera vez, sin ningún tipo de herencia. Esto nos lo explicó el doctor Opitz, al que yo llevé todas las fotos de mis antepasados y no había nada...

—Fueron a ver a Estados Unidos al mismísimo Opitz. Más allá de tener los recursos, ustedes tuvieron el coraje para pelear cada milímetro de terreno.

118

Pilar: Fue la Virgen.

—No tengo ninguna duda, pero tal vez también fue un premio por la forma de pelear de ustedes. Sin dudas la Virgen les dio fuerzas y todo el resto, pero yo creo en "ayúdate que te ayudaré"... ¿Qué pasó después?

Pilar: Todo el año 2000 fue muy peleado, pero Santos había cumplido un año y no perdíamos las esperanzas. Nos habíamos ido acercando a la Iglesia, empezamos a ir a misa...

Gonzalo: Empezamos a ir a misa, confesarnos, comulgar.

—Arrancó el motor de la fe.

Gonzalo: Para mí fue muy importante un día en que, estando Santos internado, vino mi madrina, Cristina Miguens, –que es una persona de mucha fe– y me dejó una Biblia. Yo no agarraba una Biblia desde hacía, qué sé yo, quince años. Mi madrina me dijo: "Yo no te voy a pedir que vayas a misa, que comulgues, nada. Tomá, leéla. Leé la Biblia. Leé la Biblia que te va a ayudar". Yo me acuerdo que nos turnábamos con Pilar para estar en el hospital y yo volvía destrozado a casa, me metía en la cama y me ponía a leer la Biblia. Eso me daba la fuerza para afrontar el día siguiente... Vimos claramente que, cuanto más cerca de Dios estábamos, Santos mejor estaba. Daba pequeños gestos de progreso que todos festejábamos, pero veíamos una conexión directa entre lo que le pedíamos a Dios y lo que pasaba.

—Lo tuyo es más fuerte, porque vos eras cero religión...

Gonzalo: Yo tenía una serie de argumentos de por qué la Iglesia no tenía que meterse en mi relación con Dios. Yo, ni por un minuto, cuestioné que Dios existiera, pero era como una relación personal con Él. Pensaba: "Mientras yo rece cada tanto, sea un buen tipo, haga las cosas bien, a mí me van a mandar no sé si al cielo, pero voy a zafar. Entonces no necesito ir a misa, rezar, esto, lo otro... yo soy un buen tipo". Y si veía cosas en la Iglesia que no me gustaban, en lugar de mejorarlas, yo decía "que las mejoren otros, yo no soy de ese club, que se preocupen otros". Solamente veía las cosas malas de la Iglesia, no veía las cosas buenas. Pero todos esos argumentos, al ocurrir lo de Santos, se me cayeron. Yo me dije: "Necesito ayuda, y la única manera de llegar a

Dios es a través de la Iglesia". Es ir a misa, comulgar, sentir a Jesús adentro tuyo. Sigo reconociendo que la Iglesia tiene sus fallas pero es la única manera de llegar a Dios.

Me parece fantástica la manera sincera con la que Gonzalo cuenta lo que sintió y lo que siente. De este lado de la entrevista, escuché cientos de veces: "Yo en Dios creo, pero la Iglesia, los curas, todo eso no, en eso no creo". Las personas tienden a generalizar. Hay un cura de espanto y la paga toda la Iglesia, aun con sus curitas heroicos.

Pilar: A fines del 2000 Santos había mejorado un poco, al menos no estaba en riesgo de vida absoluto. Todavía no se alimentaba por boca porque los médicos decidieron esperar. Se alimentaba, desde que nació, con una aguja que se metía por una incisión en la piel y que le hacía llegar el alimento directamente al estómago. A los amiguitos de Abril yo les decía: "¿Viste los autos que para andar necesitan nafta? Bueno, Santos es igual". Porque en la parte externa del cuerpo tenía como una tapita que se abría para poner allí la cánula y enviar el alimento a su estómago y, cuando terminaba de comer, le sacabas el cañito ese y le ponías el taponcito otra vez.

Gonzalo: No se podía ni siquiera acercarle comida a la boca porque él la rechazaba. Al tener comida en la boca se atragantaba, corría el riesgo de que le fuera al pulmón, era para él muy desagradable. Por eso, sólo con oler comida, le daban náuseas y arcadas. Para él lo natural era el tubito.

Pilar: Pero cuando estaba por cumplirse un año de haberlo consagrado a la Virgen y más allá de todos los pronósticos médicos, Santos agarró una galletita y empezó a chuparla. Yo casi me desmayo. Al mes de eso, empezó a caminar, en marzo empezó a caminar, y en abril nos vamos a Estados Unidos... En el término de un mes y medio el chiquito había empezado a comer por boca, a caminar y a oír... Eso era extraordinario. Un día veo que Abril está jugando y cantando "Antón, Antón, Antón Pirulero..." y Santos, sin audífonos, empieza a moverse así, como acompañando… Ya en Estados Unidos, le hacen nuevos estudios y dicen que no puede ser, que allí aparece como con audición, cuando le habíamos hecho hasta entonces cientos de estudios y daba que era sordo como una tapia. Me hacen volver al día siguiente para hacerle la prueba una vez más. Voy y me dice el médico: "Yo no lo puedo creer, este chico escucha perfectamente, si le dejan los audífonos puestos lo van a aturdir". Deciden hacerle un estudio más y da normal, absolutamente normal. Yo me eché a llorar y lloraba, lloraba, lloraba, porque para mí era tan claro que fue un milagro de la Virgen que me emocionaba mucho. Talo no se había enterado de que yo lo había consagrado a la Virgen y que le había pedido especialmente ese milagro. Cuando volvimos a Buenos Aires, los médicos de aquí no lo podían creer, nos preguntaban qué tratamiento maravilloso le habíamos hecho en los Estados Unidos para que el chico escuchara…

—La fe.

Pilar: Sí. La Virgen. Sólo puede entenderlo absolutamente quien lo haya vivido, pero así fue… Santos aprendió a comer a pesar de los problemas enormes que tenía hasta entonces para tragar, aprendió a caminar a pesar de que no lo había hecho nunca. Hasta físicamente cambió. Nosotros, con todo amor, siempre lo veíamos bien pero no se podía negar que tenía una cara diferente por las malformaciones. Eso también cambió. Santos se transformó en un chico muy lindo…

Gonzalo: Hoy mismo, hoy en día, vos le mostrás fotos a Santos de cuando tenía un año de edad y él se larga a llorar y dice: "Ese no soy yo".

—Ay, qué fuerte es eso.

Gonzalo: Le hemos mostrado álbumes de fotos desde que nació y hoy, con cinco años, foto tras foto, dice: "Ese no soy yo, ese no soy yo". Y se larga a llorar con angustia. Pregunta: "¿Qué me pasaba, qué tenía yo?". Uno mismo ve esas fotos y, en verdad, tiene razón él, ese no era Santos, impresiona el cambio que se va produciendo, hoja tras hoja, no parece el mismo chico.

Pilar: Antes tenía la lengua afuera, se le caía la baba, los ojos perdidos…Creo que es comprensible para cualquiera nuestro amor por la Virgen, porque no había dudas de que fue Ella. Me entero de Nuestra Señora de Medjugorje y empiezo a averiguar para viajar a Bosnia con una de las peregrinaciones, para agradecerle. Llamo y me dicen que la última había sido una semana atrás y que después arrancaba la nieve, las lluvias, mucho frío y no era un clima para un chico de dos años. A la semana voy a una fiesta y me encuentro con una amiga de mi suegra, una de esas amigas que querés mucho pero que no ves muy seguido, Malala Travella, que me dice que me está buscando desde hace varios días. "Acabo de llegar de Salta —me cuenta—, y me pasó algo increíble. Cuando fui subiendo el cerro mi corazón se agrandaba y sentía una enorme paz pero, lo más impresionante que me pasó es que se me venían a la mente tu cara y la de Santos todo el tiempo, sin saber por qué". Era el 8 de diciembre de 2001, cuando entronizaron a la Virgen en la ermita del cerro. "Tenés que ir, tenés que ir", me decía Malala. Y fui. Viajé junto a otras dos madres, una con un chiquito autista y la otra con un hijo con la misma enfermedad de Santos, pero ya en estado muy avanzado. Malala nos ligó a Paula Lacroze, que vive allá, y que nos consiguió el tubo de oxígeno que necesitábamos para ese chico y nos hizo conocer a María Livia, fuimos a su casa. Es un barrio muy lindo, Tres Cerritos. Y la casa es muy bien, muy linda casa. Pero más allá del barrio de muy buen nivel, de la casa que es preciosa y de ella misma, lo que te impacta es la humildad de María Livia. Habla poco, tres palabras, pero son las tres palabras que necesitás oír. Tiene tanta paz y tiene, también, una gran claridad en sus conceptos.

—¿Vos creíste en ella de entrada?

Pilar: De entrada.

—¿Y por qué?

Pilar: No sé por qué, no lo puedo explicar. Pero estás frente a ella y sentís una paz que no podés describir.

—Tengo que hacerte una pregunta aunque no sea linda: ¿no podía ser que hubiera algo de sugestión de tu parte? Que vos sintieras lo que, en realidad, querías sentir...

Pilar: Podría ser, no sé. Pero yo no había subido al cerro to-

122

davía, yo estaba conociendo a una persona que me estaba contando cosas de la Virgen.

—Una esperanza.

Pilar: No, ni siquiera era para mí una esperanza, porque yo no fui a Salta a pedir nada, yo fui a agradecer, eso era lo que quería hacer, en Medjugorje, en Salta, o donde se sintiera la presencia de la Virgen. A mí la Virgen ya me había hecho el milagro.

—Perfecto, está claro. ¿Hubo algo que te impresionara más que nada en aquella entrevista?

Pilar: Sí. La Inmaculada Madre del Divino Corazón Eucarístico de Jesús, que es el nombre de esa advocación de la Virgen en Salta, dice en uno de sus mensajes clave: "No he venido a juzgar ni a criticar, he venido a construir y a juntar el rebaño antes de que oscurezca". Ahí María Livia me cuenta que la Virgen vino a buscar a toda la gente para que se convirtiera antes de la segunda venida de Jesús.

—La Parusía.

Pilar: Yo ahí me quedé de una pieza. Yo no sabía qué era eso, no tenía ni idea, estaba pintada al óleo. Para mí, Jesús, en ese momento —y lo cuento en todos mis testimonios— era como si me hablaran de Cristóbal Colón. Era alguien que murió hace dos mil años, que lo crucificaron, pero era como algo que estudié en el colegio, un personaje histórico... Cuando la escucho hablar de la segunda venida de Jesús, yo la miré así, con curiosidad, y bruta total, le pregunté: "Pero ¿qué? ¿Va a reencarnarse en otro bebito? ¿Va a nacer en otro bebito?". María Livia me mira con los ojos muy grandes y me dice: "Pero ¿nunca leíste la Biblia?". "No, ni idea", le contesté. Y ahí me cuenta de la Parusía, imaginate, esa palabra no la había escuchado en mi vida.

La Parusía

Como tal vez haya alguien que, al igual que Pilar en esa época, no sabe lo que es la Parusía, repasemos el tema, que es apasionante.

La palabra define exactamente el momento de la Segunda Venida de Cristo al mundo. Ese momento es temido por muchos y esperado por otros. Jesús volverá a la tierra con toda su gloria, y vendrá a establecer su reinado definitivo. No hay por qué temer. ¿Alguien puede imaginar lo que debe ser ver a Jesús frente a frente? "Ahora vemos como por un espejo, confusamente, pero luego veremos cara a cara" (1Corintios 13, 12). "Cara a cara", dice la Biblia. ¿Pueden imaginarlo? ¿No sienten un vacío en el estómago en este mismo momento?

Si tienen sus dudas (dudar es genuino y humano), imaginen por un rato, sólo imaginen, que es tal cual está dicho. Relean la Biblia. Allí se cuenta que ese será el momento de nuestra definitiva liberación: nuestros cuerpos reunidos con nuestras almas en la resurrección prometida. También, en el Antiguo Testamento, se cuenta que algunos "de los que duermen en el polvo despertarán para el eterno castigo" (Dn. 12, 1-3). Pero ésos serán los que se hayan opuesto a Dios y a sus designios, los que hayan buscado caminos distintos y malos, es decir, los enemigos de Dios. No tienen nada que temer, ¿no es cierto? Se cuenta claramente que los justos, los que hayan buscado cumplir la voluntad de Dios en esta vida, los que lo honraron y honraron a su prójimo "despertarán para la vida eterna... brillarán como el esplendor del firmamento... y resplandecerán como estrellas por toda la eternidad" (Dn. 12, 1-3).

Sonrían. Dios los ama.

Eso sí, si hay cosas que ocultar es para preocuparse. Ahí de nada servirán la mentira, el ocultamiento, la hipocresía. Pero, bueno, vamos, no hay que darles mucho crédito a estas historias, son sólo cosas que están en la Biblia, después de todo.

Lo que es rigurosamente cierto es que no se trata de una amenaza divina pero barata, no es Júpiter tonante lanzando rayos desde el cielo a los que no lo honraron. Es otra prueba del amor de Dios. Se dice que, antes de producirse esa Segunda Venida, se vivirá "un tiempo de angustia, como no lo hubo desde el principio del mundo". Época de incertidumbre, de desconcierto ante los hechos que ocurren a nuestro alrededor, de miedo y de sorpresa ante cosas que nunca el hombre imaginó que ocurrirían.

Queda claro que, al entrar en esos tiempos de tribulaciones –como los llama la Biblia– habrá signos que estarán advirtiendo. Señales.

También se las ha visto en otras situaciones muy especiales.

Señales

Las señales son primas de los milagros, pero no lejanas.

Recuerdo el caso de aquel adolescente muerto en un accidente y el comprensible dolor de sus padres que pedían recibir alguna señal de él, como sea, lo que sea. Recuerdo, digo, que al poco tiempo al padre le ocurría que cada vez que entraba al cuarto de su hijo caían desde una estantería un pequeño grupo de discos compactos, exacta y solamente los que eran los preferidos del chico, aquellos que antes escuchaba una y otra vez. No importaba si se los mezclaba con otros o cómo se los acomodaba nuevamente. Allí iban a estar hasta el puntual momento en que el padre volviera a entrar a la habitación, momento en que caerían otra vez.

Hay otras señales, nada personales, muy colectivas. Una de las mayores por la cantidad de gente que involucró, fue la aurora boreal que sorprendió a la mayor parte de Europa el 25 de enero de 1938. Se trata de un fenómeno que es bastante común en el polo norte o sus cercanías, donde se dan unas doscientas auroras boreales por año, pero no son tan inquietantemente luminosas como la de 1938 que, para hacerla más dramática, ocurrió de manera por completo inusual sobre casi todo el continente europeo. No volvió a repetirse algo semejante desde entonces. La aurora boreal o "luces del norte" es un fenómeno por el cual la noche se transforma, de pronto, en pleno día o poco menos. Es una sucesión de llamaradas en el cielo que lo visten de tal forma como para que mucha gente del París de aquel 1938 entrara en pánico creyendo que la ciudad estaba en llamas. Fascinante, sin dudas, pero también atemorizante. En especial si había sido anticipada no por astrónomos ni vigilantes del cielo, sino por la Virgen María a través de sus mensajes de Fátima. Allí, en 1917, plena Primera Guerra Mundial, la Virgen anunció a los pastorcitos que ese conflicto terminaría en poco más, pero que si el hombre no se acercaba más a Dios, llegaría otra guerra mucho peor que esa. El anuncio de esa terrible guerra mundial sería una gran luz que iluminaría la noche de Europa. Al ocurrir ese fenómeno, todos debían prepararse para lo que vendría. Por supuesto, el hombre no se acercó más a Dios porque no podía, no sabía o no quería. Y el fenómeno anunciado por la Virgen se dio ante millones de personas. Una de esas personas fue, siendo muy joven, testigo privilegiado de aquello. Muchos años después sería un notable profesor de Religiones Comparadas en la Universidad del Salvador, en Buenos Aires.

Walter Gardini, un ser adorable de impresionante vigor intelectual, muy serio investigador de las religiones y cálido católico, fue inobjetable testigo de la aurora boreal que sacudió a Europa. En 1938 él vivía en su país natal, Italia. En 1995 me relató aquel fenómeno inolvidable. Transcribo sus palabras de manera textual:

> Era una noche, ocho o nueve de la noche, cuando pareció de pronto que todo el horizonte se hubiese encendido. Un espectáculo como de incendio, de fuego. Todos mirábamos el cielo sin entender lo que estaba pasando, muy asombrados. En ese momento a nadie se le ocurría pensar en un milagro. Solamente nos sorprendimos mucho, sin comprender. Yo lo viví en Lombardía, Italia, en el lugar donde había nacido, pero luego nos enteramos que ese fenómeno se había visto en los cielos de toda Europa. Nos preguntábamos qué era aquello y, también, qué pasará, qué pasará... No conocíamos aún las profecías de la Virgen en Fátima, no sabíamos que Ella había dicho ya en 1917 que "si el mundo no cambia, vendrá una gran guerra y acontecerá, primero, en el cielo, un gran espectáculo que será la señal". Unos meses después de aquel resplandor en medio de la noche ocurrido en 1938, comenzaba la segunda guerra. La profecía se cumplía.

Walter Gardini me contó su experiencia sin ningún dramatismo, con la naturalidad mansa de los que están ya acostumbrados a lo sobrenatural y tienen tanta paz como para contarlo de esa forma. Ha sido profesor de varias cátedras en la Universidad del Salvador, miembro del CONICET (Consejo de Investigaciones Científicas y Técnicas), colaborador habitual del prestigioso periódico *La Nación* y autor de muchos libros sobre diferentes estudios religiosos. Cuando grabé su relato, en 1995, se lo consideraba ya, con toda justicia, el continuador de la obra del inolvidable padre Ismael Quiles en la Escuela de Estudios Orientales de la citada universidad y el hombre que más sabía sobre religiones comparadas en toda Hispanoamérica. Siempre sintió un gran respeto por las religiones del mundo sin que esto disminuyera en lo más mínimo el amor que siente por la suya, la católica. Aquí, además, aparece como un testigo de lujo para aquella misteriosa luz que iluminó la noche europea poco antes del estallido de la Segunda Guerra, tal como lo había anticipado la Virgen. La señal de 1938.

Ese mismo año, Hitler entraría en conflicto con Checoslovaquia y, al siguiente, sus tropas invadirían Polonia en un acto que se considera el exacto principio de la Segunda Guerra. Un conflicto que, al finalizar, dejaría el espantoso saldo de más de cincuenta millones de muertos.

Una de los tres videntes de la Virgen en Fátima, la pequeña Lucía, asistió a esa noche en llamas desde su Portugal natal. Sor Lucía partió con Dios, a la edad de noventa y siete años, en febrero de 2005, y siempre repitió que aquello era la advertencia dada por Nuestra Señora. Una señal.

Ocurren signos en muchas situaciones y a muchas personas, a veces sólo hay que saber verlos.

En lo que hace a los tiempos previos a la Parusía, las señales están dichas en el Nuevo Testamento, en el Evangelio de Marcos y el de Mateo. Son muy similares, casi idénticas. Allí se advierte con absoluta claridad que es necesario no engañarse porque uno de los signos de que se están viviendo los tiempos previos a la Segunda Venida será la advertencia del mismo Jesús sobre la aparición de personajes nefastos y mentirosos pero fácilmente detectables:

> Porque surgirán falsos mesías y falsos profetas, y harán señales y prodigios para engañar, si fuera posible, a los elegidos. Mas vosotros estad alertas pues os he prevenido de todo (Marcos 13, 22-23).

Ya muy próximos a la Parusía, el panorama no es precisamente de los más alentadores, según la Biblia:

> Inmediatamente después de la tribulación de aquellos días, el sol se oscurecerá, la luna no dará su resplandor, las estrellas caerán del cielo y las potestades de los cielos se tambalearán (Mateo 24, 29).

Y entonces, sí:

> Entonces aparecerá en el cielo la señal del Hijo del hombre y en ese momento todas las tribus de la tierra gemirán y verán venir al Hijo del hombre sobre las nubes del cielo con gran poder y gloria. Y enviará a sus ángeles al son de potente trompeta y reunirán a sus elegidos de los cuatro vientos, de uno al otro extremo de los cielos (Mateo 24, 30-31).

No colecciono "Las aventuras de San Juan Evangelista", pero es inevitable recurrir a la Biblia para encontrar respuestas de una fuente que no admite discusión. También es imprescindible aclarar algunos puntos para que no cunda el pánico.

1– Al escribir sobre lo que recién leyeron, San Marcos titula esos párrafos como "Señales de la destrucción de Jerusalén"; mientras que San Mateo es aún más específico y llama a esas advertencias "Profecías sobre la destrucción del Templo" (de Jerusalén). Esto puede entenderse como que, para la época en que esas palabras están dichas por Jesús, Jerusalén era el símbolo de lo más grande sobre la tierra. Hablar, entonces, de la caída del templo de Jerusalén era como estar hablando del fin de todo, el fin de lo que nos importa, el fin del mundo. Como ven, no necesariamente están referidos esos párrafos a una desaparición del planeta o sus humildes (¿humildes?) habitantes que venimos a ser nosotros.

2– Luego del relato de las terribles tribulaciones allí descriptas, Jesús agrega en un momento dado: "Os lo aseguro: no pasará esta generación hasta que todas estas cosas se cumplan" (Mateo 24, 34), lo cual es bastante tranquilizador porque, de acuerdo con el diccionario, la mejor acepción de "generación" es: "conjunto de personas que viven en la misma época". Claro está que, para el Hijo de Dios, "la misma época" puede ser un segundo o dos mil años, ya que la concepción divina no es muy diferente a los estudios de Albert Einstein que dejó establecido por su ley de relatividad que "el tiempo no existe como tal". Es decir que, para Dios, no hay tiempo. El apóstol Pedro lo dice muy clarito cuando señala que "para el Señor, un día pueden ser mil años y mil años un día". "Esta generación" puede referirse, sencillamente, a la generación de los seres humanos, sus criaturas preferidas pero muy rebeldes y muy, pero muy estúpidas en general. En una palabra (aunque las que siguen son 424 contando estas entre paréntesis): queda abierta la buena nueva de que el texto está referido al templo de Jerusalén, que mal se había portado con el Señor y del cual no quedó –cumpliendo aquella profecía– "piedra sobre piedra". En el año 70 de la era cristiana, los romanos del imperio destruyeron completamente el templo y, sin dudarlo, lo mancillaron. No dejaron "piedra sobre piedra". Es casi una curiosidad o, al menos, una terrible paradoja, que Jerusalén signifique, literalmente, Princesa de la Paz. Si algo no tuvo fue, precisamente, paz. Desde la época de Cristo, la ciudad fue ocupada en once ocasiones y destruida por completo en cinco. Se supone que lo que fue la verdadera Jerusalén está bajo tierra, a unos veinte metros de escombros y malos recuerdos. El emperador romano Adriano fundó, sobre las ruinas, una nueva ciudad, Aelia Catolina. Dos siglos después, la piadosa emperatriz Elena de Bizancio mandó buscar los lugares santos. Buscó y halló el Santo Sepulcro. Han convivido allí las tres principales religiones de la historia: por orden de aparición, para que nadie se enoje, el judaísmo, el cristianismo y el islamismo. Ningún otro punto del mapa, en toda la historia, fue tan absolutamente central en lo religioso como Jerusalén. Pero puede decirse que pagó un precio caro por eso, fue una marioneta del destino. En el año 614 fue destruida por los persas, en el 637 conquistada por el califa Omar, en el 1072 por los seljúcidas, que ni siquiera sé quienes son, en 1099 por los hombres de las Cruzadas (que no eran justamente un club de los que acertaban que Ra era el dios del sol entre los egipcios sino otros, bastante más agresivos). En el año 1187, el sultán Saladino volvió a arrebatar la ciudad y hacerla propia, en 1617 asaltaron sus muros los turcos. En 1917 entró en la ciudad el ejército inglés. Y desde 1948, Jordania e Israel luchan denodadamente por la posesión de la "Ciudad Santa". Por mediación de las Naciones Unidas se concertó un armisticio. Ambos contrincantes se quedaron con la parte de la ciudad que en aquel momento ocupaban. Surgió una frontera tan casual como absurda. Una salvaje franja con barreras antitanques y alambres de espinos dividió lo que durante milenios había sido una unidad.

Después de leer esto, casi parece que no hay dudas respecto a que la palabra del Hijo de Dios se refería a lo que era "el mundo" en ese momento, es decir Jerusalén. En ese caso, pueden suspirar tranquilos.

Pero esos momentos terribles no son un castigo sino una última oportunidad. La última llamada a conversión para los que se encuentren en estado de pecado y la última purificación para los elegidos, de acuerdo con lo que nos dice la religión. Se la considera una prueba más –si hiciera falta alguna– de la infinita misericordia de Dios que quiere que todos sus hijos sean salvados. Será la última chance.

Hay quienes creen que esa etapa de la historia del mundo es la que hoy vivimos, son estas horas nuestras de cada día. Por un lado, es un poco apresurado y alarmista aceptar eso ya que, durante toda la historia del mundo, han sido cientos las ocasiones en las que se pronosticó que el juego estaba por terminar y, ya ven, no ocurrió. Por otro lado, no es nada loco augurar eso y basta con leer los diarios o ver los noticieros de televisión para advertir que los que así piensan tienen sobrados motivos para hacerlo. No me digan que no tienen los baúles llenos de confusión.

Más Pilar, para apoyarnos

Pilar: Cuando María Livia me cuenta de la Parusía, yo me quedé de una pieza. Eso a mí me impactó muchísimo, porque por primera vez la figura de Jesús cobraba vida en ese momento y en todo momento. Para mí era un cambio enorme, un antes y después, al pensar en un Jesús hoy. Para mí no existía, era alguien histórico, ya te dije, Cristóbal Colón, algo así.

Es gracioso lo de Colón. Y es sincero. No tiene ni un miligramo de falta de respeto o frivolidad, es de una franqueza que necesitamos imperiosamente y ya. Mucha gente que leerá eso se dará cuenta de que, en efecto, lo ven así a Jesús: la figura más grande de la historia pero lejana, hombre de otros tiempos. Cuando, en realidad, está tan cerca que casi formamos parte de él y él de nosotros. Porque, es bueno aclararlo, la Parusía no significa que "vuelve una vez más" a la tierra. No es, como Rambo o Rocky, Jesús II. No se trata de una apelación cinematográfica al estilo de *Cristo 2, la aventura continúa*. La aventura siguió siempre. Jesús estuvo siempre, como el Hijo de Dios y con el Espíritu Santo, entre nosotros. Más aún: la verdadera traducción de la palabra "Parusía" es "presencia". ¿Cuál es la diferencia? Simplemente, y nada menos, que va a estar en la tierra como estuvo hace dos mil años, con su gloriosa presencia, físicamente, cara a cara. No viene de paseo. Viene cumpliendo lo prometido, ya que esta segunda y definitiva venida física es uno de los hechos más anunciados de toda la historia. Por mensajes de la Santísima Madre, muchos, por profecías serias, por el Antiguo Testamento y también por el Nuevo Testamento. Por la mismísima palabra de Dios.

No debería haber, entonces, motivo de sorpresa.

Yo entiendo que no es fácil instalar en la mente y en el alma la idea de esa presencia real con todo su esplendor. Y también entiendo que eso ocurre sólo por una falla en nuestra amplitud de criterio religioso, en nuestro conocimiento de la doctrina y de la historia judeo-cristiana, en nuestra manera de vivir que se hizo muy racionalista hasta el punto de querer ver todo para creer en algo. Bueno, como el apóstol Tomás, podremos meter los dedos en las heridas frescas de Cristo, si nos animamos.

No me volví loco, estoy sobrio y mantengo mi equilibrio de cada librito. La verdad es que esto va a ocurrir. Lo que no se puede saber es cuándo, pero va a ocurrir. Y no es para temer, es para amar.

Por eso es que no estaría nada mal hacernos a la idea de manera real y potente, pensar en un Cristo vivo que un día nos mirará a los ojos, lograr establecer esa certeza ya, aunque estemos viviendo en una nube de suspiros. Pilar lo hizo en una suerte de curso acelerado, con María Livia al lado, abriendo los ojos como dos huevos fritos de avestruz y enterándose de algo que supera sus sentidos. Y los de ustedes. Y los míos. Pero estar, está.

¿Cuándo? es lo que se preguntan ustedes, yo y los apóstoles, con la diferencia que ellos se lo plantearon, llenos de amor y dudas, al propio Jesús. Su respuesta es la misma que hoy tenemos:

...acerca de aquel día y hora, nadie sabe, ni los ángeles del cielo, ni el Hijo, sólo el Padre (Mateo 24, 36).

El miedo es zonzo

Apartado especial para los que se confundan y crean que se habla del fin del mundo. No hay fin del mundo, para empezar. Tal cosa no existe ni existirá. Dios conforta y nos soporta, pero no nos amenaza con una catástrofe semejante. Si hay daño al mundo, se lo haremos nosotros y no Él. Talando el Amazonas sin control, tirando basura y contaminantes a los ríos o mares, haciendo polvo la capa de ozono, desestabilizando al planeta y consiguiendo deshielos inesperados, calentamiento de la tierra, tsunamis, cambios feroces de clima y toda la porquería que sufrimos.

O con el uso de armas nucleares, por ejemplo. La más chica de esas bombas, de 1 megatón, equivale a cincuenta bombas atómicas como la que se lanzó sobre Hiroshima. Hay que tenerle miedo al hombre.

No hay que temer a Dios. A Dios hay que amarlo. Y pedirle que nos dé luz para alumbrar las tinieblas en las que nos metimos solitos.

A tal punto no está en los planes divinos un "fin del mundo", que la Biblia es muy directa cuando menciona esos temas. Tres pruebas. No les doy mi palabra, se las está dando Dios.

• Antiguo Testamento (Isaías, 65, 17), escrito en el año 738 a. de C.: "Yo voy a crear un cielo nuevo y una tierra nueva".

• Nuevo Testamento (Apocalipsis, 21, 1), escrito en el siglo I: "Vi, también, un cielo nuevo y una tierra nueva".

• Nuevo Testamento (2 Pedro 3,13), escrito en el siglo I: "Nuevos cielos y nueva tierra en los que habita la justicia".

¿No creen que es demasiada coincidencia que, con una enorme diferencia de tiempo se hable en las tres ocasiones de "cielos nuevos y tierra nueva"? Eso no es casual. Deja establecido sin ninguna duda que no habrá un "fin del mundo", aunque abre la puerta para que sí exista un mundo renovado, purificado, mejor que éste indudablemente.

Alguno puede decir que en tal o cual profecía se habla de castigos y que, en ese caso, es inevitable que ocurran. No es así. Observen que hay profecías oficialmente aceptadas que anunciaron cosas que finalmente no ocurrieron. Un caso modelo es cuando la Virgen, en Fátima, se refiere a un pontífice, del que ya no hay dudas de que se trata de Juan Pablo II (santo ya), y dice que será asesinado. Ya sabemos que no sucedió, aunque el intento fue más que severo. Pero la profecía no se cumplió. ¿Por qué? Es bastante sencillo y muy alentador, pero dejemos que lo responda el Cardenal Ratzinger, el actual Papa, en un párrafo de su Informe sobre la Fe. Dice textualmente, al referirse a las visiones que la Virgen detalló en Fátima:

> En la visión también el Papa es matado en el camino de los mártires. ¿No podía el Santo Padre, cuando después del atentado del 13 de mayo de 1981 se hizo llevar el texto de la tercera parte del "secreto", reconocer en él su propio destino? Había estado muy cerca de las puertas de la muerte y él mismo explicó el haberse salvado, con las siguientes palabras: "Fue una mano materna a guiar la trayectoria de la bala y el Papa agonizante se paró en el umbral de la muerte" (13 de mayo de 1994). Que una "mano materna" haya desviado la bala mortal muestra sólo una vez más que *no existe un destino inmutable*, que la fe y la oración son poderosas, que pueden influir en la historia y, que al final, la oración es más fuerte que las balas, la fe más potente que las divisiones.

El destino no es inamovible, es casi plastilina en nuestras manos. En el caso que comentamos y que describe Su Santidad Benedicto XVI, es curioso que la que advierte lo que ocurrirá debe amar tanto a Wojtyla que fue ella misma quien "con mano materna guía la bala" para que no se cumpla su propia profecía. Incluso, todo ocurre un 13 de mayo, día de la Virgen de Fátima. Cuando las piezas del rompecabezas encajan, es maravilloso.

No existe un destino inmutable. Ese destino descripto en las profecías puede ser cambiado con la fe y la oración, una vez más el futuro está en las manos del hombre al que Dios dio libertad para que la use.

Y, una vez más, no se abre la puerta del terror sino la de la esperanza. Entremos, por favor. Límpiense los pies antes de cruzar el umbral y entremos.

Recuerden la frase predilecta de los ángeles, esa que usan cada vez que se corporizan ante alguien como ocurrió, en su máximo nivel, con la Virgen y con San José. Decila vos, Mariano.

—*No tengan miedo.*

Así es, no tengan miedo.

—*Gran actuación la mía en este capítulo. Dije tres palabras.*

Bueno, con esa última frase dijiste trece. Espero que no seas supersticioso.

9

Fuerte el aplauso

Empezá este capítulo hablando vos, para no sentirte discriminado.

—*Gracias. Bueno, amigos, los ángeles somos...*

No, no. Sin proselitismo. Acá el tema es el que venimos contando desde el principio.

—*Yo sé que, a veces, te puedo molestar, pero es que me gusta escribir. Quiero llegar a ser profesional.*

¿En molestar?

—*No te hagas el gracioso. ¿De qué querés que hable?*

En el capítulo anterior terminamos hablando del fin de los tiempos. Algo más debés saber.

—*Acordate del Evangelio: "ni los ángeles del cielo"... No sé nada, creo que hasta nosotros nos vamos a enterar por los diarios. Pero te recuerdo que un día, hace diez años, el profesor Walter Gardini, de quien ya hablaste aquí, te dijo algo sobre eso. Adorable, Gardini.*

Tenés razón, pero no sé dónde archivé eso.

—*Entrá a la computadora. Mirá en Mis documentos, luego Textos Útiles, tercer párrafo de la cuarta página...*

Eh, gracias. Sos un ángel.

—*Ya lo sé.*

Allí estaba, nomás. Era 1995. La entrevista giraba, más que nada, sobre el 2000 y sus miedos. Hoy sabemos que infundados. Y ese fragmento de la charla con el gran Walter fue así:

—Específicamente sobre el tema del fin del mundo en estos tiempos que vivimos ¿qué dice la religión católica sobre eso?

—La doctrina no dice nada, por lo que podés encontrar un católico ferviente que te diga "para mí, estamos cerca del fin del mundo" y otro igualmente creyente que te diga que no, que nada de eso. Ni la palabra de Jesús ni el mismo Apocalipsis dan un sólo argumento seguro para afirmar que estamos cerca del fin del mundo. Personalmente soy optimista aun viendo muchos elementos negativos que hay en el mundo actual. Creo, a pesar de todo lo que ocurre, que todavía tenemos mucho camino que hacer. Hay algunos autores que son fervorosos católicos y que piensan que estamos más cerca del fin.

—En ese caso, si así fuera, ¿podemos hacer algo para evitarlo?

—Evidentemente lo que puede detener el fin del mundo es un orden mejor, un mayor equilibrio, hacer que los buenos entren decididamente en la vida para mejorarla... Mirá: si lees bien los llamados de atención de la Virgen, vas a ver que dice permanentemente "si los hombres...", "si cambian...", "si mejoran...". Siempre hay una opción a la libertad.

—¿Y qué dicen las religiones orientales sobre el fin del mundo?

—En Asia existe lo que se llama el "tiempo circular", un eterno retorno. Ahora, según el pensamiento de la India estamos en el *kali yuga*, la parte del círculo que va hacia abajo, estamos descendiendo, en plena decadencia que nos lleva al fin. Al llegar a la parte más baja del círculo algo ocurriría, una catástrofe, después un silencio y luego el mundo retomaría la curva que continúa ese círculo y comenzaría a resurgir otra vez subiendo, mejorando. Esta es la idea del hinduismo que coincide con la que sobre esto tenía Platón: la historia se repite, se repite, se repite. Es un círculo, eterno retorno. Como ocurre con la muerte individual, que se continúa en la eternidad o con el trigo que morirá pero dejará un grano para volver. Es un renacer permanente. Y no se diferencia con el cristianismo que, hasta en el mismo Apocalipsis habla de "cielos nuevos y tierra nueva" después de la gran catástrofe...

138

Evidentemente no hay nada que pueda probar esas cosas ya que se trata de un acto de fe, de un misterio. En última instancia, toda la vida es un misterio.

Qué maravilla Walter, qué maravilla.

—*Observen que señala lo de "nuevos cielos y nueva tierra", y menciona un aspecto fundamental de la Virgen: su manera amorosa de retarnos y recalcar "si cambian", "si mejoran". Siempre abre la puerta de la esperanza.*

Muy bien, Mariano. Yo pensaba lo mismo.

No sé si se dieron cuenta, no sé si alguna vez se pusieron a pensar en eso, pero es tan claro: la Virgen jamás exige, nunca ordena, ni una sola vez nos presiona; la Virgen siempre nos pide, siempre suplica. Nos suplica. ¿Se dan cuenta de lo que esto significa? Ella, la Reina de los Cielos, nos ruega a nosotros, casi pelusas en el bolsillo generoso de Dios, y humildemente obedece cuando le pedimos "ruega por nosotros". ¿Y nosotros? Bien, gracias. A menudo sordos como una piedra y tontos como perros que pretenden atrapar su propia cola y dan vueltas en círculos enojándose cada vez más.

A menudo nos equivocamos. Cristo, María, los ángeles, la Trinidad, la Iglesia no son islas, son un continente. Son el corazón, el hígado, los pulmones, todo lo que hace a un cuerpo cuya función y placer es amar a Dios. Un misterio. Pero, si uno no sabe ni siquiera explicar por qué ama a otro ser humano, ¿cómo explicar esto que no se ve y no se toca en un mundo donde parece importar tanto lo que se ve y se toca? Esto sólo se siente. La fe y el amor a Dios son huracanes que agitan el alma y María es quien los sopla. Una cosquilla que nos hace la Virgen como aquellas que nos hacía nuestra madre cuando éramos chiquitos y nos revolcábamos de felicidad ahogados por la risa. El amor a Dios es ver su creación toda. La gente, la tierra, las flores, el cielo, los mares, los colores y la bosta. Porque hasta esa bosta abonará la tierra dando nuevas vidas. Nada está de más ni nada falta en el plan divino. No hay, tampoco, cosas feas, desagradables, malas. Sólo hay ojos que ven feo, desagradable, mal. Por eso, para amar a Dios, es María quien enciende la luz de nuestros ojos. No se trata del personaje influyente que nos acercará a su Hijo, es nuestra compañera en el camino hacia Él. La que nos levanta cada vez que tropezamos, la que nos consuela y nos arrulla, la que nos cubre de noche y de día, la que nos besa la frente para darnos paz y nos acaricia con un milagro. Es la Mamita.

—*Muy bien, Galle. Fuerte el aplauso.*

¿Quién va a aplaudir, Marianito? Estamos los dos solos y, como si fuera poco, vos no tenés manos.

—*Bueno, fuerte el cariño. Yo a vos te amo fuerte.*

Perdón. Eso es lo que me dice Rosita, mi señora.

—*Es verdad. Bueno, ti amo.*

Vos sabés que eso es lo que nos decimos con Rocío, mi hija.

—*Es cierto, está bien, no me pongas nervioso. Después de todo yo las ayudé un poco a pensar eso, ¿no?*

No.

—*Lástima. Me hubiera gustado. Bueno, por lo que escribiste sobre La Mamita, fuerte el aplauso de los que leen esto.*

Puedo oírlo. Vos sos la imaginación, también, así que no es raro oírlos.

—*Todo lo que sea bueno para la Virgen es bueno para mí.*

No podemos estar más de acuerdo.

—*Si te parece bien, antes de seguir con los Tanoira, que son maravillosos, podríamos decir unas palabras sobre las conversiones, algo tan cercano a ellos por lo visto...*

Muy bien. Vittorio Messori.

—*No. Mariano. Mariano Sueiro.*

No hablo de vos. Vittorio Messori. Es el periodista que tuvo un honor que no tiene comparaciones: escribió junto a Juan Pablo II (santo ya) el libro *Cruzando el umbral de la esperanza* y, junto a Benedicto XVI, cuando era Joseph Cardenal Ratzinger, su famoso *Informe sobre la fe.*

—*Y es un converso, cierto. Yo iba a mencionar a San Pablo, un converso magnífico...*

Cada cual habla de sus contemporáneos.

—*Disculpe, joven.*

Pero voy a descansar un poco. Contalo vos.

—*¿En serio?*

En serio. Adelante. En bastardilla, tu letra, para que sepan que sos vos.

—*Messori había sido bautizado y había tomado su primera comunión. Tal vez esa había sido la única por muchos años. Fue criado en un ambiente donde el ateísmo era común y la burla a la religión era un deporte. Leía mucho y le gustaba la política. Ni hablar de catolicismo. Mejor que hable él. Dice en un texto suyo:*

El Evangelio era para mí un objeto desconocido: nunca lo había abierto pese a tenerlo en mi biblioteca, porque pensaba sin más que formaba parte del folklore oriental, del mito, de la leyenda.

Pero un día lo tomó. Empezó a hojearlo. Y, luego, estuvo leyéndolo durante dos meses. Se detuvo en los párrafos donde se mencionan ángeles.

¿Cómo?

—*Bueno, no se detuvo especialmente, pero los leyó.*

Sin campaña, por favor.

—*Messori cuenta lo que sintió:*

La lectura de aquel texto, hecha probablemente en un momento psicológico particular, fue algo que todavía hoy me tiene aturdido. Cambió mi vida, obligándome a darme cuenta de que allí había un misterio, al que valía la pena dedicar la vida.

Pero nada era tan fácil. Tenía por entonces unos veinticinco años y había militado contra la Iglesia y los curas, más que nada. Era el ritmo que se vivía en su ciudad, Turín, y en su familia. Así lo recuerda:

La situación que se creó fue todo un drama para mí. De inmediato me vino un gran consuelo, una gran alegría, pero a la vez un miedo terrible, por varios motivos. Por una parte, me di cuenta de que mi vida debía cambiar, sobre todo en la orientación intelectual. (...) Me hacía sufrir especialmente el que, si mi familia se enteraba de lo que me sucedía, me echasen de casa.

Y no estaba exagerando. Al menos al juzgar por lo que sigue:

De hecho, cuando mi madre supo que asistía a misa a escondidas, telefoneó al médico y le dijo: "Venga, doctor. Mi hijo padece una fuerte depresión nerviosa". "¿Qué síntomas tiene?", preguntó el médico. Y mi madre le contestó: "Un síntoma gravísimo: he descubierto que va a Misa". Esto da idea del clima que se vivía en mi familia y de lo mucho que podía afectarme.

Y, por supuesto, sintió el choque inevitable entre la razón y la fe:

Inquietante también porque entonces yo me sentí como aquejado por una especie de "esquizofrenia". Se trataba de la disociación entre la intuición que me había hecho entender que allí, en el Evangelio, estaba la verdad, y mi razón, que me decía: No, es imposible, te equivocas.
Desde entonces, todo lo que he hecho y los muchos miles de páginas que he escrito, en el fondo no obedecen más que al intento de vencer esa esquizofrenia, procurando dar respuesta a esta pregunta: ¿Se puede creer, se puede tomar en serio la fe, puede un hombre de hoy apostar por el Evangelio?

Dios mío, qué cerca siento a Messori en su lucha con él mismo y, sobre todo, con los demás. ¿Cuántas veces, en cuántos libritos, me pregunté exactamente eso? Desde hace muchos años, muchas veces.
—*Perdón. ¿Por qué te metés en mi relato?*
No pude evitarlo. Lo siento.
—*Última vez, ¿eh? Vittorio sigue:*

142

¿Cuándo decidí aceptar la Iglesia? Cuando, al reflexionar sobre el Evangelio para intentar conocer mejor el mensaje de Jesús, me di cuenta de que el Dios de Jesús es un Dios que quiso necesitar a los hombres, que no quiso hacerlo todo solo, sino que quiso confiar su mensaje y los signos de su gracia –los sacramentos– a una comunidad humana. Es decir, si uno reflexiona bien, acepta la Iglesia no porque la ame, sino porque forma parte del proyecto de Dios. Me ha costado muchos años, pero ahora estoy convencido de que, sin la mediación de un grupo humano, en el fondo no tomaríamos en serio la mediación de Jesús.

El joven Vittorio Messori entró a la Iglesia cuando había muchos que huían de ella, en los años sesenta y setenta, creyendo encontrar afuera respuestas a sus preguntas. El mismo Messori dice que quería gritarles: "¿Adónde van?, no se equivoquen. La verdadera cultura está allí adentro". Dice que no es un nostálgico ni un reaccionario ya que no sabe cómo era antes el catolicismo. Recuerda que nunca escuchó una misa en latín y que conoció a la Iglesia moderna, no puede ser nostálgico de algo que nunca vivió. Y termina:

Lo que sí he conocido de cerca es la cultura laicista. Y luego, un encuentro misterioso y fulgurante con el Evangelio, con una Persona, con Jesucristo; y, después, con la Iglesia.

Un grande, Messori. Y una gran conversión.
Muy bien, muy bien. Buen relato, buen cierre. ¿Por qué te imagino sonriendo y levantando los brazos para saludar al público?
—*Porque es lo que estoy haciendo.*
Pero si nadie te ve.
—*Vos me imaginás. Y ahora que lo escribiste, los lectores también. Gracias, gracias. Los quiero mucho. Hasta pronto. La próxima semana, a esta misma hora, volvemos a encontrarnos.*
Ustedes, los ángeles, son millones de millones, ¿no?
—*Así es.*

143

¿Y por qué me tocaste justo vos?

—*Era plena Segunda Guerra Mundial. Había mucha deman-da. El repartidor de ángeles miró en una lista en la iba por la letra "S" y me dijo: "Tenés que ir a Europa, hay un ángel que necesita refuerzos, al hombre lo llaman Stalin". Iba a ir, nomás, pero vino una orden de arriba: "Que vaya con el que sigue en la lista, un bebé recién concebido". Y después de Stalin venía Sueiro. Así fue.*

¿En serio?

—*Vos te creés cualquier cosa.*

A vos te creo cualquier cosa, soy un ingenuo. No olvidaré esto.

—*No olvides a los Tanoira, por ahora. Porque si se emocionaron, asombraron y sonrieron con el testimonio que han venido leyendo, sepan que todavía faltaba lo mejor.*

Es cierto. Volvamos al restaurante, donde estaremos solos ya que los ángeles no pueden meterse en las entrevistas. Qué lástima.

10

La Virgen en Salta

Los Tanoira
SEGUNDA PARTE

La noche es cálida y no ocurre otra cosa en el mundo que estar allí, frente a esos dos personajes tan cristalinos. El relato de Gonzalo y Pilar crece en cada párrafo. Y lo seguirá haciendo.

—Otra pregunta difícil por la que me disculpo, pero puede decirse que debo hacerla: ¿por qué creerle a María Livia?

Pilar: En ese momento yo no sé si le creí o no, nunca me planteé eso. Me sorprendió, sí, que me hablara de un Jesús vivo cuando para mí era un personaje histórico, de las cosas que pedía la Virgen puntualmente, y me asusté un poco, porque me hablan de la Parusía y yo cero en eso, enterarte así te golpea bastante... Además, vos la ves tan humilde, tan llena de paz. Y no necesita para nada hacer lo que hace, al contrario.

—Está bien. Fueron luego al cerro con el nene.

Pilar: Al día siguiente fuimos al cerro. Y Santos, con dos años recién cumplidos, que era un chico tranquilo, superbueno, estaba muy movedizo, no paraba. No me dejaba rezar el rosario, todo el tiempo se me escapaba y se iba detrás de la ermita donde está la Virgen, yo iba a buscarlo, volvía y él se escapaba otra vez, estaba muy raro. Nunca se había puesto así, tan inquieto... Acordate que no hablaba nada, se expresaba con gestos. Y de repente empezó a hacer ruidos con la boca y señalar el cielo. Miraba el cielo y señalaba permanentemente...

—Dios mío.

Pilar: Yo no decía nada y trataba de que eso pasara desapercibido porque lo que menos deseaba es que alguien pensara "esta es una madre loca que cree que el chico ve algo"...

No. No era la madre loca que creía ver algo, era el "loco" que veía a la Madre. Por un lado era un niño y, como si fuera poco, un chico especial. De manera definitivamente marcada, los chicos especiales ven cosas de tipo espiritual, y las sienten, muchísimo más que cualquiera de nosotros. Suelen ser una dínamo de energía, un radar de Dios. Son especiales en serio. Cada vez que hablamos de ellos no puedo dejar de recordar a mi amiga Maruca Cabrera, que les enseñaba catequesis a estos chicos y contaba sus historias. No puedo no estar viéndolo con los ojos de mi alma, como si ocurriera ahora, a ese chiquito Down que tomó la comunión por primera vez y, ante el pánico de Maruca y todos los que lo observaban temiendo algo malo en su comportamiento, el chiquito dio dos pasos después de haber recibido la eucaristía, se detuvo, retomó el camino, volvió a encarar al cura y le dijo: "Gracias". Gracias, Santo Cielo, gracias porque le había dado aquello que custodiaría su alma por la vida eterna. Y ahora estaba Santos, de quien la ciencia al máximo nivel había dicho que tenía una cantidad de males que apena repetirlos aquí, incluyendo algún tipo de retraso mental. Santos, que miraba el cielo en el cerro y señalaba.

Pilar: Aunque yo trataba de disimular, se acercó la mamá de la chiquita autista con la que viajamos y me dijo: "Pilar, ese chico ve algo. Preguntale porque está desde hoy señalando y mirando fijo a un lugar en el cielo". Y le digo: "Oíme, ¿qué querés que le pregunte si este chico no habla nada, si no tiene ni idea?". "Preguntale igual", insistió. Entonces yo hago que me mire y le pregunto al nene: "¿Vos viste una mamá?". Y Santos mueve la cabecita diciendo que sí, se pone muy inquieto y hace ruidos, ah, ah, ah, y señala más que nunca. Yo le digo, entonces: "Santos, ¿vos ves un papá?". Y él se mueve mucho y se le ilumina la cara y dice que sí con la cabeza. Y enseguida se hace la señal de la cruz.

—Dios mío, esto es demasiado para mí.

146

Pilar: Las tres madres, sin ponernos de acuerdo, nos arrodillamos.

—Pilar, ¿él sabía qué era la señal de la cruz?

Pilar: No tenía ni idea.

—¿Vos me estás hablando en serio? ¿No tenía ni idea?

Pilar: Nada. Jamás había entrado a una iglesia, nadie le había enseñado.

Después, Paula Lacroze nos contó que María Livia le dijo que era muy posible que Santos tuviera una gracia especial porque ella también había visto a Jesús allí donde señalaba el chiquito.

Luego de esa impresionante experiencia, Pilar vuelve a Buenos Aires. Le cuenta a Gonzalo, su esposo, lo que había vivido en Salta.

Pilar: Talo, sin muchas ganas, dice ajá, ajá, la señora que ve a la Virgen, ajá. Todavía era escéptico. A mí me empieza a pasar algo increíble: yo, que había criticado siempre a los que iban todos los días a misa, siento una gran necesidad de entrar a una iglesia, de confesar, comulgar, compartir la misa. Tenía como un ataque de misticismo que no podía frenar. Ni siquiera sabía rezar el rosario, le pedí a una amiga que me enseñara. Y rezaba a diario. Iba a misa todos los días. No me preguntes qué pasaba, no sé, era increíble para alguien como yo hasta ese momento. Me pasaba toda una mañana en la iglesia, frente al Santísimo, y yo ni sabía qué era el Santísimo. ¿Entendés? No te rías.

—Me río porque tu testimonio me parece lindísimo y muy sincero.

Pilar: Más aún: la Virgen, entre otras cosas pide ayuno. Yo soy de comer muy bien, me encantan los dulces, me encanta todo. Y hacía ayuno tres veces por semana, a pan y agua. Eran cosas rarísimas que, antes, ni hubiera dejado que alguien me lo propusiera. Y nadie me obligaba, al contrario, yo lo sentía como una necesidad, una gracia que recibí ahí en el cerro. Fue una conversión personal muy fuerte. Hice la confirmación, que yo nunca me había confirmado. Y fui al primer retiro espiritual de mi vida, allí me di cuenta de qué era la misa y qué estaba haciendo yo al ir a misa. Ese año fui a Italia a visitar a un hermano y terminé en la canonización del Padre Pío.

—¿Y volviste a Salta?

Pilar: Sí, seguí volviendo a Salta, una y otra vez, siempre tratando de llevar a alguien para compartir eso. María Livia me seguía recibiendo y nos hicimos amigas. En marzo de 2002 terminé haciendo un charter sin saber cuánta gente iba a venir. María Livia me dijo que no me preocupe, que iba a llenar el avión. Y así fue: se llenó, viajaron conmigo ciento veinte personas. Si vos pensás que hacía muy pocos meses yo ni sabía rezar un rosario, te darás una idea...

—Lo que yo veo es que el verdadero milagro es esa conversión, ese cambio drástico de vida.

Pilar: Por supuesto. Recordá que no habíamos ido a Salta por primera vez a pedir nada sino a agradecer. Santos ya estaba en un camino de curación.

—También por intercesión de la Virgen. El milagro es la Virgen, en realidad, por donde lo mires.

Pilar: Sí, sin dudas. Al tiempo de empezar esto, cuando me confirmé, mi hija Abril me escribió una cartita en la que, entre otras cosas, me decía: "Mamá: antes Dios era un adorno en nuestra casa y ahora sos casi una santa...". Empezamos a rezar en familia, a ir juntos a misa...

—Sin fanatizarse...

Pilar: Sin fanatizarnos. Lo hacíamos por gusto, con ganas. Como decías vos hace un rato, la misa es una celebración no una obligación. Es una alegría. Una necesidad.

—Perfecto. Las cosas habían cambiado en serio.

Pilar: El mensaje central de la Virgen en Salta es que la gente vuelva a amar la Eucaristía, a confesarse y poder comulgar, a ver a Jesús presente en la Sagrada Eucaristía, que es un cambio radical.

Talo

—Talo, vos venís de un escepticismo más duro que el de Pilar, ¿no?

Gonzalo: Yo, por educación, siempre tuve metido en la cabeza que soy el sostén de la familia, que sobre mis hombros descansa toda la estructura familiar. Y si yo me caigo, me pongo a llorar y digo "qué horror lo que nos pasó, qué horror lo que nos pasó", se cae toda la familia...

—Es cierto.

Gonzalo: Entonces yo tenía que recurrir al optimismo. Estaba muy preocupado pero me repetía: "Va a estar bien, Santos va a estar bien, no te preocupes, vamos a salir adelante, de alguna forma todo va a mejorar". Por más que tenía unas terribles dudas internas, me di cuenta de todo lo que necesitaba a Dios, que era el único que me podía mantener en pie y con esa cara de "vamos, todavía". Mi milagro personal fue que se me cayeron todos los argumentos que yo esgrimí desde siempre en contra de la Iglesia, porque me di cuenta de que esa relación personal que creía tener con Dios no era suficiente. Tenía que comulgar, por ejemplo, para sentirlo dentro mío. Eso sí era comunicarme con Dios.

—Tu reconversión es de una gran nobleza, Talo.

Gonzalo: Mi acercamiento no fue como el de Pilar, fue más cercana a Jesús que a la Virgen. Le rezaba a Jesús, cuando comulgaba sentía que estaba comulgando con el cuerpo de Jesús. Todo ese año en que Santos empezó a recuperarse yo lo viví como un regalo de Dios. Cuando gateaba, cuando quería caminar, cada adelanto era una gracia. Finalmente, cuando Santos ya empezó a comer, a escuchar, a caminar, Pilar viene con el tema de ir a dar las gracias a Medjugorje, yo dije: Medjugorje, invierno, frío helado, Santos chiquito, un sitio con clima de guerra, además el pasaje carísimo, Salta es más cerca...

Pilar: (ríe) Y más barato...

Gonzalo: Y más barato. Entonces se va a Salta. Pero yo, de acuerdo a mi manera de pensar decía: "¿Cómo se te puede ocurrir ir a un lugar donde hay alguien que dice que ve a la Virgen?".

No cabía ni en mis más remotos sueños creer que eso era verdad. Era lo que vos le preguntaste a Pilar: "¿Y por qué pensaste que María Livia decía la verdad?". Definitivamente, para mí era todo un verso. Pensaba: "En algún lugar del cerro hay algún tipo de beneficio económico; alguien se debe estar llenando de guita con este cuento".

—No. No lo hay. Yo también pensé eso al principio, es natural. Investigué de todas las maneras y no hay ningún tipo de beneficio económico, al contrario. Los Obeid pierden tiempo y también dinero.

Gonzalo: Entonces, Pilar vuelve y me cuenta. "No sabés, Santos lo vio a Jesús". Y yo: "Qué notable", y pensaba ¿Santos lo vio a Jesús? Santos no habló en su vida, me gustaría saber cómo se comunicó para contar que lo vio a Jesús del que no tiene ni idea. Pero bueno, pensé, este es un grupo de gente que tiene una necesidad y esa necesidad quiere solucionarla tan fervientemente que se sugestiona y ve cosas que, en realidad, no pasan, se caen, etcétera... Todo muy, muy en contra. Eso fue en diciembre. Durante el verano, Pilar machacándome: "Tenés que venir a Salta, tenés que venir a Salta". En Semana Santa de ese año, el 2002, me dice: "Tenemos que ir". Yo, ya entregado, dije "bueno". Fuimos a Salta. Llegamos y nos dicen que María Livia no puede subir al cerro. Era Semana Santa y sufría los estigmas de Jesús...

Pilar: Eso no lo pongas, por favor.

—Ya lo sé desde antes de este relato, Pilar.

Pilar: Ah, bueno. Porque ella dice que está engripada...

—De acuerdo, pero creo es algo que debe contarse. Los estigmas son algo muy clave, muy especial...

Los estigmas son las marcas de Cristo recibidas al ser crucificado. Suelen darse en las palmas de las manos, en las muñecas, en los pies, en el costado derecho en que fue lanceado Nuestro Señor e, incluso, en la frente donde llevaba la corona de espinas.

En toda la historia de la Iglesia hubo un número indeterminado de personas que lucieron y sufrieron los estigmas. Son entre trescientos cincuenta y cuatrocientos, es muy difícil saberlo con exactitud. El primero fue, aparentemente, San Francisco de Asís, en 1224. El último caso avalado por la Iglesia y del cual hay mucho material probatorio que incluye fotos, filmaciones, documentos y miles de testigos, fue San Pío de Pietralcina, más conocido como "el padre Pío", quien tuvo los estigmas durante cincuenta años (de 1918 a 1968 en que muere). Los estigmas pueden ser visibles o invisibles, sangrientos o incruentos, pero siempre son dolorosos. Es muy importante que, para ser aceptados, deben ser estudiados por una comisión de médicos que elijan las autoridades eclesiásticas. Es habitual que, en esos casos, la Iglesia designe a varios médicos de gran reputación y, entre ellos, a algunos que no profesan la fe católica o que, sencillamente, son ateos. Esto es para evitar que sentimientos religiosos puedan nublar la opinión de los profesionales. Desde hace tiempo existen trampas casi circenses, trucos, para aparentar los estigmas. Pero estas estafas no duran mucho.

—Así que María Livia no fue al cerro justo cuando fuiste vos, Talo.

Gonzalo: María Livia no subió, nadie lo vio a Jesús, por lo cual yo pensaba: "Bueno, esto…". Bajamos y María Livia se había enterado que estábamos ahí y nos recibió en su casa a pesar de su estado. Y allí recibí el primer golpe, la humildad que tiene. Yo pensaba que me iba a encontrar con alguien profético que me iba a explicar cuál es la verdad del mundo y me encuentro con alguien de carácter muy humilde que no se explicaba por qué la Virgen la había elegido a ella, pero que estaba dispuesta a dar su vida por la Virgen. Me encontré con alguien que no solamente no ganaba plata con esto, sino que tenía muchos sacrificios para hacer eso y ningún beneficio material. Los problemas laborales del marido por el tiempo que él también dedicaba a todo eso, el tiempo físico y el esfuerzo que significaba estar todos los sábados ahí arriba, su fuerza de voluntad por los demás. Y me impactó. Todo eso me impactó de María Livia. Antes de irnos, nos dice que nos va a hacer la oración de intercesión allí, en su casa.

—¿Vos sabías qué era la oración de intercesión?

Gonzalo: Me lo había contado Pilar... Entonces va, la toca a Pilar en la cabeza y Pilar, que estaba en un sillón, se cae recostada para atrás. A mí no me llamó mucho la atención porque ya le había pasado una vez... Y viene a mí, me toca apenas en la cabeza y yo no sentí nada. Ni nada extraño, todo seguía igual. Lo que sentí es que ella me había tocado así y después me estaba presionando un poquito más como para empujarme para que me cayera. Yo, descendiente de gallegos, me resistía, hacía fuerza para adelante, ella hacía un poquito más de fuerza para atrás, yo para adelante, ella para atrás, hasta que al final pensé: "Bueno, me voy a tirar porque si no voy a quedar mal con esta mujer".

—Pero no te tiraste a propósito...

Gonzalo: Sí, me tiré a propósito. Me recosté un poquito para atrás para no hacerla sentir mal. Ese fue todo nuestro contacto en Semana Santa. Yo volví a Buenos Aires y pensaba: "Esta señora es muy humilde, muy buena persona, reconozco que no hay un comercio, una empresa atrás de esto, pero yo no sentí nada. No sentí nada y no tengo por qué creer que esta señora realmente la escuche a la Virgen o la vea a la Virgen. Para mí que es una señora que cree que escucha a la Virgen y se escucha a ella misma", pero cero de creer en algo que viene de Dios.

—Sos un gallego más bruto que yo, pero está bien dudar, es prudente.

Gonzalo: Todo ese año 2002, Pilar siguió embaladísima con Salta, María Livia y la Virgen y yo seguía igual, indiferente. Pero las cosas se ponían algo pesadas porque Pilar iba muy seguido y yo me quedaba en Buenos Aires a cuidar a los tres chicos. Después volvía y me decía: "Ay, no sabés, es fascinante, vuelvo renovada, en paz", y yo con los chicos que me saltaban por arriba de la cabeza, solo todo el fin de semana, te imaginás. Y Pilar que me decía: "Yo me quiero ir a vivir a Salta", y yo que pensaba: "Esta mujer está loca, se ha vuelto loca, ¿cómo puede pensar que me va a llevar a vivir a Salta?". Salta empezó a ser una competencia. Antes, Pilar era lo más importante para mí y para ella estaba yo en primer lugar. Después vinieron nuestros hijos y, bueno, para ella eran los hijos y después yo. Ahora parecía que venía María Livia,

Salta, nuestros hijos y después yo. Había pasado a tercer lugar. Me sentía muy mal, sentía que había sido relegado por Salta y, cuanto más lo sentía, más en contra me ponía. Decía que era un verso, todo eso. Pilar no aflojaba y decía que yo tenía que volver a Salta para recibir la oración de intercesión en el cerro, que era lo que valía. En enero de 2003, vamos otra vez y con los chicos. Era la séptima vez que iba Pilar. Yo iba con ojo muy crítico. "Si no me convencen ahora no me convencen más. Acá voy a probar que esto es todo un verso", pensaba. Iba a que no me pasara nada. Paramos en un hotel. Antes de subir al cerro yo digo que voy a buscar un paraguas. Pilar me dice: "No, no, no hace falta. Cuando aparece la Virgen en el cerro, puede estar lloviendo mucho en Salta, pero arriba no llueve. Es como si hubiera un paraguas celestial que protege a María Livia". Ese día diluviaba. Diluviaba también arriba del cerro, nos empapamos y yo decía: "Dale... ¿y el paraguas celestial?, ¿adónde está el paraguas celestial?". Subimos caminando, embarrados hasta el pelo, un programa pésimo era. Al final estábamos en la cola para recibir la oración. Los cinco juntos. Yo estaba con Abril y Santos a upa. Y pasa Pilar con Jerónimo. Yo no lo sabía, pero a Jerónimo le dolía mucho la panza y, cuando le dijo a Pilar, ella le pidió que no me dijeran nada porque yo iba a querer bajar enseguida, llevarlo a un hospital y rajarme de allí. Pasaron con la tanda de los enfermos, que pasa antes. La toca a Pilar y Pilar cae, lo que yo ya imaginaba. Lo toca a Jerónimo y Jerónimo cae como un piano. Tenía seis años. Yo veo eso y pienso: "Qué bárbaro, ¿cómo un chico de seis años se dio cuenta de que se tenía que tirar? Se sugestionó lo suficiente como para caerse". Se quedan un rato ahí acostados, los levantan y a Jerónimo lo tienen que levantar y ponerlo en una silla porque no podía ni caminar. Y le dice a Pilar: "¿Cómo hizo María Livia?"...

—Cómo hizo ¿qué?

Gonzalo: "¿Cómo hizo María Livia? Me curó la panza. Ya se me pasó". De eso me entero después. Ahí me toca el turno y yo me digo: "¿Qué voy a hacer? Porque yo no me voy a caer. Ya me pasó en la casa y me va a pasar lo mismo acá, me va a empujar, yo voy a hacer fuerza, me va a empujar más, yo no me voy a querer tirar, si me tiro, se van a dar cuenta de que me tiro a propósito...". Estaba debatiéndome pensando qué iba a hacer yo cuando María Livia me tocara. Y llega frente a mí. Me reconoce del día en que estuve en la casa, me da un beso y apenas me toca el hombro. En el momento en que me toca el hombro, o un segundo antes de que me tocara, yo sentí que tenía a mi alrededor una capa de electricidad que hacía ruido, que vibraba...

—No te puedo creer... ¿Cómo una energía eléctrica?

Gonzalo: Algo así. Un zumbido y la sensación de estar envuelto en una energía. En el momento en que me toca sentí como un viento seco, una ráfaga, en cada célula de mi cuerpo, no sólo en el hombro sino desde la punta de los pies. Sentí que me quemaba y me volteó. No sé cómo. No se me aflojaron las piernas. Me caí para atrás rígido como una tabla. María Livia apenas me había rozado, no llegó a tocarme ni con la más mínima presión. Y caí al piso, boca arriba. Con una sensación de tranquilidad, de paz, impresionante. Quedo acostado en el piso y me largo a llorar. Cada vez más fuerte, cada vez más fuerte, cada vez más fuerte y me sacudía, temblaba de tanto que lloraba. Con Santos encima mío...

—Ah, pero ¿caíste con Santos en brazos?

Gonzalo: Lo tenía a upa y caí con él. Nos llegó esa fuerza a los dos, yo no lo solté nunca. Estaba inmóvil arriba mío. Yo recuerdo que quería levantar la mano para tomarle la nuca a Santos, no para calmarlo porque no lloraba, sino para ver cómo estaba, para protegerlo, para acariciarlo. Pero no podía levantar la mano porque se me caía, estaba sin fuerzas. Lloré muchísimo y con ganas y quería saber por qué había llorado tanto. Era porque, en un solo toque con la mano, había sentido la insignificancia del ser humano, había sentido lo chicos que somos nosotros comparados con Dios. No hizo falta un argumento, ni leerme algo de la Biblia, ni un milagro, nada de eso. Solamente me habían tocado apenas y me habían bajado de un hondazo y me habían dicho: "Vos sos nada, pero también vos sos todo, sos tan importante que te doy un abrazo". Me quedé llorando un rato largo y, bueno, ya quedé prendido con María Livia y con la Virgen. No hacía falta que me probaran que había negocio, que no había negocio, que los milagros... Con un toque, es como que yo supe que eso era verdad.

—Tu testimonio es precioso, Talo. Vos sos un alto ejecutivo, un tipo importante en lo tuyo, y has estado contando esto en charlas por todo el país. ¿No dudaste antes de eso, antes de contármelo para que lo publique, incluso?

Gonzalo: Dar testimonio es abrirse un poco.

¿Un poco? Los dos se abrieron un todo con una dulzura enorme. Hasta con cierto humor, con naturalidad, sobre todo con mucho amor. La relación de ellos entre sí creció como una flor soñada y ni hablar de la relación con Dios. Pilar contó todo desde su antigua absoluta ignorancia de la religión y Gonzalo desde su antiguo escepticismo que quedó en el cerro, enredado en un arbusto para ser llevado luego por el viento para siempre. Podrían haber callado. Por pudor, por temor, por no mostrar ese aspecto de su intimidad, por su muy alto puesto de trabajo en una especialidad donde lo espiritual no es lo más común. Pero lo contaron, dieron testimonio y lo hicieron con gran felicidad. ¿Por qué? Muy simple; cuando les pregunté, respondieron lo mismo que el noventa y nueve por ciento de los que dejaron sus historias en estos libritos para ser contadas: "Porque esto le puede servir a alguien, le puede servir a los demás". Eso, exactamente eso, es ser buen cristiano, buena persona.

Algo más de lo que Gonzalo se enterará recién al leer estas líneas. Él dice en un momento de su relato: "Sentí como un viento seco, una ráfaga, en cada célula de mi cuerpo", lo cual grafica cuando me lo cuenta con un "shhhh", un inequívoco sonido de viento. Muy bien. Lo que seguramente él ignora y pocos recuerdan es que, luego de la Ascensión de Jesús a los cielos, María y los apóstoles subieron al lugar más alto de la casa donde estaban para verlo irse en cuerpo y alma. Luego, la Biblia cuenta que los amigos de Jesús permanecieron en la habitación superior hasta "el día de Pentecostés", cuando "se produjo de repente un ruido como el de un viento impetuoso… Aparecieron, como divididas, lenguas de fuego, que se posaron sobre cada uno de ellos, quedando todos llenos del Espíritu Santo" (Hechos 2: 1-4).

Un shhh. Un viento seco, una ráfaga. El Espíritu Santo que se posó sobre cada uno de ellos. Yo no sé qué fue exactamente lo de Talo, no soy tan presuntuoso como para asegurar algo semejante, pero ¿no les suena parecido? Porque el Espíritu Santo no sólo se ha posado sobre los apóstoles, sino que, en la historia del mundo, ha estado y está descendiendo sobre las cabezas de unos cuantos que lo necesitaron.

Gonzalo: Después volvimos a Salta un par de veces más. Y, como la Virgen pide peregrinaciones, decidimos organizar un charter aéreo. Pero eso no es chiste, si no ubicamos los pasajes tenemos que pagar nosotros un Boeing 737 a Salta… En eso estábamos cuando hubo otra decisión que era muy importante: sacarle a Santos la válvula que tenía en el cuerpo para alimentarlo, la "tapita del tanque de nafta", como les decía Pilar a los chicos que venían a casa y preguntaban qué era eso…

—Pero Santos ya hacía tiempo que comía por boca…

Gonzalo: Sí. Un año. Pero no le habíamos sacado la válvula porque si, de repente, se empacaba en no comer más por boca había que alimentarlo de urgencia de otra manera y esa otra manera era la válvula. Quedó allí un año sin ser usada y ahora había que operarlo para sacársela… Estábamos en el hospital, esperando que vinieran a buscarlo para la operación y Pilar jugaba con él sacudiendo las sábanas sobre su cuerpo para distraerlo. Santos estaba desnudo, boca arriba, riéndose y jugando con su mamá que lo tapaba y lo destapaba y, por ahí, Pilar le saca las sábanas del todo y vemos que tiene una medallita en el medio del pecho, una medallita sin cadena, apoyada en el pecho…

—¿Una especie de tatuaje, de dibujo sobre la piel?

Gonzalo: No, una medalla plateada, algo tangible, material.

Pilar: Una medalla plateadita. La tengo acá.

—Pero, ¿cómo estaba apoyada en el pecho si estaban jugando?

Pilar: Es lo que no sabemos. Y el juego no era tranquilo; Santos daba vueltas carnero, se revolcaba en la cama, yo lo tapaba y lo destapaba y en un momento dado le hago "cu-cu" como descubriéndolo y lo destapo de golpe. Y ahí estaba la medallita. Sobre el pecho. Sin cadenita.

—¿Era una medallita del nene?

Pilar: No. Nunca la habíamos visto antes.

—¿Y de dónde salió esa medalla?

Pilar: Ni idea.

Gonzalo: No sabemos. Les preguntamos a las enfermeras y ninguna sabía nada, tampoco...

Pilar me muestra la medallita que ahora tiene prendida a un rosario. En una de las caras aparece la imagen de una Virgen con el Niño y, en la otra, un relieve de una basílica. La imagen de la Madre, por lo que sé y que luego fuera constatado por Pilar que me dice que muchos sacerdotes a los que se la mostró coincidieron, es la de una Virgen típicamente española, una clásica Inmaculada española a juzgar por las ropitas y el estilo. Pero, sin embargo, su origen parece ser otro. Ninguno, incluyéndome, supo qué advocación era. La medallita trae una leyenda: "María Einsiedeln".

Einsiedeln es un pueblo de Suiza en el cual hay una basílica imponente que, sin embargo, no es el centro de atracción de los fieles. Sí lo es una ermita alrededor de la cual se construyó la basílica, cuidando de no rozarla siquiera. Es lo que, desde hace siglos, se llama "la Capilla de las Gracias". En ella, y desde alrededor del año 850 hay una imagen de la Virgen que es muy venerada. Lleva al Niño en brazos y ambos tienen corona. La imagen fue tallada en madera de color claro, pero el paso del tiempo –y sobre todo el humo de las velas con que se la homenajea– la tiznaron por completo. Tanto que desde hace siglos se la conoce como "la Virgen Negra". Es muy conocida en Europa, pero no en Hispanoamérica. Sin embargo, su imagen en una medallita estaba allí, en el pecho de Santos, sin que nadie supiera de dónde había salido. Dispuesta, tal vez, a otorgar otra gracia más.

—Perdón... ¿la medalla la tiene en el medio del pecho?

Gonzalo: En el medio del pecho.

Pilar: Apoyada acá (se señala el pecho).

—Después de todas las vueltas que había dado en la cama.

Gonzalo: Sin cadenita.

—Y nadie había entrado.

Pilar: No. Estábamos Talo y yo.

—Eso es muy fuerte.

Pilar: Para cualquiera. Yo me levanto despacito mirando la medalla y Talo me dice: "Si yo no estuviera al lado tuyo, no te lo creo".

—Y estaban los dos solos, y nadie había por ahí dando vueltas, y ninguno de ustedes le puso la medalla en el pecho...

Gonzalo: Es así. Le ponemos a Santos la medalla en la mano y él la aprieta. La operación es un éxito, lo sacan rapidísimo del quirófano y sale fantástico de la anestesia general sin ningún problema... Después, ya en casa, nos ponemos a buscar en todos lados y averiguamos que Einsiedeln es un lugar en Suiza que era uno de los sitios donde se detenían los peregrinos desde el siglo XI cuando hacían "el camino de Santiago".

Poco después de la muerte de Jesús, los discípulos se separan con la consigna de llevar el cristianismo a diferentes lugares del mundo de aquella época. Santiago el Mayor, uno de los preferidos por el Salvador, inicia su misión en Hispania y allí recorre tramo tras tramo sembrando y cosechando amor y fe. Pero, al regresar a Jerusalén, enteradas las autoridades romanas de su viaje, le aplican la ley que prohibía predicar el cristianismo en esos tiempos del emperador Herodes Agripa y lo decapitan. Eso costaba ser cristiano por entonces. El cadáver de Santiago fue robado por los discípulos Atanasio y Teodoro y trasladado nuevamente a suelo español, ya que se había pactado antes de la partida que, al morir, todos serían sepultados en las tierras donde habían predicado. Atanasio y Teodoro, verdaderos héroes de fe, condujeron una carreta en la que llevaban el cadáver de Santiago hasta un punto en el cual los bueyes se empecinaron en no seguir. Allí se plantaron y no había quien los hiciera mover. Esto fue considerado una señal divina y, en ese sitio, fue enterrado el apóstol Santiago.

Durante siglos no se supo dónde estaba. Recién en el IX, un ermitaño del bosque de Libredón observó, durante varias noches, que había ciertas luces misteriosas en un lugar cercano, pero ninguna persona por allí. El hombre denuncia el hecho al obispo, el prelado va al lugar con una escolta y todos descubren que en el lugar del resplandor había una tumba y, en ella, estaba el cuerpo que –de acuerdo con los datos con los que contaban– era el de Santiago apóstol. El obispo Teodomiro lleva la noticia al rey Alfonso II, un monarca muy piadoso que, de inmediato, manda construir allí una pequeña iglesia. Un siglo más tarde, siendo oficialmente esa la tumba del apóstol, se construye un templo aún mayor y, pasado otro siglo, otro todavía más importante, hasta llegar a la imponente catedral de hoy. Incluso pasa por una prueba de fuego imposible de imaginar: en el 977, las fuerzas musulmanas arrasan la ciudad. Almanzor, su jefe máximo –famoso por sus ataques devastadores–, no deja piedra sobre piedra, pero ordena a sus huestes que no rocen siquiera la iglesia donde reposan los restos de Santiago, tal era el respeto que el apóstol generaba aun en los no cristianos e, incluso, como en este caso, en los enemigos de los cristianos.

Todo esto ocurrió en la región de Finisterre (Fin de la Tierra) porque, por entonces, creían que allí terminaba el mundo. Ese lugar se llamaría luego Galicia. La ciudad donde aún está la tumba y la majestuosa basílica se llamaba Campo de Estrellas (Compostela), desde hace siglos conocida como Santiago de Compostela, un orgullo para todos los hijos de gallegos como yo, feliz de que allí haya nacido mi padre, Manolo.

En el siglo XI, tal como contaron Pilar y Gonzalo, las peregrinaciones al lugar se inician con mucho fervor. Cien años después, el Papa Calixto II determina que el día de Santiago (25 de julio) que caiga en domingo, será un Año Santo. ¿Y esto qué significa? Que todo aquel que peregrine a Compostela en cualquier momento de ese Año Santo, recibirá indulgencias plenarias. ¿Y eso qué es? Nada menos que el perdón de todas las culpas, todos los pe-

159

sares, todas las penas. ¿Y cada cuánto es un Año Santo? Cada seis años. Ya está, doy por terminado el sistema pregunta-respuesta porque me siento como el viejo *Libro Gordo de Petete*. Digamos que es el Libro Gordo del Gallego. "El libro gordo te enseña, el libro gordo entretiene, y yo te digo contento: hasta el párrafo que viene". (Los jóvenes van a creer que fumé alfalfa y deliro, pero los más grandecitos sonreirán.)

Esta es la historia del famoso Camino de Santiago. Santiago, en hebreo, es Jacobo. Por eso a este camino largo y lleno de fe se lo llama, también, "la ruta jacobea". Es curioso e impresionante cómo, desde circa 1975 hasta hoy, creció el flujo de personas que peregrinó al lugar. Desde hace unos quinientos años hay puestos en diferentes lugares de Europa para atender a los viajeros de la fe. Hospitales, hosterías, casas de comida, lugares de reposo, ermitas e iglesias son habituales en esos puntos. Einsiedeln es una de esas ciudades. Einsiedeln y su Virgen Negra. Cuya medallita apareció de la nada –o del Todo– para reposar en el pecho de Santos. Un pecho galleguito, al fin de cuentas, porque el apellido Tanoira no es precisamente búlgaro. Un pecho galleguito que, tal vez, llegaba ese día a una jornada más en su propio largo camino a Santiago en su viaje de peregrinación espiritual a Compostela, adonde va a dar y recibir Gracias.

Gonzalo: Para nosotros fue una señal muy significativa esa medallita...

—Pero, ¿nunca la habían visto?

Gonzalo: Jamás.

Pilar: Ni siquiera sabíamos que era esa ciudad en Suiza, no habíamos oído ese nombre nunca en la vida.

Gonzalo: El asunto es que eso nos decidió a alquilar el avión para llevar a Salta a los que se prendieran. Corríamos el riesgo de tener que pagar por el charter completo, pero lo de la medallita nos convenció del todo.

Pilar: Cuando le habíamos contado a María Livia, le dijimos que tal vez sería mejor sacar veinte o treinta pasajes y ella sonrió y dijo: "No tengan miedo, es para la Virgen, la Virgen va a llenar el avión".

160

Gonzalo: Yo no sé qué pasó. De repente, apenas alquilamos el Boeing 737, empezaron a llegar e-mails y gente que llamaba. Se habían enterado en el "boca a boca", no hubo publicidad ni nada. El avión entero se llenó. Y quedó gente afuera porque ya no había más lugar.

Pilar: Al mismo tiempo, Florencia Lacroze organizaba un viaje en bondi, para que pudieran ir todos sin barreras económicas. También se llenó.

Gonzalo: Para esa época, Santos tenía ya cuatro años. Pili y yo buscábamos otro hijo que no llegaba, no quedaba embarazada. Deseábamos otro hijo y, además, los médicos nos habían dicho que eso sería muy bueno también para Santos porque lo iba a estimular mucho tener un hermanito menor. En esa peregrinación, estábamos en el cerro y yo veía a todos los que pasaban a recibir la oración de intercesión de la Virgen y había gente en silla de ruedas, con enfermedades graves, con problemas serios. Me daba no sé qué pedir algo. Pero sabía que para Pili era un peso grande no quedar embarazada y pedí eso, que nos diera otro hijo… Cuando Pilar cae, al recibir la oración de intercesión, está en el suelo, boca arriba, y siente como si en ese momento le destaparan algo en la panza. Como dijo ella, "como si hubieran sacado un corcho de una botella". Y se pone a llorar.

Pilar: Apenas caí sentí una paz celestial y, de pronto, ¿viste cuando sacás el tapón de una bañadera?, algo así sentí dentro mío. Y empecé a llorar, a llorar, a llorar. Yo no sabía qué había pedido Talo pero sentía que tenía que ver con eso y que algo había ocurrido.

Gonzalo: Al mes estaba embarazada. Ahora tiene un año y medio. Se llama Salvador. Este fue el último regalo de la Virgen.

No fue el último regalo de la Virgen, en realidad.

Pilar y Gonzalo no sólo se convirtieron de manera espectacular, como han leído, sino que llevaron y llevan a mucha gente a la conversión. Quedaron pegados a la magia celestial de la Mamita, que siempre fascina, y entraron a formar parte de la banda. Porque, como alguna vez les conté desde este coloquio de papel, los marianos somos una banda. Que le pelea mano a mano a la desesperanza y lleva el escudo del amor para parar lo que venga. Gonzalo es de muy bajo perfil, no le gusta ni necesita aparecer en público, pero desde hace tiempo que, con Pilar, sube a escenarios o estrados de todo el país para contarle a quienes quieran escuchar –y son muchos– lo que ustedes acaban de leer aquí. Dice que está feliz de eso aunque le da cierto pudor por la falta de costumbre, especialmente con amigos de hace años que aún son escépticos como era él y se dicen: "Pero mirá a Talo dando charlas de la Virgen". Ya van a acercarse ellos también. Pilar, para quien Jesús era "como Cristóbal Colón", hoy no solamente ama a la Virgen, sino que Ella la llevó a un amor profundísimo por Cristo. Siempre pasa, es una constante. La Mamita es un camino extraordinario hacia Jesús, infalible.

No fue el último regalo de la Virgen a los Tanoira, les decía.
Tres meses después de esta charla, Pilar me contó que estaba nuevamente embarazada. Mellizos. Más aún: gemelos.

11

La Vírgen

10 preguntas y respuestas

1– ¿A la Virgen se la adora?

No, el único que es objeto de adoración es Dios. Se puede sentir devoción por los santos, por ejemplo. Y lo que se tributa a la Virgen se denomina con una palabra que sólo se aplica para Ella: hiperdulia. Algo así como la más grande de las devociones.

2– ¿Por qué hay tantas Vírgenes?

No hay "tantas Vírgenes", hay una sola, María. El hecho de que se la pueda ver con diferentes rostros, ropas, gestos o actitudes es debido al lugar o el motivo que ocasionaron esos cambios. Como dice mi amigo monseñor Roque Puyelli: "Cambia los vestiditos, pero es siempre la misma". A cada "Virgen diferente", por decirlo de alguna manera, se la llama advocación. La de Luján, por ejemplo, era originalmente Nuestra Señora de la Pura y Limpia Concepción. Llegaba de España y su destino final era el norte de la Argentina. Pero, al llegar a la zona del Luján –a setenta kilómetros de la capital– el buey que arrastraba el carro donde viajaba la imagen se empacó. No hubo forma de hacerlo seguir. Hubo una, en realidad: bajar la pequeña imagen de la Virgen. Con todo el cargamento en tierra pero la imagen en el carro, el buey no avanzaba aunque lo picanearan. Pero con todo a bordo y la imagen afuera, no había problema. Allí quedó, entonces, por lo que se consideró una decisión de Ella misma. Hoy es la Patrona de la Argentina.

3– ¿Hay muchas advocaciones?

Más de mil. Algunas fueron cambiando su nombre, como la que recién conté de Luján. Entre las más conocidas mundialmente están las de Fátima, así llamada por el lugar de Portugal donde apareció en 1917; la de Lourdes, en Francia; la de Medjugorje, en la ex Yugoslavia, también conocida como Reina de la Paz, ya que apareció en medio de un terrible conflicto interno en esa zona del mundo y aparecía la palabra MIR (Paz, en croata) dibujada en el cielo para que todos pudieran verla; la Rosa Mística, porque luce tres rosas en el pecho, de origen italiano, o tantas otras. La Desatadora de Nudos, que suena como más nuevita, tiene, en realidad, unos trescientos años y está originada en Alemania. Él no sabe que yo sé, pero esa advocación fue oportunamente traída a la Argentina en 1996 por un cura que no desea ser mencionado aquí, pero que merece una oración ya que pensó que todos estábamos necesitando una advocación como esa, que desata los nudos que nos aprietan el alma. Sólo daré las iniciales de ese curita humilde: Jorge Mario Bergoglio, actual Arzobispo de Buenos Aires y Cardenal Primado de la Argentina. A ver si lo adivinan. Recen por él.

4– ¿Es cierto que Buenos Aires se llama así por una advocación de la Virgen?

Absolutamente cierto. La historia es muy bonita. Más aún: descubre algo que será una sorpresa para muchos. Buenos Aires no se llama Buenos Aires, para empezar. Y, para seguir, hay que hacerlo contando una muy vieja historia.

La Virgen de la Candelaria, que es hoy honrada de manera muy especial en Catamarca y en Jujuy, tiene un antiguo origen. Es así llamada porque lleva al Niño en uno de sus brazos y, con la mano restante, sostiene un candil, una vela. En Europa y muy especialmente en España cuenta con una gran cantidad de devotos desde hace ya más de seis siglos. Aquellos que más la honraron han sido los navegantes, quienes no sólo confiaban en que aquel candil fuera para ellos como un faro en medio de las tormentas, sino que colgaban miniaturas de barcos en el brazo de la imagen y las observaban cuidadosamente: si se movían mucho habría temporal y era mejor no salir a la mar; si se movían un po- quito la cosa podía soportarse; y si no se movía, todo sería pura calma. Como este extraño y casi pagano ritual coincidía luego en la realidad con una exactitud tan asombrosa como inexplica- ble, la Candelaria se transformó en la amiga de los marinos, quie- nes a Ella se encomendaban antes de un viaje. Se cuenta que to- do comenzó en el año 1370, cuando un buque de carga español navegaba, a bodega llena, por el Mediterráneo. De pronto estalló una tormenta de aquellas y la nave corría serios riesgos de nau- fragar. Sus tripulantes, aterrorizados, comenzaron a aligerar la embarcación lanzando a las aguas embravecidas la mayor parte de la carga. Pero la ferocidad del viento que levantaba enormes olas seguía zarandeando al buque de manera impiadosa. Hasta que arrojaron al mar una caja de mediano tamaño que ni siquie- ra sabían qué contenía. En el acto las aguas se calmaron hasta pa- recer casi un lago y los vientos fueron apenas brisas. Los tripu- lantes ven que la caja en cuestión queda flotando cerca y el capitán decide que sea ella quien les marque el rumbo. La siguen. Aquel receptáculo se balancea levemente y es llevado por las aguas hasta la costa de Cerdeña, con el barco detrás como un gi- gantesco pero obediente perrito. Desembarcan y rescatan de la orilla la caja misteriosa. Al abrirla, descubren en su interior una bella imagen de la Virgen de la Candelaria, en perfecto estado. Azorados y agradecidos, los hombres llevan su preciosa carga a pulso hasta un monasterio sobre la falda de un monte cercano. Ese monte se llamaba Bonaria, que en italiano significa "buen ai- re". En homenaje, los rudos hombres de mar colocan a la imagen en un lugar de privilegio en el templo y la llaman Nuestra Seño- ra del Buen Ayre, con la "y" griega del español antiguo. Desde entonces –y sabiendo que la Virgen de la Candelaria y la del Buen Ayre eran la misma imagen– los marinos de la Madre Patria co- mienzan a honrarla con devoción.

En el 1536 Don Pedro de Mendoza llega a estas tierras y, en homenaje a la Virgen, llama al asentamiento Nuestra Señora del Buen Ayre, sin que esto llegara a ser una ciudad ni mucho menos. En 1580 arriba a estas costas Don Juan de Garay y funda oficialmente el "Puerto de Santa María de los Buenos Aires" (ya en plural pero siempre refiriéndose a lo mismo) y la ciudad de la Santísima Trinidad, a quien pedía su protección para lo que acababa de fundar. La ciudad –la actual capital– era, entonces "la Santísima Trinidad" o "la Trinidad". Luego, vaya a saber uno por qué, empezó a aparecer en los documentos como Santa María de los Buenos Aires hasta que pasó a ser, por influjo de las abreviaturas, tan sólo Buenos Aires. Lo curioso es que, según se entiende, no hubo jamás un cambio oficial de nombre sino uno producido por el uso y la costumbre, lo que significa que –en rigor– esto sigue siendo la Ciudad de la Santísima Trinidad. De cualquier manera, la Virgen, por un lado, y nada menos que el Padre, el Hijo y el Espíritu Santo, por el otro, son los que designan a este sitio teniéndolo bajo su amparo. No está nada mal para empezar.

5– ¿La Virgen "compite" con Jesús?

Absurdo total. Ni siquiera merece explicación. Sólo tengamos en cuenta que la Virgen no sería lo que es para sus devotos si no fuera la Madre de Jesús.

6– María se apareció en varias épocas en muchos lugares del mundo, ¿en qué idioma se dirigía a los videntes de cada lugar?

En el idioma del vidente, por supuesto. Es posible que aceptemos que, si los extraterrestres existen, se comunicarían con nosotros mediante ondas de tipo telepático pero, sin embargo, hay quienes preguntan eso del idioma que usa la Virgen en cada aparición. ¿No es de locos?

7– ¿Por qué en cada aparición tiene un aspecto tan distinto?

Porque adquiere el aspecto que es más familiar para el o la vidente. En Akita, por ejemplo, tiene rasgos orientales típicos. En algunas imágenes que se ven en África es una virgen negra. Hay advocaciones en las que la Madre aparece con el Niño y otras en las que no es así. También hay algunas en las que es muy humilde, apenas con una túnica, como es el caso de Schoenstatt u otras muy llenas de joyas, cetros, coronas, collares. Hay que tener en cuenta que los que han plasmado esas imágenes fueron artistas humanos. Ellos la vieron de esa manera, la sintieron así. O recibieron datos aportados por alguien que dijo haber visto a la Virgen, como es el caso de la Rosa Mística. Allí ocurrió que, en 1947, la enfermera italiana Pierina Gilli contó que se le apareció Nuestra Señora con tres espadas clavadas en su pecho y que, en una segunda ocasión, en lugar de las espadas había tres rosas, una roja, otra amarilla y otra blanca. La aparición pedía a los hombres "oración, sacrificio y penitencia". La vidente Pierina fue contándole a un escultor llamado Caio Peralthoner lo que había visto y el artista reprodujo lo que oía. Fue tan grande la devoción de este hombre que fue cincelando cada detalle de la escultura trabajando todo el tiempo de rodillas.

8– ¿Qué edad tenía María al nacer Jesús?

María y José llevan a cabo el llamado desposorio. Se trata de algo así como un compromiso, pero sumamente severo. No se podía romper, a menos que el varón de la pareja así lo deseara, sin necesitar otra excusa que decir que había algo feo en su mujer que antes no había visto. Listo. Divorcio en el acto. En Babilonia era peor: el hombre simplemente tenía que pronunciar la frase "te repudio" y agregar "vete de esta casa" para terminar con un matrimonio, sin tener que explicar nada. Las chicas de entonces la pasaban bomba, como ven. Aquella costumbre de Babilonia, por ejemplo, dejaba en claro que, al escuchar el repudio del marido, la mujer debía abandonar la casa de inmediato sin tener siquiera la posibilidad de llevarse una vianda o un cofre lleno de monedas de oro. Esto significa que se iba con lo que tenían puesto en ese momento ya que ni ropa podían juntar. De allí que las mujeres de Babilonia andaban todo el día con muchos collares, pulseras, anillos y tiaras de metales preciosos y piedras valiosas. Hasta para ir al mercado llevaban todo eso encima porque una nunca sabía cuando puede caerle un repudio, ¿vio? Si les daban el despido, podían llevarse todo lo que tenían puesto y se colgaban tanta cosa para tirar un tiempo al quedar sin marido. Esa costumbre fue heredada luego por la mayoría de los pueblos semitas, judíos y árabes, que –en casos– aún hoy la mantienen. Lo de las joyas, digo, no lo del repudio.

Bueno, hasta en las preguntas y respuestas me voy por las ramas. Disculpen. Lo cierto es que desde el desposorio hasta la boda formal hecha y derecha debía pasar un año en el cual no había ninguna posibilidad de que los contrayentes consumaran el matrimonio. Al ser desposada, María tenía, parece ser, quince años. Al nacer Jesús, la Virgen tenía dieciséis años.

9– ¿Qué significa Inmaculada Concepción?

Hay quienes se confunden e imaginan que esas dos palabras se refieren a la concepción de Cristo, pero no es así. Obviamente Jesús fue concebido y nació inmaculadamente, pero se trata del Hijo de Dios. Inmaculada Concepción de María se refiere a que la Virgen ha estado libre de pecado original y de cualquier otro tipo de mancha humana desde su concepción misma. Esto no sólo la ubica en un lugar único –una vez más– entre todos los mortales de toda la historia de la humanidad, ya que no hay nadie más que haya gozado de semejante bendición, sino que también pone en claro, sin decirlo explícitamente, que para el catolicismo la vida empieza no en el nacimiento sino en la concepción. La vida comienza a ser tal cuando somos concebidos, en el instante ese en que Dios nos infunde el alma. Por eso es que el aborto está considerado un homicidio, un asesinato.

Alguien puede decir que los Evangelios no hablan en ningún pasaje de la Inmaculada Concepción. Y es cierto. Pero hay muchas cosas de las que no habla y que, sin embargo, forman parte de manera definitiva de la religión católica. El ejemplo más gigantesco es que en los Evangelios no se menciona jamás a la Trinidad y, sin embargo, es un dogma clave en el catolicismo. Lo ocurre es que hay muchos puntos fundamentales de la creencia que llegan a través de las enseñanzas de los apóstoles, de la Tradición o del Magisterio de la Iglesia. Este es uno de ellos. Entre los usos y costumbres de las pampas argentinas durante mucho tiempo –y tal vez hoy se mantenga en algunos sitios– el saludo entre dos gauchos era una típica reafirmación de este dogma mariano. El gaucho que llegaba se dirigía a todos los presentes con el saludo "Ave María Purísima" y alguno de los que estaban allí le respondía "Sin pecado concebida". Las mismas frases utilizadas como saludo entre el confesor y el fiel.

10– Por allí se dice que María tuvo otros hijos. Se basan en que, en los Evangelios, en algún momento se menciona a los "hermanos" de Jesús. ¿Qué pasa con eso?

Es cierto que en la Biblia leemos que los habitantes de Nazaret, hablando de Jesús, decían: "Este es el Hijo del Carpintero y su Madre es María, es hermano de Santiago, José, Simón y Judas, y sus hermanas también viven aquí entre nosotros" (Mt. 13, 55-56). Y no sólo es Mateo el que menciona el hecho. También lo hace Marcos cuando escribe: "Un día Jesús estaba predicando y los que estaban sentados alrededor de él le dijeron: 'Tu madre y tus hermanos están afuera y te buscan'" (Mc. 3, 32). Hay dos explicaciones decididamente claras.

Una es recordar que en esos tiempos, y aún hoy en casos, era por completo natural y lógico llamar "hermano" a alguien con quien se compartían cosas importantes. La fe, por ejemplo. Jesús ha llamado "hermanos" a sus discípulos. En la Biblia dice en una reunión con ellos: "¿Quién es mi madre y quiénes son mis hermanos? Y mirando a los que estaban en torno a él añadió: aquí están mi madre y mis hermanos. Porque todo el que hace la voluntad de Dios es mi hermano, mi hermana y mi madre" (Mt. 12, 49-50).

No puede ser más claro. De todas formas hoy mismo se llama hermano a alguien cercano afectivamente. Y, cuando yo iba al Colegio Marianista, les decía hermanos a mis profesores simplemente porque eso eran, hermanos marianistas. Y, ya ven, no eran hermanos míos de manera carnal, lo cual fue una lástima, especialmente por el de matemática, física y química que hubiera sido más piadoso con mi absoluta ignorancia en esos temas, ignorancia que aún conservo con mucho cariño.

La otra explicación es aún más directa. Jesús y los discípulos hablaban arameo, una suerte de dialecto hebreo. En ese lenguaje, la palabra "hermano" era aplicada no sólo a los carnales sino, también, a los primos, tíos, sobrinos y en general familiares de línea directa.

Los que se mencionan en los Evangelios (Santiago, José, Simón y Judas) son hijos de María, sí, pero de María de Cleofás, la hermana de la Virgen, es decir la tía de Jesús. Por consiguiente, esos cuatro hijos de María de Cleofás son primos hermanos de Cristo. Y en arameo se usaba el mismo vocablo para decir qué eran entre ellos (hermanos) y qué era Jesús para ellos (hermano). ¿Entendiste, hermano? ¿Vos también, hermana? No se acepta discusión alguna sobre este punto. Jesús era hijo único. Otra prueba de tipo histórico es inapelable: cuando la Sagrada Familia va a Jerusalén, Jesús ya tiene doce años y se menciona ese hecho en los Evangelios pero de ninguna manera se habla de alguien más que ellos tres. Si tiene alguna duda consulte a su párroco.

12

El amor después del temor

—Vivís en Suipacha, una ciudad de la provincia de Buenos Aires que tiene unos siete mil habitantes, nomás.

—En la entrada de mi pueblo hay un cartelito que dice "Suipacha, ciudad sensible". Todavía nadie sabe por qué.

—Ya me encantó Suipacha. Con ese cartel ya me encantó.

Jorge Alfredo Parini, 40 años, casado con Alejandra, seis hijos. Es el encargado de una estación de servicio y dueño de un maxiquiosco en Suipacha, la ciudad sensible que queda a 127 kilómetros de la Capital. Jorge lleva un pulóver de marca, tiene el cabello oscuro, su aspecto es robusto y su acento y dichos lo delatan como lo que es con orgullo: alguien del interior. Sobre él revolotea un aire bonachón y noble, pero también se le nota, escondido pero alerta, un tipo de esos con los que no se juega a menos que se quiera perder. Parece un Luis Landriscina de cuarenta años. Buen tipo, Jorge. Y lleno de fe. Más parecidos con Landriscina, entonces.

—En el 2002 mi hijo Gonzalo, que por entonces tenía once años, empezó con algunos episodios no muy definidos. Mucho dolor de cabeza, desmayos... Lo llevamos a La Plata, que ahí tienen más elementos, y después de muchos estudios, nos dijeron que Gonzalo tenía un quiste en el aracnoide. Según nos explicaron los neurocirujanos, es una capa tan finita como la piel de una cebolla...

—En el cerebro...

—En el cerebro. El aracnoide es la última capa y el quiste hacía presión entre el cráneo y el cerebro y provocaba como si fueran pequeños cortes de corriente... Queda ese breve tiempo como desconectado. Un día, en el colegio, jugando, le ocurre uno de esos episodios, se cae y se fractura la pierna. Esto fue el inicio. Otra vez iba en bicicleta y, de repente, se cae y se rompió toda la boca, se lastimó mal.

—Claro, porque le daba en un momento inesperado, sin aviso.

—Sí, en el momento menos pensado, sin ningún aviso. Era como si lo desconectaran. Se desplomaba y no pasaba mucho tiempo, de hecho eran segundos y volvía a la normalidad, pero ya se había hecho un daño. Uno de los problemas era para el futuro. Por ejemplo: ¿cómo iba a hacer Gonzalo para manejar?, ¿cómo iba a hacer para subirse a una escalera a cortar una rama?, ¿cómo iba a hacer para trabajar de cualquier cosa?

—¿Cómo iba a hacer Gonzalo para vivir?

—Exacto. Desde lo más básico, desde lo más pequeño a lo más grande, todo iba a ser un problema... Bueno, por esas cosas de... no digo de la vida porque no son de la vida, son cosas de Dios, unos familiares míos de Navarro me dicen que frente a donde están ellos vive el doctor Monges y me cuentan que es el jefe de neurocirugía del Hospital Garrahan... Con una bolsa con todos los estudios de Gonzalo, un sábado a la tarde nos presentamos en la casa de él. Un tipo extraordinario, maravilloso. Apenas vio lo que le llevamos dijo: "Mirá, la única solución es una cirugía".

Más allá de lo que luego ocurriría, habían dado con la persona indicada desde el punto de vista médico. Por lo que pude averiguar, el doctor Jorge Monges es un excelente neurocirujano especializado en pediatría y profesor en la Facultad de Medicina de Buenos Aires.

A partir de este punto, el relato de Parini se va metiendo en el recuerdo pero no prepotentemente. Lo hace despacito, como pidiéndole permiso a su memoria. Y, aunque no afloja ni esto, se lo nota diferente, contando las cosas con varias pausas, posiblemente volviendo a ver en imágenes esos días crueles, recordando con pena.

—Cuando nos dijo que lo único posible era una cirugía, fue como si se desmoronara toda la estantería, ¿no? Yo ni había pensado en algo así, creo que no medía bien lo que pasaba con Gonzalo. Para peor, otra cosa que nos dijo fue que, aun con la cirugía, no se podía asegurar que eso no se volviera a repetir... Después de muchos estudios en el Garrahan, nos dan una fecha para la operación, el 14 de julio. Lo internaron veinticuatro horas antes. Ver lo que pasa ahí adentro, en el Garrahan, tantos chicos enfermos, con uno tuyo internado esperando a que lo operen, para un padre es muy difícil, muy duro. Pero más duro era para Gonzalo, que era el que estaba pasando por esa película, ¿no? Para mí, en esos momentos, mi problema más grande era mi hijo, y yo sentía que estaba llevando la cruz más pesada del mundo. En el hospital aprendí que... comparar es malo, pero a veces es necesario. Porque yo levantaba la cabeza un cachito, así, y miraba el lugar, la habitación que era compartida por seis pacientes. Y la sintomatología de los cinco restantes era muchísimo más jodida que la de Gonzalo... Bueno, nos instalamos el día anterior a la operación. Todo preparado para eso: noche en ayuno, tres baños de pervinox durante la noche (nota: pervinox es un antiséptico potente muy usado en intervenciones quirúrgicas). Teníamos horario de cirugía a las nueve de la mañana. A las ocho vinieron, le pusieron el batón de cirugía y una pulsera que le colocan en la muñeca. Faltaba solamente rasurarle la cabeza. Pasaron las nueve, nueve y veinte, nueve y media. Y, en un momento determinado, viene una enfermera y me dice: "La cirugía no se hace". "¿Cómo?" "No, la cirugía no se hace porque no hay lugar en terapia intensiva para el postoperatorio." Normalmente yo hubiera reaccionado mal, porque soy un calentón, pero en ese momento, no sé por qué, pensé: "Debe haber alguien que la necesita más que mi hijo esa cama en terapia intensiva". Bueno, fue agarrar y levantar todo el circo, de vuelta para Suipacha...

—¿Ni siquiera les dieron fecha para el otro día o el siguiente?

—No, ahí las cosas no son así. Hay que empezar todo desde el principio. Nos dieron fecha para el 8 de septiembre, unos dos meses después... Y allá fuimos, volvimos a Suipacha. Al tiempo nos enteramos de que hay una Virgen en Salta que se estaba manifestando y que había una peregrinación desde Buenos Aires...

—¿Cuánto tiempo después de la operación frustrada ocurrió eso?

—Y... un mes y medio, dos meses...

—¿En ese tiempo Gonzalo seguía con su problema?

—Sí, sí, sí, absolutamente. Seguía con toda la sintomatología. Le habían dado una medicación que era, según los médicos, para mejorar su nivel de vida...

—Pero mantenía los síntomas. Esos "cortes de energía"...

—Sí, sí. Mucha jaqueca, mucho dolor punzante en la cabeza, malestar, estaba muy susceptible, cualquier cosa lo afectaba. Lo que pasa es que estaba cansado de pinchaduras, estudios, de cablecitos que le ponían, de tubitos que le conectaban...

—Lo sé. Llega un momento en que no querés saber más nada.

—Vos lo sabés, claro. Es muy duro. Yo le pedí a Dios que me cambiara, que el que tenía que estar en la camilla era yo. ¿Sabés las veces que le pedí eso? Le decía: "Poneme a mí, no me lo pongás a él". Bien, ¿eh?, nunca renegado, jamás me renegué de Cristo, porque yo sé que está conmigo. Yo sé que Cristo y yo, mayoría absoluta. De eso no tengo la menor duda.

—Qué lindo es eso. "Cristo y yo, mayoría absoluta."

—Mayoría aplastante. Cuando me entero de lo de Salta, yo no pensé en la cura de Gonzalo. Alejandra estaba quebrada. Alejandra, mi esposa, ya no encontraba de dónde agarrarse. Más allá de ser una mujer de fe y eso tira, pero no había un palenque, se había debilitado. Pensá que cría seis hijos y ella también trabaja. Lo de Gonzalo la quebró. Por eso, yo no pensaba pedir a la Virgen que Gonzalo se cure, quería pedirle que nos dé fuerzas, que pusiera sus manos en los médicos que tenían que hacer la cirugía, que la fortificara a Alejandra en su momento y que... bueno... si las cosas no salían como tenían que salir, que nos diera aceptación. Eso es lo que yo le pedía a María. A María.

—Aceptación. Estabas dispuesto a recibir lo que fuera.

—Sí.

Jorge Parini dijo un "sí" inmediato, enérgico, seguro, como un hacha que cae sobre manteca. Me impresionó esa certeza, por eso, al oírla otra vez en el grabador, ahora, necesito transmitirles a ustedes ese tono.

—Eso es una entrega total en serio.

—Yo pedía aceptación. No resignación, ni en pedo.

—De acuerdo. Resignación es una mala palabra.

—Exacto. Yo pedía aceptación. Tengo entendido que las cirugías de cerebro se dividen en las de mayor riesgo y las de menor riesgo; la de Gonzalo era intermedia. Como decían los médicos, "había que abrir la unidad sellada", destapar y operar.

—Hoy en día lo hacen de maravilla, pero otra cosa es cuando se lo tienen que hacer a tu hijo.

—Hasta el más sencillo se complica, ahí.

—Ya lo creo. ¿Y cómo fue lo de Salta?

—Y bueno, ya te digo, yo los mandé a mi esposa Alejandra y a Gonzalo para buscar apoyo en la Virgen. Más que nada eso, apoyo, fuerzas. Fueron. Subieron. Y María Livia les dio a los dos la oración de intercesión.

—¿Gonzalo cayó para atrás?

—Sí.

—¿Lloró?

—No, no lloró.

—Cosa seria. La mayoría de los chicos no llora. Los grandes sí. ¿Y notaste algún cambio cuando volvieron?

—Al principio no. Pero fui dándome cuenta de un cambio grande en Alejandra. Se había ido quebrada, como te dije, y volvió con una inyección de fe que la mantiene hasta el día de hoy. Tuvo una conversión. Siempre fue una mujer de fe, pero desde esa primera visita a la Virgen era otra cosa.

Vale la pena interrumpir el relato para aclarar algo. La conversión no es sólo cambiar de religión, de ninguna manera. Ya lo hemos visto en casos de este mismo librito y lo seguiremos viendo aquí y en la vida nuestra de cada día. A veces uno cree que es católico, por ejemplo, pero solamente es un bautizado que reza de cuando en cuando y lo hace rápido sin entender un pomo lo que dice o piensa. Orando con ese vértigo de correr para terminar cuanto antes, uno ametralla las palabras pero, más que nada, se ametralla el alma. Para rezar así, mejor no rezar. Hay curas, incluso, que se metieron en la rutina de lo suyo y transformaron el sacerdocio en una profesión, olvidando que es una vocación. Estos curas no son ministros de la fe, son como distribuidores de sacramentos, administradores de frases hechas, empleados públicos parroquiales a los que les importa un rábano la "empresa" para la que trabajan. Igual, no la sienten como propia. Muy bien, tanto laicos como curas que toman la religión como una obligación o un trámite pesado tienen dos caminos: irse o convertirse.

No estoy juzgando a nadie ni poniéndome en maestrito sabelotodo, apenas estoy contando una realidad. ¿O acaso ustedes mismos no han visto alguna vez uno de esos curas que parecen hacerle un favor a la gente al verlos, al escucharlos? Para ser un curazo de esos que amamos hay que tener la sotana muy bien puesta, ya lo dije otras veces. Tiene que ser un placer y un honor ser cura. Sólo para valientes. Y todos sabemos que, a veces, no se da así. Reconozcámoslo. La única manera de mejorar cualquier cosa es empezar a reconocer los errores, y esos curas bastardos son una basurita en los ojos de Dios. Ellos son un error. Un error que mancha a los que son héroes como sacerdotes. Mejor paro aquí con esto porque creo que ya estoy sonando como un fanático. No se confundan, sólo soy un calentón. Uno debe defender todo lo que ama. Volvamos a la conversión, pues.

La conversión es conocer a Jesús de manera personal, sentirlo Dios y amigo. Para lograr eso es imprescindible tomar conciencia de que uno es una criatura de Él. Si se logra, allí estalla la fiesta.

—¿En qué cambió, tu esposa?
—Alejandra empezó a rezar el rosario, a reunirse con un grupo de oración los sábados, a ir a misa –que ya lo hacíamos desde

siempre–, pero con un compromiso mucho más grande. Se fortificó, fortificó su espíritu, era otra.

—¿Y Gonzalo?

—También cambió. El cambio más notable es una paz muy grande, muy grande, que la mantiene hasta el día de hoy.

—¿Hubo cambios en los síntomas que tenía desde hacía rato?

—Sí. Desde que fue a ver a la Virgen en Salta no había vuelto a tener ningún otro episodio de aquellos. Ni desmayos, ni dolores grandes de cabeza, ni esas "desconexiones"… Con un agregado. Gonzalo estaba harto de la medicación que tenía que tomar todos los días y me dijo que no quería saber más nada con eso. Faltaba un mes y algo para la operación y, medio inconsciente de parte mía, le dije: "Está bien, no la tomés más". Yo pensé que igual iba a la cirugía…

—¿Qué pasó con la cirugía?

—Estaba programada con fecha, ya te dije, el 8 de septiembre. Llegó el momento y todo fue como la vez anterior: internación un día antes, baños de pervinox, ayuno. Pero esta vez hubo una diferencia. Esta vez fue muy nítida la presencia de la Virgen.

—¿En qué sentido? ¿Cómo?

—Eh… De muchas formas. Una fue, por ejemplo, que mi esposa y una amiga buscaron un lugar para rezar el rosario y se metieron en un cuartito chico que estaba vacío en ese momento. Era el único lugar en todo el hospital donde estaba permitido fumar. Había un olor a pucho terrible, se te metía por la piel. Pero ellas rezaron allí porque estaban más tranquilas. Y de repente empezaron a sentir un aroma a rosas muy fuerte, allí, donde el olor a tabaco quemado impregnaba todo. Aroma a rosas. Después fueron a la capillita y, otra vez, el olor a rosas. Lo sintieron toda la noche, en todas partes, en un hospital donde lo único que sentís es olor a desinfectante. A la mañana siguiente, lo prepararon a Gonzalo para cirugía, le pusieron la pulserita esa de identificación, todo. Y en un momento dado, baja un muchacho joven y pregunta: "¿Quién es el papi Parini?". Papi, te dicen ahí. "Yo", le digo. Me dice: "Tenemos un problema". "¿Cómo?", le digo. "Tenemos un problema. No sé si lo vas a entender." "¿Qué pasa?", le pregunté yo que ya estaba muy nervioso. "Yo no estoy convencido de hacer esta cirugía", me larga.

—¿Él era cirujano?

—Era el neurocirujano que lo iba a operar.

—¿Te acordás del nombre?

—Marcelo Bartuluchi. Un muchacho de 37 o 38 años. "No estoy convencido de hacer esta cirugía", me dice. Y agrega: "Te aclaro que yo fui discípulo de Monges". El doctor Monges, en lo que es neurocirugía, es como decirte Favaloro en el corazón. Justo Monges se había jubilado de su cargo en el hospital y había una jefa de neurocirugía nueva. El médico joven me dice: "¿Vos me das cinco minutos?". Y se va. Yo no sé si estaba contento, si lo quería agarrar del cogote... no sé, no entendía nada, no entendía nada, yo decía: "Pero ¿cómo? ¿Otra vez la misma joda?". Vuelve al ratito y me dice: "¿Vos tendrías algún problema en tener una entrevista con la jefa de neurocirugía?". "No", le dije. Y subimos, Alejandra y yo. Era un salón con una mesa grande y muchas sillas alrededor. Estaba la jefa y había tres o cuatro médicos más. La jefa nos dice: "Realmente tenemos que decir algo que no nos pasó nunca". Y dice: "Nosotros no entendemos cómo, sin la medicación, Gonzalo no ha tenido ningún acontecimiento más". La medicina no podía explicar por qué Gonzalo no se desmayaba, no tenía más dolores de cabeza, no tenía más "cortes de corriente". Y nos dice que en ese momento el quirófano estaba listo para que lo llevaran a Gonzalo, pero que no estaban seguros de que en realidad hubiera que operarlo. Y bueno, la cirugía no se hizo. Nadie entendía nada. Lo que nosotros sí sabíamos era la cantidad de gente que rezaba por Gonzalo. Y la manera en que nos pusimos en manos de la Virgen.

—¿Volvieron a Salta?

—Sí, con una peregrinación que salió de Suipacha. El 19 de septiembre, me acuerdo patente porque es mi cumpleaños, estábamos en Salta. Esa fue la primera vez que yo subí al cerro. Y María me regaló... ¿qué fue lo que no me regaló? Yo nunca había sentido nada especial, nunca había visto nada, nunca me había sacudido nada, más allá de mi fe ¿no?, pero nunca había podido palpar la presencia real de María. Ese día, tanto yo como Gonzalo, sentimos que nos caían gotitas de agua muy suaves sin que lloviera, vimos la danza del sol...

—¿Vieron la danza del sol?

—Sí. Desde ese día yo volví al cerro cuatro o cinco veces más, pero la única vez en que vi la danza del sol fue ese primer día. Y también, lo he contado varias veces, en un momento determinado lo vi a Cristo.

—¿A Cristo?

—Con un manto rojo, las manitos cruzadas así, delante de él, y mirándome fijo. Pero lo vi. No fue que vi algo...

—¿Y dónde lo viste?

—En el cielo. Pero nítido, yo lo vi nítido.

—¿Nítido, además?

—Nítido, nítido, nítido.

Alto. Yo entiendo perfectamente que no es fácil aceptar que alguien diga que vio a Jesús. Y también entiendo que yo no puedo juzgar a nadie. Es por eso que, como ocurrió en ocasiones similares en las que el asombro me supera, simplemente transcribo de manera textual lo que ahora sale del grabador. Con la misma intensidad con que no puedo asegurar algo semejante, tampoco puedo negarlo ni borrarlo del testimonio. Ustedes son los que leen y deciden. Eso sí: no piensen con la mentalidad de diario, si van a probar algo del banquete saquen los cubiertos de lujo que tengan en el corazón y en el cerebro. Por lo que yo conocí de él, Jorge está en su sano juicio y merece mi más absoluta confianza. Es cierto que "ver a Jesús" es mucho decir, pero también es cierto que él no tiene nada que ganar con su testimonio. Hay más cosas en el cielo y en la tierra que las que sueña tu filosofía. Esa frase no la dijo un teólogo o un vidente, la puso William Shakespeare en boca de Hamlet, hace unos cuatrocientos cincuenta años.

—¿Fue una visión rápida?

—No. Duró minutos.

—¿Minutos? Eso es mucho tiempo para algo así.

—Unos tres minutos. Y no era una nebulosa, era Cristo bien nítido.

—¿Lo vio alguien más ese día, además de vos?

—No, a Cristo no. Ese y otros días siempre hay alguno que la ve a María, a los ángeles, la danza del sol... Pero en las veces que fui, me pasó que había gente al lado mío que decía "mirá a María" o "¿ven a los angelitos?" y yo no veía nada, no podía mirar al sol de frente como ellos, me quemaba.

—Pero, cuando vos viste a... a Cristo, nada menos, ¿había gente que veía a María o a los angelitos?

—Sí, sí, mucha gente.

—Eso es muy fuerte, hermano.

—También hay gotitas muy suaves que caen sobre vos, pero es como una sensación, caen habiendo sol, las sentís en la piel y cuando mirás no hay ni una, no hay agua, no te moja. Y el perfume es permanente.

—Todo lo que contás es... bueno, asombroso.

—Mirá, yo sé que no es nada común y que hay quienes puedan dudar, lo tengo claro. Yo mismo, que soy católico militante, al principio pensaba adónde estaba el que tiraba las gotitas o quién era el tipo que echaba desodorante de ambientes. Somos humanos y no hay nada más humano que la duda.

—*Dígamelo a mí, señora.*

—Yo no tengo más remedio que dudar, Jorgito, lo hago todo el tiempo. Trabajo de dudar.

—Y, sí, vos tenés que ser completamente imparcial.

—Eso es más difícil porque creo en los milagros tanto como los que me dan su testimonio, pero tengo que cuidar cada palabra porque estoy en el medio. Pero, bueno, vos también buscabas al que tiraba las gotitas y al que echaba desodorante. Y no encontraste nada, ¿no?

—No, no encontré nada aunque puse empeño. Mirá, yo cuento todo esto en cada lugar adonde voy porque, tener la suerte y la gracia que tenemos los argentinos, que Cristo y María se manifiesten para nosotros... no sé.

—Sólo pensarlo me estremece. Pero hay algo que no se pue-

180

de cambiar: vos y yo, que tenemos una fe granítica, fervorosa, nos preguntamos dónde está el tipo que tira las gotitas de agua. ¿Vos te imaginás el que no tiene fe y lee esto? No cree nada, directamente. A mí me interesa mucho esa persona que no cree, me importa que un día crea. Por eso te pregunto a vos para espantar a las dudas.

—Yo te cuento. Lo de los colectivos que van a Salta es de locos. Porque nadie los auspicia. Vos tenés que alquilarlo y la gente se anota para viajar. Salta no es aquí a la vuelta y menos para ir en ómnibus. Decís: "No va a ir nadie, no vamos a poder pagar". Pero está la Virgen, ¿entendés? Y Ella arma las cosas muy bien. Los colectivos salen llenos.

—Necesito algo más que eso para convencer a algunos.

—Ya va, ya va. El día que salió el primer viaje a Salta desde Suipacha, yo fui, ¿no?, y miré la lista de los pasajeros. En un lugar chico, como Suipacha, nos conocemos todos. Y en esa lista había gente muy difícil. Muy difícil porque era gente con muchos problemas de salud, gente renegada de la fe católica y no solamente de la fe católica, renegados de Dios. Y yo me dije: "Si están acá arriba por algo están, están en la búsqueda". Te puedo decir que yo he visto conversiones muy, muy, muy palpables, muy comprobables y maravillosas. Habría que filmar y grabar a la gente cuando va y hacer lo mismo a la vuelta. La misma persona es otra, otra mejor.

—Vos, que sos el más habitué en esos viajes, ¿qué les decís a los nuevos?

—Como muchos van a pedir algo, les digo que María no les va a dar lo que ellos quieren, sino que les va a dar lo que ellos necesitan.

—Muy bueno.

—Lo que se ve allí son cosas que no esperás. El día que yo di el testimonio frente a toda la gente había unas seis mil personas en el cerro. Uno de los pocos curas que suben, por ahora, empezó a dar la bendición: "En el nombre del Padre, del…" y se quebró, se echó a llorar, no pudo seguir. Fueron dos personas y lo abrazaron y lo llevaron, sin que parara de llorar.

—Un cura rompiendo a llorar frente a los fieles. Qué imagen fuerte.

—Allí todo es fuerte.

—¿Cómo termina la cosa con Gonzalo?

—Desde su visita al cerro no volvió a tener ningún episodio más de aquellos que tenía. Fuimos cuatro o cinco veces al Garrahan. La última fue en diciembre de 2004. Ahí le dieron el alta definitiva.

—Vos me dijiste, a poco de conocernos, que antes de todo esto eras muy crístico, muy pegado a Jesús hasta tal punto que te preocupaba no darle a la Virgen la importancia que otros le daban.

—Es cierto.

—Y ahora, ¿La encontraste a María?

—Sí que la encontré. Yo trabajo para María. La encontré y no la dejo más.

—A todos nos pasa lo mismo.

13

Apariciones y videntes

10 preguntas y respuestas

1– ¿Es común que Nuestra Señora se aparezca a una persona? ¿Le puede pasar a cualquiera?

No se sabe con exactitud la cantidad de apariciones con cierto grado de credibilidad que han ocurrido en la historia del cristianismo, pero la cifra ronda los cuatrocientos casos. De ellos, doscientos setenta se han dado en el siglo XX. Al tener en cuenta los miles de millones de personas que han pasado por el mundo en los últimos dos mil años, se advierte que cuatrocientos es un grano de arena en una playa. No es común, entonces. Pero sí le puede pasar a cualquiera. En general, las personas que han pasado por esa experiencia –los videntes– son gente común, sin nada que los haga diferentes a la mayoría de los humanos, aunque hay características que suelen señalarlos más claramente.

2– ¿Por qué en solamente cien años, el siglo XX, hubo más apariciones marianas que en los mil novecientos años anteriores?

Es difícil saberlo, pero hay ciertas pautas. En la Edad Media, por ejemplo, bastaba con decir que se había tenido una aparición para que todos lo creyeran. No sólo por una cuestión de buena fe, sino porque, si a alguien se le hubiera ocurrido mentir con algo así en esas épocas, lo habrían invitado de inmediato a un asadito, pero con la desgracia de ser esa persona el asadito. Por otra parte, hay una suerte de ley de compensaciones como ya explicamos al principio de este librito: las apariciones se dan más cuando se las necesita más. En el siglo XX se las necesitó mucho.

3– ¿Es cierto que la Iglesia es muy prudente con las apariciones?

No, no es cierto. Prudente es una palabra menor. El sacerdote jesuita René Laurentin, un francés que durante décadas ha estado viajando por el mundo para investigar las apariciones marianas, ha sido claro al respecto: "La Iglesia no es partidaria, en principio, de las apariciones y, por el contrario, es prudente, reservada y a menudo hostil o represiva". La Iglesia suele ser reacia a aceptar una aparición mariana. Por supuesto, cree absolutamente en este fenómeno pero se toma su tiempo –por lo general, décadas– para discernir y aceptar o no una presencia viva de la Virgen a una persona. Basta un dato: en los últimos doscientos años (siglos XIX y XX enteritos) hubo alrededor de trescientas veinte apariciones marianas que merezcan cierto crédito. Sin embargo, el Vaticano reconoció de manera oficial y luego de décadas de investigaciones, apenas nueve en total. Estas son, atendiendo a la fecha y al lugar geográfico donde se produjeron:

1) 1830, La Medalla Milagrosa, en Francia;
2) 1842, Santandrea de Fratte, en Roma;
3) 1846, La Salette, en Francia;
4) 1858, Lourdes, en Francia;
5) 1871, Pontmain, en Francia;
6) 1877, Gietrzwald, en Polonia;
7) 1917, Fátima, en Portugal;
8) 1932, Beauring, en Bélgica;
9) 1933, Banneaux, en Bélgica.

Observen que todas ocurrieron en Europa y que sólo las tres últimas de las aprobadas de manera oficial y aval vaticano se dieron en el siglo XX.

4– ¿Entonces la devoción a la Virgen de Medjugorje, a Nuestra Señora del Rosario de San Nicolás o a María, Rosa Mística, están prohibidas?

En absoluto. La Iglesia cataloga estos hechos –incluyendo los que aceptó de manera oficial– como "revelaciones privadas". No los avala ni los estimula, pero tampoco los prohibe, a menos que lo que allí ocurra o se diga esté en contra de la doctrina. En los tres casos mencionados en la pregunta, por ejemplo, hay cientos de miles de fieles que aman una de esas advocaciones en especial, incluyendo a muchísimos sacerdotes y obispos. Y la Iglesia no pone objeciones pero, como cuerpo madre, tiene el caso "en estudio". Sin embargo, hay fotos de Juan Pablo II (santo ya) en las que se lo ve en su despacho y cerca de él hay una imagen grande de la Rosa Mística, una de las advocaciones más polémicas desde su inicio. Lo claro es que María es una aunque cambie el "vestidito". Y a nadie se le va a ocurrir "prohibir" que se la ame y venere. Salvo, queda dicho, que se aparten de lo doctrinal.

5– ¿Hay casos en que se demuestra que la aparición no existió?

Sí, claro. Digamos que hay cuatro categorías para las apariciones y en ellas queda claro lo que tienen detrás. Las apariciones son:

• **Auténticas.** Las que son aprobadas oficialmente por la Iglesia y ya no admiten discusión. No es fácil llegar a esa calificación, como vimos.

• **Dudosas.** Las que se encuentran en estudio. No importa que haya cientos de miles de fieles que honren a esa advocación, mientras no se la apruebe será "dudosa", lo cual no es negativo sino preventivo. Esa bendita prudencia.

• **Falsas.** Las que se han demostrado como ajenas por completo a lo sobrenatural. Pueden ocurrir sin mala fe, como es el caso de las personas desequilibradas mentalmente, con cuadros de histeria religiosa, misticismo patológico o neurosis espiritual muy acentuada.

• **Falsas y fraudulentas.** Aquí ya es otra cosa. No sólo quedó demostrado que la aparición no existe sino que, además, hay pruebas de que la o las personas que actuaron como presuntos videntes lo hicieron con fines de lucro (lo que es también un delito) o por otras razones espurias que van desde la bastarda búsqueda de fama personal hasta la siniestra conjura de una secta.

Sí, hubo casos falsos. Yo mismo, en los últimos quince años, recibí información de no menos de siete u ocho de ellos. En la mayoría de las ocasiones no se trataba de un fraude sino de personas perturbadas desde lo psicológico o lo emocional. Como sea, todos estos casos han durado menos que un suspiro en un huracán.

Se puede engañar a una persona durante mucho tiempo; se puede engañar a muchas personas durante poco tiempo; pero nunca se puede engañar a muchas personas durante mucho tiempo. Y menos en estas cosas.

6– ¿Cómo se sabe si es cierto cuando una persona dice ser vidente de María?

El Vaticano establece ciertas preguntas base que, aunque no son una prueba concluyente, son esclarecedoras. Al lado, la respuesta favorable.

• ¿La persona vidente acepta dinero, regalos o favores personales? NO.

• ¿Hay algún tipo de comercialización del hecho? NO.

• ¿La persona vidente es obediente a las autoridades de la Iglesia? SÍ.

• ¿Incorpora o descarta algo de la doctrina religiosa? NO.

• ¿Acepta la persona vidente la posibilidad de que sus visiones puedan ser ilusorias? SÍ.

• ¿Puede continuar con lo que era su vida habitual sin la necesidad de vivir siempre hechos sobrenaturales? SÍ.

• ¿Está física y psicológicamente sana? SÍ.

• ¿La persona vidente está dispuesta a ser examinada por profesionales que determinen con certeza el punto anterior? SÍ.

• ¿Hay frutos positivos de esas apariciones? SÍ.

• ¿La persona vidente cree que, por serlo, lleva ya signos de santidad? NO.

7– ¿Qué piensa la Iglesia actual de las apariciones marianas?

La respuesta es impecable e inobjetable. En su *Informe sobre la Fe*, el entonces Cardenal Joseph Ratzinger, actualmente más conocido como Benedicto XVI, escribió una definición que no tiene desperdicio ni admite dudas y que reproduzco textualmente:

No podemos ciertamente impedir que Dios hable a nuestro tiempo a través de personas sencillas y valiéndose de signos extraordinarios que denuncian la insuficiencia de las culturas que nos dominan, contaminadas de racionalismo y de positivismo. Las apariciones que la Iglesia ha aprobado oficialmente ocupan un lugar preciso en el desarrollo de la vida de la Iglesia en el último siglo. Muestra, entre otras cosas, que la Revelación –aun siendo única, plena y por consiguiente, insuperable– no es algo muerto; es viva y vital.

8– ¿Por qué habría de aparecerse la Virgen?

Ese "habría" crea una sombra de duda antes de saber la respuesta. Un viejo dogma periodístico dice, con razón, que está mal preguntar algo e incluir en esa pregunta parte de la respuesta. El uso potencial del verbo origina dudas en la respuesta antes de oírla. Nada de "habría", entonces. (Tengo un severo ataque de esquizofrenia. Yo mismo escribí la pregunta que ahora estoy objetando y hasta enojándome por ella. Alguien que llame una ambulancia, por favor.) La pregunta es, entonces, ¿por qué se aparece la Virgen? Y la respuesta es simple. Al morir Jesús, le habló a María y, refiriéndose al apóstol Juan, que estaba a su lado, le dijo: "Mujer, ahí tienes a tu hijo", y luego dijo a Juan: "Hijo, ahí tienes a tu madre". En ese instante se selló para siempre la maternidad de la Virgen hacia todos nosotros, ya que Juan nos representaba a todos en ese momento. Es nuestra Madre del Cielo, nos guste o no, ya que lo es aun para aquellos que no la reconocen. Entonces es natural que una madre semejante se ocupe y se preocupe de sus hijos. A eso viene, por eso se aparece. Para recordarnos cuál es el camino, para que levantemos el pie del estúpido acelerador en esa carrera hacia la nada, para hacer que sepamos que seguimos siendo hijos de Dios y para que nos comportemos como tales. Bueno, después de esta frase díganme nomás por donde paso a buscar la sotana y el cuellito blanco. Para mí que el que escribe es Mariano.

187

9– ¿Hay un perfil que es común a los videntes de la Virgen?

• No atraen la atención sobre ellos sino sobre Nuestra Señora.

• Aunque pueden ser varones o mujeres, el porcentaje de estas últimas es realmente abrumador.

• Son personas comunes que no se destacarían de manera especial hasta el momento de las apariciones.

• A menudo no eran particularmente santos o espirituales antes de la aparición; razón por la que quienes los conocían antes del suceso son los que miran el hecho con mayor sorpresa e, incluso, desconfianza. No pueden entender el cambio.

• Jamás en sus vidas habían imaginado que tendrían visiones de la Virgen; ellos son los primeros sacudidos, pero lo toman con naturalidad.

• Ellos mismos aceptan y eligen seguir con esas visiones aun cuando habitualmente la Virgen les avisa que tendrán que sufrir mucho a consecuencia de su elección. La aparición conlleva pruebas y grandes dificultades para sus vidas.

• El punto clave es la humildad. Es la virtud imprescindible en estos casos.

No se trata de la acepción de la palabra que define a personas de baja condición social, sino de algo más profundo que también figura en el diccionario y debe figurar a fuego en el alma de la persona vidente: "es la actitud de la persona que no presume de sus logros, reconoce sus fracasos y debilidades y actúa sin orgullo".

• Jamás y bajo ningún concepto la persona vidente auténtica se siente "superior" al resto de las personas.

10– ¿Qué otras cosas son comunes en una verdadera aparición?

De acuerdo con los estudios y puntos en común que especialistas de la Iglesia buscaron en las apariciones creíbles, hay algunos puntos a tener en cuenta:

• El lugar donde ocurren las apariciones es, prácticamente siempre, un sitio tranquilo y apartado, al aire libre, aislado.

• El principal mensaje de la Virgen siempre es de esperanza. Lo que pide es, sobre todo, oración, penitencia, aumento de la fe,

obras de piedad y de misericordia, retornar a Dios, arrepentimiento, cumplimiento de los sacramentos y conversiones.

• Lo que la Virgen ofrece es su protección materna, su mediación, su intercesión y sus gracias.

• Es habitual que la Virgen pida la construcción de un templo
en el lugar.

• Hay una creciente peregrinación de fieles a ese sitio.

• Hay signos y eventos que son inexplicables a nivel humano.
Pueden ser de tipo personal, como las sanaciones, o de tipo colec-
tivo como hechos sobrenaturales visibles para muchas personas.

• El signo más importante es la cantidad de conversiones.

14

Mamá llora

Nunca nadie me preguntó: "¿De qué murió María?". Es curioso que a la mayoría no se le pase por la cabeza averiguar los motivos de su muerte, que los tuvo como cualquier mortal.

Podría apostar que ninguno de ustedes sabe de qué murió María.

—*Yo sé.*

Vos no jugás este partido, esto es sólo para simples mortales.

Si no lo saben, no se trata de un agujero negro en la fe de ustedes, no se sientan mal, sólo se debe a que no hay registros de ningún tipo sobre lo que provocó su muerte. En realidad sí lo hay, pero casi nadie piensa en él.

Juan Pablo II (santo ya) alude en un párrafo a las causas de la muerte de Nuestra Señora: "Más importante es investigar la actitud espiritual de la Virgen en el momento de dejar este mundo". Y recuerda a San Francisco de Sales, quien considera que la muerte de María se produjo como un ímpetu de amor. En el *Tratado del amor de Dios* habla de una muerte "en el Amor, a causa del Amor y por Amor".

Y es así: María murió de amor.

Que se sepa, no murió de ninguna enfermedad, ni de manera violenta, ni por un mal accidente. Tampoco por edad avanzada ya que, de acuerdo con lo investigado, apenas había superado sus cincuenta años y eso no era "edad avanzada" ni siquiera en aquellos tiempos y, en especial, en aquel lugar donde la alimentación era buena y la salud en cierta forma controlada.

Decir que murió de amor no es una figura poética aunque así suene. Es una realidad. El amor por su Hijo Dios era tan profundo que necesitaba en cuerpo y alma –tal como ascendió a los cielos– estar junto a Él para toda la eternidad. Su misión aquí se había cumplido.

Gregorio Alastruey, en su *Tratado de la Virgen Santísima* dice: "La Santísima Virgen acabó su vida con muerte extática, en fuerza del divino amor y del vehemente deseo y contemplación intensísima de las cosas celestiales".

San Alberto Magno define: "La Virgen María murió sin dolor y de amor".

Otra vez Juan Pablo II (santo ya) dice en 1997: "Algunos Padres de la Iglesia describen a Jesús mismo que va a recibir a su Madre en el momento de la muerte, para introducirla en la gloria celeste. Así, presentan la muerte de María como un acontecimiento de amor que la llevó a reunirse con su Hijo Divino".

La Tradición de la Iglesia le ha dado un nombre muy dulce y apropiado a la muerte de Nuestra Señora: la dormición. Una suerte de sueño cálido y tranquilo, un suave atardecer que se hace noche para ser luego un nuevo amanecer y para siempre. A mí me gusta pensar eso.

—*Y no estás lejos.*

Contame. ¿Fue así?, contame, por favor, dale.

—*¿Cómo? ¿No era que yo no jugaba este partido?*

Bueno, pero ahora te doy pelota.

—*¿Qué dijiste?*

Nada malo. "Dar pelota" viene del fútbol, significa pasarte la pelota, es decir habilitarte para que juegues. Te doy pelota.

—*Muy interesante. ¿Ves que salgo muy poco? Ni eso sé.*

Yo te enseño, no te aflijas. Ahora vos contame algunos secretitos.

—*Sabés que no debo. No pude contenerme al decir que no estás lejos, pero contentate con eso.*

Siempre igual.

—*Oíme, contá un testimonio que la gente se duerme.*

No se duermen nada. Lo que viene ahora es apasionante.

El llanto de la Virgen

Que se sepa, la primera vez en la historia que una imagen de la Virgen llora fue el 29 de agosto de 1953. Un matrimonio muy humilde de Siracusa, en Sicilia, Italia, fueron los asustados testigos del prodigio.

Angelo Lannuso y su esposa Antonia tenían en su dormitorio, puesta en la pared sobre la cabecera de la cama, una figura de yeso del Corazón Inmaculado de María. Ese día la imagen comenzó a llorar ostensiblemente y siguió haciéndolo durante cuatro días, sin parar. Cientos de personas fueron testigos del hecho ya que tuvieron que poner la imagen en la puerta de su casa por la cantidad de vecinos y gente de otros pueblos que llegaban a llorar junto a la Virgen.

Como si fuera poco, Antonia había quedado enferma, después de un embarazo, de un mal que le provocaba, entre otras cosas, permanentes ataques de epilepsia. Se curó. Y su esposo, que era ateo, se convirtió en uno de los más fieles seguidores de Jesús y defensor de la Santa Madre.

Una comisión de médicos estudió aquello con gran sorpresa no sólo de los científicos sino de los integrantes del clero, ya que nunca había ocurrido algo semejante. La comisión médica determinó que se trataba, sin duda posible, de sangre humana. Y que no pertenecía a los que vivían en la casa, que estaban más conmovidos que nadie.

La investigación continuó, ahora a cargo en forma directa del Vaticano. El 12 de diciembre de ese mismo año, los obispos de Sicilia, reunidos especialmente en conferencia episcopal, declararon al fenómeno oficialmente auténtico.

En 1994, Su Santidad Juan Pablo II (santo ya) consagró un santuario en ese lugar. En 2003 un enviado especial del mismo Papa concluyó allí, en Siracusa, las celebraciones del Año Mariano. Es el Santuario de la Virgen de las Lágrimas, aprobado de manera oficial como un homenaje al milagro ocurrido cincuenta años antes. Todo esto a pesar de la prudencia de la Iglesia, que es tan rigurosa que a veces puede ser irritante. Pero está bien, no se puede avalar todo porque terminaríamos haciendo un tótem sagrado del obelisco de Buenos Aires.

• En 1995 ocurrió uno de los hechos más extraordinarios ligados con el llanto de la Virgen. Un curita llamado Pablo Castellán visitó Medjugorje, como lo han hecho ya cerca de cuarenta millones de fieles de todo el mundo. Al volver a Civitavecchia, una ciudad a ciento veinte kilómetros de Roma, Italia, con una población de alrededor de setenta mil habitantes, visitó a una familia amiga, los Gregori. Allí se encontró con que estaban viviendo algunos problemas de esos que nunca faltan, cosas cotidianas pero difíciles de sacárselas de encima. El padre Pablo, todo corazón, les dejó la estatuilla de la Reina de la Paz, la Virgen de Medjugorje, que había traído de su viaje a Bosnia. Ellos parecían necesitarla más que él y se las prestaba por un tiempo. No pasó mucho. A fines de febrero de ese año la imagen de la Virgen lloró sangre.

En horas nomás la casa de los Gregori empezó a llenarse de gente que iban a ver a la Virgen que lloraba y a pedirle milagros. En días nomás la cosa se puso seria. En semanas nomás aquello había crecido tanto como para que el Vaticano tomara cartas en el asunto. Empezaron las investigaciones al máximo nivel. El doctor Angelo Fiori, del Policlínico Gemelli y su colega Giancarlo Umani Ronchi, profesor de la Facultad de Medicina de Roma se encargaron del estudio científico. Al cabo de un tiempo, expidieron su informe: se trataba de sangre humana y no podían dar ninguna explicación al hecho desde la ciencia.

El Vaticano se mantuvo en su tradicional prudencia ante estos casos y lo único que hizo fue retirar la estatuilla y dejársela en custodia al obispo Girólamo Grillo, que no era hombre de convencerse fácilmente de hechos de corte sobrenatural. Siempre había mirado todo lo relativo a milagros o algo similar con un gesto escéptico de cara y alma. Incluso llegó a darles un reto al curita que había traído la imagen y a los que mostraron toda su devoción ante ella. Se llevó la estatuilla a su propia habitación y, apenas unas horas después de eso, durante su rezo nocturno, miró a la Virgen y vio que, efectivamente, volvía a llorar sangre. El obispo Grillo lloró con Ella y empezó allí a intentar convencer a las autoridades vaticanas de que aquello era absolutamente cierto.

• En 1992, el prestigioso diario chileno *El Mercurio* publicó una detallada investigación llevada a cabo a pedido de monseñor Carlos Oviedo Cavada, arzobispo de Santiago, alrededor de una imagen de la Virgen que lloraba sangre. Dijo el obispo: "Hay que hacerlo porque esto podría ser, efectivamente, una señal de la Santísima Madre".

Como tomaron cartas en el asunto autoridades de nivel en cada una de las disciplinas, le tocó al Servicio Médico Legal de Chile analizar el hecho desde el punto de vista de la ciencia. Determinó, en poco tiempo, que se trataba, sin ninguna duda, de sangre humana.

• El 13 de febrero de 1990 y todos los días trece durante años, una imagen de María de setenta centímetros de alto que está en la iglesia San Sebastián, en Louveira, lloraba copiosamente, aunque no era sangre esta vez. El doctor Nelson Massini, de la Universidad de Campinhas, y su colega, el profesor de patología Fortunato Badán analizaron esas secreciones. Definitivamente se trataba de lágrimas humanas. El doctor Badán no tuvo ningún problema en declarar a la prensa: "No podemos encontrar otra explicación que la sobrenatural".

• En 1994, una pintura al óleo de la Virgen María comenzó a llorar sangre de manera inesperada en una pequeña capilla del barrio de Brooklyn, en Nueva York. Se analizó y, una vez más, se confirmó que era sangre humana.

• En 1981 una imagen peregrina de María Rosa Mística fue llevada por varias casas de la ciudad de Rosario, en Santa Fe. El 20 de junio de ese año estaba en la casa de la familia Santamaría. Allí, de pronto, la imagen comenzó a llorar. El hecho fue difundido con cierta amplitud por la prensa y una verdadera multitud presenció aquel fenómeno inexplicable. En esa ocasión, el padre Germán Plasenzotti, un salesiano del colegio Domingo Savio de esa ciudad, llevó la imagen al oratorio para que todos pudieran compartir lo inexplicable. El 21 de junio, y ante una gran cantidad de fieles, periodistas, sacerdotes, autoridades, crédulos e incrédulos, volvió a llorar.

Meses más tarde el padre Stéfano Gobbi, fundador del Movimiento Sacerdotal Mariano que escucha mensajes de la Virgen en forma de locuciones que él escribe, viajó a la Argentina y se llegó a Rosario. Era el 8 de octubre de 1981 cuando estaba rezando frente a la imagen, alzó la vista y exclamó emocionado: "La Madonna piange", la Virgen llora. Recogió una de esas lágrimas en un pétalo de rosa que al día siguiente acusó la salinidad de esa gota con una mancha muy visible. Ese pétalo está conservado en la actualidad como una reliquia.

¿Por qué llora la Virgen? Un teólogo diría, tal vez, que por la incomprensión humana. Yo no tengo que cuidarme tanto en las definiciones. Llora por nuestra imbecilidad, por la manera idiota en que ocupamos parte de nuestro tiempo en envidiar o acumular dinero o mentir y mentirnos. Aunque los teólogos no están muy lejos de esta definición sin protocolo. Por ejemplo, el sacerdote católico alemán Gerhard Herm, experto en estos temas, da una larga explicación que puede resumirse en una de sus frases: "María llora por la terrible situación en que se encuentra la Iglesia y el mundo. Se da hoy algo nuevo en la historia humana: una organizada enemistad contra Dios en grandes extensiones del mundo combinada con un total desprecio de la persona". Si tiene alguna duda consulte a su diario.

Los que han venido otras veces a este salón de baile espiritual que son los libritos conocen a monseñor Roque Puyelli, a quien ya mencioné en este. Mi guía, mi hermano, mi amigo, una maravilla como persona y como cura. Defensor del milagro, pero sumamente cauteloso y muy astuto. Es tan firme en su amor por Jesús y tan fuertemente mariano que tendría que ser "Roca" Puyelli en lugar de Roque. Hace unos cuantos años le pregunté simplemente por qué lloraba nuestra amada María. Y respondió:

Ante todo, las manifestaciones de la Virgen que llora se han dado en estos últimos tiempos. Aquí, en Argentina, hubo varios casos. Fue muy conocido el de la Rosa Mística en el hogar de una familia rosarina, otro en Villa Constitución, otro en La Plata y uno en Neuquén, donde un sacerdote de apellido Serafín también tenía una imagen de la Virgen que lloraba. Esto es muy reciente y cuenta con la palabra del sacerdote y la de un médico que se sorprendió mucho de ver algo así. No en estos casos, pero en otros hay que tener cuidado con un posible fraude que consiste en poner en los ojos de la imagen una crema que usan los magos y que, con el calor, produce algo que es a simple vista igual que las lágrimas. Esto se detecta fácilmente y se advierte de entrada si aquellos que los muestran están lucrando con el hecho. Lo primero que hay que hacer es analizar en un laboratorio la sangre o las lágrimas. Y seguir investigando. No dudo de que, en efecto, haya muchos casos de imágenes que lloran de manera sobrenatural. ¿Por qué? Vos no tenés que olvidarte que, cuando María estaba al pie de la Cruz, Jesús le dijo a Juan: "Ahí tienes a tu Madre". Juan era la representación de todos nosotros, era como decirnos a nosotros que allí estaba nuestra Madre y decirle a Ella que todos éramos sus hijos. En eso está la real explicación a lo que me preguntás. María es nuestra Madre y toda madre, cuando sus hijos sufren, llora. En los últimos cuarenta o cincuenta años la Iglesia, con todos los que formamos parte de ella, sacerdotes o laicos, ha vivido problemas hasta el punto de llevar a decir a Paulo VI, textualmente, que "por entre las grietas de la Iglesia se ha colado el humo del infierno". La angustia y el llanto de María es porque ella quiere la conversión de todos los pecadores. Ya a los pastorcitos de Fátima les dice que son muchas las almas que se condenan y, por supuesto, eso la tiene que afligir a Ella porque quiere la salvación de todos. Ve a muchos hijos que siguen por malos caminos por su propia elección, ya que nosotros somos libres de optar aun cuando elijamos lo peor, y Ella sufre. Sufre como Madre, como lo haría cualquier madre aquí, en la tierra. Y llora.

Un lujo, Puyelli. Su interpretación del fenómeno se ajusta en todo al papel de la Virgen en la religión. Ella es, para los creyentes, el Arca de la Alianza, la Gran Mediadora, la Madre. Y hay muchos de sus chicos que no parecen entender que todo lo que se les pide es que sean buena gente y que no desprecien ese amor de Mamá. En las apariciones y en signos como ese llanto está el mensaje de María: urgirnos a la reconciliación. Disculpen, ya me atacó otra vez la cosa personal, esa tonta certeza de que el amor, la fe y la esperanza son las únicas capaces de hacernos sentir totalmente personas. No sé de dónde saco esas pavadas.

Llanto en vida

Llorar no es un signo de debilidad ni mucho menos. Suele ser un signo de amor. Cristo lloró al predecir la ruina de Jerusalén (Lc. 19, 41) y lloró ante el dolor de Marta y María por la muerte de Lázaro (Jn. 11, 35). Y lloró en más de una ocasión, siempre por amor a los humanos. Las cosas terribles que nos pasan son obra nuestra y no de Dios como a menudo decimos.

Alguna vez pensé que vemos mal a Dios. Vemos mal a Dios. No es un titiritero y nosotros sus marionetas, pensé. No es un jugador de ajedrez y nosotros las piezas, los trebejos. En todo caso y siguiendo el juego fácilmente metafórico, Dios sería el médico que nos aconseja tal o cual medicina para los males cardíacos y nosotros los que no le damos ni cinco y seguimos comiendo lechón con patatas fritas. Sepan comprender lo de "patatas" pero ocurre que este libro se vende en toda América Latina y en España. Si pusiera "papas" algunos van a creer que aquí nos comemos a los pontífices. Más o menos así nos ven a los argentinos en algunos lugares del mundo. En varios. En muchos. En casi todos, pero ese no es el tema aunque sea injusto.

El caso es que Dios, en realidad, es el Padre que nos dio las dos cosas más valiosas para un ser humano: la vida y la libertad. Y sufre muchas veces con el mal uso que hacemos de ambas. Pero no debe ni quiere cambiar el mal camino que elegimos porque mataría a la libertad y, con eso, a la vida.

Nos preguntamos cómo es posible que Dios permita el hambre de muchos, la muerte de los chicos, las catástrofes como la de Indonesia en 2004, la existencia de gente como Hitler o Stalin (nombro a los dos para emparejar), los ataques terroristas, las guerras, el aumento de la nafta o la ruptura de esa pareja de teleteatro que tanto nos gusta. Dios permite todo aunque a menudo sufra por eso. Somos nosotros los que hacemos los desastres, desde ecológicos hasta impiadosos. Dios permite todo. Todo. Incluso estar en su contra, ser su enemigo. Eso se llama libertad.

Cuando ocurrió el ataque a las Torres Gemelas de Nueva York y murieron más de tres mil personas inocentes, era casi válido preguntarse dónde estaba Dios cuando eso ocurría. Una amiga, Cecilia Pannullo, me envió por esos días un e-mail que guardé porque me pareció una gran respuesta. Se los reproduzco, textualmente:

Muchos de nosotros hemos escuchado esta pregunta en los últimos días: "¿Dónde estaba Dios, cuando las Torres Gemelas en Nueva York fueron atacadas?".

Bueno, quiero decirles que yo sé dónde estaba Dios la mañana del 11 de septiembre del 2001. Él, nuestro Dios, estaba muy ocupado.

...Dios estaba distrayendo a las personas que pensaban tomar esos vuelos de las aerolíneas American y United. Muchos llegaron tarde y perdieron esos viajes. Los cuatro aviones juntos tenían capacidad para mil pasajeros, y esa mañana sólo viajaban doscientos sesenta y seis.

...Dios estaba a bordo de los cuatro aviones, volando a un trágico destino. Él estaba dando calma a los aterrorizados pasajeros en cada avión. Ninguna de las familias que recibieron las últimas llamadas de sus seres queridos desde los aviones, a través de sus teléfonos celulares, ha dicho que escucharon gritos de los pasajeros dentro del avión. Dios estaba con cada uno de ellos, dándoles consuelo. Es más, Dios estaba dándoles fuerza y valor a tres pasajeros del avión que cayó en Pennsylvania, para que lucharan contra los secuestradores y así se pudo evitar una tragedia mayor.

...Dios estaba muy ocupado, creando obstáculos para miles de empleados de las Torres Gemelas. Veinte mil personas estaban en las torres cuando el primer avión se estrelló. En los dos edificios juntos trabajaban cerca de cincuenta mil personas. Mucha gente que trabajaba en las torres declaró a la prensa que ese martes negro, se les reventó una llanta del auto, sus despertadores no sonaron, perdieron el autobús, perdieron el tren, etcétera, etcétera, y llegaron tarde al trabajo... ¡Y se salvaron!

...Después de que los dos aviones cumplieron su macabro objetivo, Dios estaba sosteniendo, con sus dos manos, las torres de ciento diez pisos cada una, para que miles de personas tuvieran tiempo de escapar. Y cuando, finalmente, ya no pudo con el tremendo peso de las paredes de cemento y vigas de acero, las torres colapsaron, y colapsaron hacia abajo y no a los costados. Esto también fue un milagro, porque si las torres hubieran caído de costado, habrían arrasado con más de veinte cuadras a la redonda y miles de personas más hubieran muerto.

...Y cuando las torres se derrumbaron... Dios abrió los brazos y recogió a tres mil de sus hijos y los llevó con Él al Cielo, repitiéndoles una y mil veces, hasta el cansancio, que "lo peor ya pasó; ahora están conmigo, no sufran, porque a mi lado gozarán de vida eterna".

Una vez que Dios llegó a las puertas del Cielo, allí depositó las tres mil almas que recogió y luego caminó y se sentó sobre una piedra; se cubrió la cara con las manos y lloró... Sí, Dios lloró... Lloró por el alma de diecinueve de sus hijos, los terroristas, que no pudo salvar y que se perdieron para siempre en el infierno por haber vivido con tanto odio en sus corazones.

Y esto no fue todo... Dios bajó de nuevo a la tierra para dar consuelo y resignación a cada una de las viudas que perdieron a sus esposos, a los esposos que perdieron a sus esposas, a los hijos que perdieron a sus padres y a los padres que perdieron a sus hijos, y se quedó en la casa de cada una de las personas que fueron afectadas por esta tragedia, brindándoles fuerza y valor para seguir adelante con sus vidas. Y mi Dios seguirá siempre con todos nosotros. Él es la fuerza, el motor, el pilar de nuestras vidas; Él nunca nos abandona en los momentos difíciles.

Así que, si alguien te pregunta: "¿Y dónde estaba Dios el 11 de septiembre del 2001?", diles con mucho orgullo y certeza que... DIOS ESTABA POR TODOS LADOS.

A pesar de todos los daños y de la magnitud de esta tragedia, yo veo el milagro de Dios en cada parte de ella.

No sabemos quién lo escribió, ni siquiera en qué país vive. Lo sintió, lo puso en palabras, y el texto llegó a todo el mundo porque unos lo íbamos pasando a otros, un poquito emocionados y muy agradecidos a quien supo dar respuesta a una demanda semejante a Dios, cuando había tantos hombres que debían ser los demandados. Siento una pizca de vergüenza al aclararles a algunos escépticos o burlones de la fe que ese texto es una metáfora hermosa, Dios no es Clark Kent sosteniendo edificios vestido con un traje ajustado de color azul, una capa y calzoncillos colorados; ni conduce un charter que deposita gente en el Cielo; ni tampoco se sienta a llorar por algunos hombres tapándose la cara con las manos. Aunque de esto último no estoy muy seguro.

Sí, creo que hasta Dios llora por lo tontos que somos. Es razonable, entonces, que Jesús lo haya hecho en la tierra, porque hace dos mil años éramos igualmente tontos. Y es razonable que la Virgen haya derramado sus lágrimas de sol. La Santísima Virgen lloró, y lloró mucho. En La Salette, a mediados del siglo pasado en un período durante el cual el cristianismo en Francia recibía muchos golpes. En Fátima, cuando los niños describen la tristeza de la Virgen al hablar de lo ofendido que estaba Dios por lo que hacían los hombres. En Lourdes, donde se apareció llorando, apenada y dolorosa, pidiendo que cambiáramos para evitar las tragedias y castigos que ya nos habíamos ganado.

Y lloró en vida. La Tradición habla de las siete espadas de la Santísima Virgen. Los siete dolorosos sufrimientos. El número siete, en el idioma de la Biblia, significa plenitud. María sufrió en plenitud de dolor, siete espadas.

1) LA PROFECÍA DE SIMEÓN: Simeón, en el templo, se había dirigido a todos los presentes, bendiciendo en particular a José y María, pero luego predice sólo a la Virgen que participará en el destino de su Hijo. Inspirado por el Espíritu Santo, le anuncia: "Este está puesto para caída y elevación de muchos en Israel, y para ser señal de contradicción –¡y a ti misma una espada te atravesará el alma!– a fin de que queden al descubierto las intenciones de muchos corazones"(Lc. 2, 34-35).

2) La HUÍDA A EGIPTO: Para escapar a una segura muerte de Jesús por mano de los soldados de Herodes. El ángel les avisó que debían huir.

3) LA PÉRDIDA DE JESÚS NIÑO EN JERUSALÉN: Jesús tenía doce años cuando se pierde en la ciudad. Ella sufre mucho, es un sitio enorme y lleno de caras desconocidas para ellos. Lo encuentran en el templo, hablando con los sacerdotes.

4) EL ENCUENTRO CON JESÚS CAMINO AL CALVARIO.

5) LA MUERTE DE CRISTO EN LA CRUZ.

6) EL MOMENTO EN QUE BAJAN A JESÚS DE LA CRUZ Y LO DEJAN, MUERTO, EN SUS BRAZOS.

7) CUANDO SEPULTAN A JESÚS.

Como pueden ver, los siete momentos de dolor de María están ligados a la vida de Jesús. Eran y son un único corazón. Cuenta la Tradición que Nuestra Señora concederá siete gracias a aquellas almas que recen siete avemarías meditando en los dolores que sufrió por esas siete espadas. Estas son las gracias, según se cuenta:

1) "Yo concederé la paz a sus familias."

2) "Serán iluminadas en cuanto a los divinos Misterios."

3) "Yo las consolaré en sus penas y las acompañaré en sus trabajos."

4) "Les daré cuanto me pidan, con tal de que no se oponga a la adorable voluntad de mi divino Hijo o a la salvación de sus almas."

5) "Los defenderé en sus batallas espirituales contra el enemigo infernal y las protegeré cada instante de sus vidas."

6) "Los asistiré visiblemente en el momento de su muerte y verán el rostro de su Madre."

7) "He conseguido de mi Divino Hijo que todos aquellos que propaguen la devoción a mis lágrimas y dolores, sean llevados directamente de esta vida terrena a la felicidad eterna ya que todos sus pecados serán perdonados y mi Hijo será su consuelo y gozo eterno."

Hasta en eso está pagando bien por mal. Yo creo que el mundo sería un lugar maravilloso si, sencillamente, todos intentáramos imitar a Jesús y a María. No es fácil, lo sé, pero para ellos tampoco lo fue.

—*Ey, me gustó todo esto.*

Gracias. Como premio te voy a dar lo que tanto te gusta: un testimonio para la emoción, un sacudón que despierta esperanzas. Disfrutalo.

15

Corresponsal de paz

En septiembre de 2003 estábamos preparando los testimonios del programa de televisión *Misterios y Milagros*. Uno de los casos que se investigarían a fondo sería el de María Livia y las apariciones de la Virgen en Salta. Un equipo viajó a esa provincia para vivir uno de los sábados en que se producía el hecho, de acuerdo con lo que sabíamos hasta entonces. Nuestro hombre en esa misión fue el periodista y productor Iván Marich, 30 años, soltero, con una definición religiosa que él mismo cuenta aquí:

—Yo soy una persona de fe. Soy católico practicante, voy a misa, cumplo con todo o lo intento, pero en realidad fui a Salta con mucha expectativa, a ver que era "eso", si era cierto. Mis expectativas no eran "uy, esto va a a ser algo grandísimo" ni "esto va a ser nada", fui a ver qué era.

—Además ibas a trabajar...

—Totalmente. Pero, como siempre hicimos en el programa, si había algo que dejara dudas se nos pinchaba la nota y no la poníamos en el aire a pesar del viaje, el gasto, las esperanzas, todo. Igual que vos y que todo el equipo, quería que si íbamos a contar una historia estuviéramos convencidos de que en verdad algo estaba pasando.

Así era. Iván era la persona ideal para ese trabajo, ya que tiene fe, pero también es objetivo y no le gustan las desviaciones de la religión. No deja que nada ni nadie tenga influencia sobre él y mantiene sus ideas con firmeza pero con mente abierta. La charla que sigue es, casi, una foto de lo que es Tres Cerritos y lo que ocurre allí. Incluye preguntas que podría hacerse cualquiera que no conoce el lugar. Y respuestas puntuales que, como es usual, se respetan palabra por palabra. Su descripción y sus sensaciones están contadas con tanto detalle, naturalidad y eficacia que demuestran la visión pulcra periodística de Iván mezclada prudentemente con su fe religiosa. Nadie podría relatarlo mejor. Incluyéndome, porque alguien diría que no soy objetivo. Y podría tener razón. Allá vamos.

—¿Cómo fue desde que llegaste al cerro? Contalo con detalles, para los que no fueron nunca...

—Vos subís un poquito en auto hasta que llegás a una tranquera, en esa tranquera ya te encontrás con un montón de gente y con los que se llaman "los servidores", que son las personas que colaboran con María Livia.

—También se los llama así en otros grupos religiosos. Son ayudantes.

—Ayudantes, eso es. Todos ellos llevan un pañuelo celeste atado al cuello, por eso los identificás. Desde esa tranquera tenés dos opciones: subir un tramo más en auto hasta la mitad del cerro, más o menos, donde hay un estacionamiento, o ya arrancar caminando desde allí. Y la gente que no puede subir caminando los llevan directamente desde allí, en camionetas, hasta la cima del cerro. Eso es para la gente en silla de ruedas, inválidos...

—O un tipo como yo, cardíaco.

—Exacto. La caminata se hace por adentro del cerro, por entre las plantas, donde ya está formado un sendero.

—Debe ser bonito.

—Es muy bonito y, además, ya entrás en una etapa de tranquilidad, vas empezando a sentir un aire de paz. De cuando en cuando hay cartelitos que te invitan a orar, te invitan a relajarte. Y no es difícil que te ocurra, porque vos vas subiendo, no hay ruidos, solamente los pájaros y vos que vas subiendo entre los árboles. Nadie va como de picnic, riendo. Todos lo hacen muy tranquilos, en silencio, y cuando llegás arriba ya has entrado en un clima pacífico, ya estás preparado, en cierta forma.

—Aun para gente sana, ¿hay ayuda? ¿no es duro el ascenso?

206

—No, es plácido. No es una montaña empinada, es un cerro. Todo es muy plácido. Y ya desde la mitad del camino hay gente que te va ofreciendo agua o lo que necesites... La caminata hasta la cima dura unos veinte minutos...

—¿Venden algo?

—No, no. Nada. El agua fresca o lo que fuera te lo ofrecían, nadie quería venderte absolutamente nada.

—¿En ningún lugar hay limosneros, alcancías, esas cosas?

—No, para nada.

—A mí me dijeron que, por el contrario, hay cartelitos que piden que por favor no se deje dinero ni ofrendas de ningún tipo, ¿es así?

—Exactamente. Lo único que se deja arriba, cuando llegás, son mensajes con pedido de oración para que le lleguen a María Livia en mano.

—¿Cómo es el lugar en la cima?

—En un lugar hay muchas gradas hechas rústicamente, de madera, algunos troncos, que dan a una explanada de cemento y, atrás de las gradas, hay un caminito que te lleva a lo que es la ermita, la gruta donde está la imagen de la Virgen. Lo habitual es que uno llega, hace la fila para entrar a la gruta a visitar a la Virgen, sale, los servidores invitan al que quiera a dejar un mensaje para ser entregado a María Livia, se deja el papelito con el mensaje en una canasta y ya está...

—No quiero ser el villano de la película, pero debo preguntarte cosas que es importante que vos respondas para que queden en claro... ¿tampoco hay alcancías para limosnas en la ermita?

—No, en absoluto.

—¿Los mensajes escritos son leídos públicamente por María Livia?

—No, para nada, en ningún caso. Son mensajes muy privados, intenciones para que María Livia se las transmita a la Virgen, esa es la idea. Después la gente se va ubicando en las gradas de a poco y, a las tres de la tarde, se empieza a rezar el rosario.

—¿Y María Livia? ¿Esto ocurre antes de que llegue ella?

—Antes de que María Livia llegara adentro. Ella, supuestamente, está ya allí, entre la gente. Había mucha gente, yo no la vi en ese momento, en ese momento me estaba ocupando más de mirar la cara de la gente.

—¿Y cómo estaba la gente?

—Había gente grande, chicos, gente enferma, pero todos con una actitud de mucha tranquilidad... La media hora que dura el rezo del rosario es como siempre en cualquier otro lugar. Al terminar, se invita a la oración de intercesión que hace María Livia y se empieza a formar una cola por uno de los costados de la explanada...

—Mucha gente...

—Es terrible la cantidad de gente. Mucha, mucha gente, y muy diversa. Ya te digo, gente mayor, nenes, mujeres, varones, personas de todo tipo de nivel adquisitivo. No es cierto, como se dijo en algún lado, que es solamente para gente de cierta elite, para clases sociales económicamente altas. No. Ves todo tipo de gente allí.

—Pero, por ejemplo, insistiendo con el papel del abogado del diablo, Dios me libre de eso, las camionetas que llevan a los que no pueden ir caminando, ¿quién las paga?

—Las camionetas son de los servidores, son de la misma gente que ayuda a María Livia. Los que colaboran ponen sus camionetas particulares al servicio de la gente que no puede llegar. Los que son llevados no pagan nada. Y esas camionetas no paran de subir y bajar, subir y bajar, llevando gente y luego bajándolos. No descansan. Nunca cobran.

Seguramente ustedes, que leen esto, ya empezaron a bajar lentamente la guardia como me pasó a mí, como les pasa a todos. Por más que uno se empeñe en buscar el pelo en la sopa, no hay caso, no hay pelo. Ninguna persona, sin excepción, deja un solo centavo en toda esta experiencia. No hay dinero ni ofrendas ni el viejo truco de "cada uno deja lo que quiere". Nada. Limpito. Difícil de aceptar pero es el mejor argumento para que uno se interese más por lo que pasa en el cerro salteño.

—Termina el rosario y entonces invitan a hacer esta oración de intercesión con María Livia...

—Eso, ¿qué es la oración de intercesión de la que todos hablan?

—Es una manera por la cual María Livia intercede por cada persona ante la Virgen. Vos lo que ves es que, a partir de ese momento, María Livia se para en el medio de esa explanada de cemento, que tendrá diez metros por diez metros y entonces...

—Perdoname. ¿María Livia llega con mucha pompa, de una manera tipo espectacular, alguien la anuncia?

—No, no, nada de eso. María Livia está allí con la gente. Ya estaba, es una más, estaba allí, ni siquiera dirigió el rosario, rezó como todos...

—Y luego sube a la explanada.

—Sí, se levanta de la grada donde estuvo rezando con todos los demás y va hacia la explanada, eso es todo. Lleva un rosario en la mano. Desde ese momento hay cuatro o cinco chicos que empiezan a tocar guitarras y eso también te pone en un clima muy especial porque no es que estén cantando alabanzas ni canciones de la iglesia, es simplemente un punteo de guitarras que te acompaña. Pensá que hay gente que sube a los diez minutos y hay otros que están allí diez horas, porque quieren. Muchos sábados se terminó a las tres de la madrugada. Y, haya la gente que haya, María Livia no se mueve de ese lugar hasta que pase el último.

—¿Y es así cada sábado?

—Exactamente.

—Estamos con María Livia en la explanada... ¿qué pasa allí?

—Comienzan a subir grupos a la explanada, grupos de entre quince y veinte personas, todo muy ordenado porque los van orientando los servidores. Hacen un círculo alrededor de María Livia y ella va pasando por cada uno y poniéndose frente a esa persona. Allí es cuando la mayoría cae hacia atrás y es sostenido por los servidores que lo depositan en el suelo con mucho cuidado.

—Pero ¿cómo se caen? ¿Qué es lo que vos viste?

—Lo que yo vi de afuera es que, cuando María Livia se ponía frente a una persona, la miraba, la tocaba y la persona caía.

—Es bueno aclarar cómo es el toque. No lo empuja, claro. A mí me dijeron que es como una caricia.

—Sí, casi no los toca, lo que es claro es que levanta la mano pero ni llega a tocar a nadie en la mayoría de los casos, es un roce apenas. También es bueno aclarar que esto no es un desmayo, tampoco...

—Bueno, en este tramo de tu relato vamos a hacerlo más personal. Vos te uniste a la gente en un momento dado. Quisiera que me contaras en detalle qué fue lo que te ocurrió y lo que sentiste.

—Sí, yo estuve en uno de esos grupos. Al principio lo que sentí fue una profunda angustia, no sé por qué. La angustia crecía en la medida en que se acercaba mi turno... María Livia se paró frente a mí, me miró a los ojos, con su mano izquierda me agarró la mano derecha muy suavecito y su mano derecha me la apoyó en el hombro. Pero me la apoyó con mucha suavidad, como una caricia. Y sacó las manos. En ese instante yo sentí que los ojos se me cerraban y que me iba para atrás...

—Pero ¿por qué te ibas para atrás?, ¿alguna fuerza te empujaba? Me refiero a alguna fuerza, incluso, de tipo espiritual.

—No, nada. Absolutamente nada. Sólo María Livia retiró su mano muy suavemente y yo sentí que me había quedado sin fuerzas y me caía. Eso es lo que yo sentí, exactamente: que tenía que cerrar los ojos y dejarme caer hacia atrás.

—¿Y no sentías, también, miedo a romperte la cabeza?

—No. Lo único que sentí es lo que te digo. Debía cerrar los ojos y debía dejarme caer... Atrás de cada persona están los servidores que, cuando uno se cae, lo atajan, lo acompañan en la caída y lo dejan en el suelo.

—¿Y cuánto tiempo se queda cada uno en el suelo?

—Según cada persona. Hay quienes se quedan así, acostados, por treinta segundos, y otros que pueden estar horas. Por eso, cuando hace mucho frío y ven que alguna persona se queda más que lo común, enseguida le ponen una manta encima. Y no lo corren ni lo sacan, lo dejan allí hasta que esa gente vuelve a ponerse de pie. Ocupan un lugar, pero es así, se los respeta mucho y se los deja lo que sea necesario.

—¿La gente le cuenta el problema por el que están ahí?

210

—No, en absoluto. No hay palabras en ese encuentro frente a frente. Ella te toca suavemente pero nadie dice ni una palabra.

—Pero alguno debe intentar decirle algo, es hasta natural.

—No, ahora que me lo decís no recuerdo a nadie que le haya hablado. Yo he visto chicos que tampoco le dijeron nada al estar frente a ella...

—Perdón... ¿chicos, niños? Repetime eso, a ver si entendí.

—Sí, chicos, niños. Yo los he visto, chicos enfermos, que estaban gritando, llorando, y cuando llegaba María Livia frente a ellos, ellos se tranquilizan...

—¿Chicos de qué edad?

—Seis, siete años... y un poco más grandes también.

—¿Y se tranquilizan?

—Se tranquilizan, se calman, dejan de llorar. Eso es otra cosa que también impacta mucho.

—Volvamos a tu propia experiencia.

—Yo sentí que me iba para atrás y me dejaba ir sin hacer nada para impedirlo. Sentí que caía hacia atrás, pero escuchaba todo, no era un desmayo, estaba plenamente conciente. Enseguida me agarraron y pueden haber sido segundos, yo no sé, no tengo una sensación de cuánto tiempo, fueron unos segundos, estuve así acostado ese tiempo, abrí los ojos, me ayudaron a levantarme, me preguntaron si estaba bien, un servidor me acompañó hasta un costado como hacen con todos, me volvió a preguntar si estaba bien, si quería agua, le dije que no, que estaba bien, todo perfecto, y bajé. Les preguntan a todos si están bien porque ese instante es como una descarga, es una cosa muy rara lo que ocurre, no se la puede comparar con nada conocido.

—¿Qué cambió en vos en el minuto siguiente a la experiencia? ¿Sentiste más fuerza, más energía, o tal vez menos, te sentiste débil?

—Me sentí distinto. Me sentí distinto. Sobre todo que yo pasé por todo eso como parte de mi trabajo, no iba allí por algo especial, a pedir algo. Pero, sin embargo, tuve vivencias que no esperaba. Desde el principio, como te dije, cuando María Livia se iba acercando a mí, yo sentí angustia...

—Vos estabas allí sin esperar una sanación, un milagro, una ayuda, ¿por qué sentir angustia?

—No lo sé. Sentía angustia. Sentí ganas de llorar y lloré. No te puedo explicar por qué, no lo sé. Puede ser el clima general, la gente, el lugar, puede ser sugestión, lo que quieras, no lo sé. Lo que sé es que nunca había sentido nada semejante. Sentí angustia hasta que ella llegó frente a mí y después me sentí muy tranquilo, con mucha paz. Pensás: "Qué lindo momento, qué sensación única", pero sin ir más allá. Después entra lo racional y te preguntás: "¿Qué pasó?". Y desde lo racional, no se le puede dar ninguna explicación a esto. Lo que tengo bien claro es todo lo que te acabo de contar y que, después, me sentí mucho más liviano, esa es la palabra, me sentí mucho más liviano, con más paz. Qué fue no te lo podría decir. No lo sé.

—¿Y tampoco sabés cuánto tiempo estuviste acostado?

—No. Según me dijeron los que estaban conmigo, fueron segundos. A otros les lleva más. Pero creo que no importa el tiempo, sino la sensación de lo que uno siente. Es tan fuerte lo que pasa que no se mide en tiempo, allí no tiene ninguna importancia el tiempo. Y uno tiene plena conciencia, se da cuenta de todo lo que está alrededor, se escucha todo, pero es como si ese todo pasara a segundo plano, ocurriera en otra parte...

—Es como si entraras a otra dimensión.

—Exactamente, exactamente. Yo sé que es difícil de entender, pero es así. Cuando después hablé con cada uno de los que pasaban por eso, estaban sintiendo lo mismo. Si fuera sugestión no sentiríamos todos lo mismo.

—Es cierto. Porque una alucinación colectiva haría que cada uno sintiera cosas diferentes de acuerdo con su carácter, su estado de ánimo, su físico o lo que sea. Pero al sentir todos exactamente lo mismo, en especial ese estado de paz, no hay ilusión colectiva. Es lo que pasa con los casos de personas que hemos pasado por una muerte clínica. Profesionales, obreros, varones, mujeres, chiquitos, americanos, europeos, asiáticos, amas de casa y actrices famosas, todos cuentan las mismas sensaciones. Y aquí también.

—Exactamente. Yo me animaría a decir que son fuerzas que se viven sólo cuando en ese lugar y momento está pasando "algo". Algo que no se puede definir pero que está allí, de manera potente. Pasa, también, en San Nicolás, cuando es una fiesta de la Virgen y hay cientos de miles de personas. Es una energía impresionante que no se puede mostrar, pero que está. Uno se pregunta: "¿Qué pasa acá?". Y no hay respuestas. Hay cosas que la razón no las puede explicar. En mi caso es bastante desconcertante porque soy muy racional y no puedo ni siquiera intentar darle una explicación a lo que viví. Lo que te puedo decir es que algo hay.

—Vos fuiste a ver qué era eso y te llevaste una sorpresa grandota. La gente que va con una enfermedad, ¿se sana?

—Hubo casos en que sí, vos conocés algunos...

—Me da la sensación, Iván, de que todo lo que allí ocurre va más allá de una sanación, como si se sanara el alma más que nada.

—Es una sensación correcta, creo. Mirá: cuando yo estaba, había un hombre que tenía un cáncer terminal y había ido con su mujer. Pasó por todo lo que pasé yo y la mayoría, la oración dada por María Livia, caerse, estar un momento en el suelo. Y bajó del cerro con mucha paz, pero me contó que en ningún momento había ido a pedir la cura. El hombre fue a entregarse a la Virgen y a estar ahí con su señora para que les dieran fuerzas a los dos para lo que seguiría. Lo que te llamaba muchísimo la atención era que, al bajar, lo veías feliz al hombre, en verdad estaba feliz. Tenía claro que no sanaría de su enfermedad, pero tenía más formas de que él y su esposa afrontaran lo inevitable. Tiempo después me enteré de que, efectivamente, había fallecido, pero tanto él como su mujer tenían una paz, transmitían una paz, que hacía que te dieras cuenta que había encontrado en ese lugar justamente lo que fue a buscar.

—¿Cómo supiste vos que el hombre murió tiempo después?

—Bueno... Yo nunca te lo conté, pero este hombre es uno de los que salió al aire en *Misterios y Milagros*, en nuestro programa...

—¿Y por qué no me lo contaste?

—Porque cuando yo llamé para avisar que el programa donde aparecía él iba a salir al aire, me dijeron que hacía dos días que había muerto. Creímos que era mejor no decirte nada porque a vos estas cosas te pegan mal.

—Además, tanto vos como Paola (Paola Segato, productora ejecutiva del programa) sabían que si yo me enteraba de que había muerto no lo iba a mandar al aire. Pero creo que me hubiera equivocado.

—Y, sí, te hubieras equivocado, porque yo sabía cómo estaban las cosas en la familia y cómo había muerto él.

—¿Hablaste con la familia?

—Sí. Al saber que había fallecido, hablé con la mujer, hablé con los hijos y, bueno, me contaron cómo les cambió todo al hombre y a su familia el hecho de haber ido a Salta. Y cómo él murió en paz, en mucha paz. Más aún: al día siguiente del programa yo recibí un e-mail particular del hijo. Emocionado, me cuenta que toda la familia estaba feliz de haber visto a su padre allí. Y que había sido muy bueno escuchar su testimonio porque eso podría serle útil a otro que pasara por esa circunstancia.

—No sé si estrangularte o abrazarte.

—Mientras lo pensás, te cuento que yo hablé con este hombre dos meses después de conocerlo en el cerro, en Salta. Y estaba en paz, completamente en paz. Tenía la certeza de que su muerte estaba próxima, pero no sólo lo escuchabas muy tranquilo sino que, además, tenía un sentido del humor que era sorprendente para su estado. Estaba contento, todo el tiempo haciendo chistes, sintiéndose feliz, en verdad disfrutando de lo que le quedaba en este mundo y que él sabía muy bien que no era mucho tiempo. Estaba feliz. Y es algo sobre lo que no tengo dudas, algo que me admiró mucho porque, en una situación así no es nada común encontrar una persona en ese estado sino al contrario. El hombre tenía fuerzas para animar a todo el mundo. A su familia, los amigos, los médicos, a mí. Por eso no lo olvido.

—Ahora tampoco lo olvidaré yo. Más aún teniendo en cuenta que ellos no fueron a Salta a buscar el milagro de la sanación sino fuerzas para que él muriera con paz y dignidad.

—Exactamente. Yo se los pregunté cuando estábamos en el cerro: "Ustedes ¿no vienen a buscar un milagro, no están esperando un milagro?", y me dijeron: "No, no estamos esperando un milagro". Esto me pareció una cosa bastante impactante.

—Iván, yo diría que morir en paz y con dignidad y con sentido del humor a pesar de lo que sea, es un milagro.

—Totalmente, totalmente. Pero me sigue asombrando cómo la fe puede llegar a sobrepasar el instinto animal de la persona, porque el instinto es sobrevivir y el instinto de él no era sobrevivir sino saber morir. Lo logró.

—Y vos, ¿lograste algo? No ibas a buscar nada, sólo a hacer una nota, pero ¿encontraste algo?, ¿algo cambió en vos?

—Yo siempre tuve fe, ya sabés, pero hay algo que cambió en mi. Me acercó otra vez a la Iglesia. Estaba un poco distanciado, enojado con algunas cosas, había creado una especie de relación personal con Dios, sin los curas de por medio. No sé si fue esta experiencia nada más o todo lo que vivimos en los dos años del programa de tele, con tantos casos que no te permiten ignorar algunas cosas, pero a pesar de mi manera racional de ser, noté que perdió el sentido esa distancia que había puesto con la Iglesia. Pensé que, al fin de cuentas, somos todos seres humanos, podemos discutir las cosas veinte veces, podemos equivocarnos, pero lo importante es Dios que nos nuclea a todos. Eso es lo trascendente que te permite disculpar los errores de otra gente de tu misma creencia. Volví a la Iglesia, sí. Ese fue mi cambio.

—Y eso también puede ser un milagro.

—Sí. Pero yo creo que en Tres Cerritos, en María Livia, en las oraciones de intercesión con la Virgen, lo que se busca no es un milagro, es la paz. Hay milagros, como en el caso de Leandrito, ¿te acordás?

Sí, me acordaba. Es un caso de los que agregué en *El ángel de los niños* en su edición de 2004 (El Ateneo). La situación del chiquito fue muy complicada desde el punto de vista de la salud y desde el instante mismo en que nació. Tanto que escribí que Leandrito "había entrado al mundo por la puerta de emergencia". Alberto y Fátima, sus padres, lucharon con todas las armas. Él es médico, pero no alcanzaba la ciencia. Terminan en un encuentro en el convento de las monjas carmelitas, en Salta, y con María Livia pidiendo para el niño la oración de intercesión. Todo, desde el principio, es emocionante. Pero ese final nos superó. Recuerdo que lo escribía y casi parecía que sonaba música acompañando la escena. Sí, me acordaba muy bien de Leandrito.

—Pero no se busca un milagro en el cerro. El que va a buscar el milagro y la paz, la paz se la lleva seguro, el milagro no sé. Yo creo que hay milagros también, pero lo que seguro sé es que hay paz. De eso no tengo ninguna duda —me dice Iván.
—Es un buen final de la entrevista —supongo yo, sonriendo.

Yo no podía imaginar que ese era, apenas, el principio. No podía imaginar que mi sonrisa se borraría de un cachetazo. Y, menos aún, podía imaginar lo que me esperaba.

16

Lloro ante el coraje

Te necesito mucho, Mariano, te necesito mucho.

—*Ya lo sé.*

Casi estoy a punto de abandonar este librito, de abandonar todos los libritos. Son una colección de palabras más o menos bien acomodadas, pero cuando la realidad te da una trompada en la boca del estómago, uno vomita todos los sueños. Pasó algo muy duro, Mariano.

—*Lo sé.*

Por lo pronto, voy a contarlo, voy a escribirlo, tengo una cruel necesidad de compartirlo con mis únicos patrones en la Tierra, con los que tienen esto en sus manos, si es que sigo.

—*Está bien.*

Mi amigo Iván Marich, en su testimonio, habla de un hombre que fue al cerro salteño a buscar a la Virgen, a recibir la oración de María Livia, con la certeza de su propia muerte porque tenía un cáncer muy avanzado. José Antonio Cundari, 60 años, es quien fue con su familia a Salta. Tenía cáncer con metástasis avanzada, es decir que esa maldita enfermedad no sólo estaba, sino que crecía y tomaba otros órganos. Nani, como lo llamaba su familia, lo tenía claro. No fue a Salta a buscar el milagro de sanación, sino el de la paz. Llegar al momento final en este mundo con dignidad y paz suficientes como para estar orgulloso de su propia muerte, cosa que no muchos pueden sentir o decir. Nani lo logró, como contó Iván. Pero yo quise saber más, vieja pretensión afiebrada del que trabaja de contar cosas. Entonces, el 7 de junio de 2005, día del periodista para peor, quise dar otra vuelta de tuerca a la historia, ampliarla, enriquecerla. Yo estaba –y estoy cuando escribo esto– en Pinamar. Solo. Mi mujer y mi hija vienen cuando les doy luz verde, de cuando en cuando. Escribir, operarse del corazón, ir a la guerra son hechos individuales. Uno no puede encarar ninguna de las tres con toda su familia sobre los hombros.

¿Cuál era la vuelta de tuerca de este caso? Llamar a María, la esposa del Nani Cundari, para que, al menos por teléfono, me contara si la partida de ese hombre de agallas había sido tan en paz como Iván me contaba. No dudaba de Iván, por supuesto, pero necesitaba la voz protagonista.

Llamé y algo explotó. Mi mundo de consejos y aliento se desmoronó como si lo hubieran bombardeado con acero y lava.

Lo que van a leer ocurrió hace apenas un par de horas. Pensé en dejarlo para mañana porque estoy emotivamente golpeado, pero también pensé que si hago eso soy un cobarde que se esconde de lo que siente. Por eso, dejo que mis dedos se desparramen ansiosos, a una velocidad mayor que la habitual, por el teclado voraz que espera que yo largue todo para reírse, para llorar o para mirarme con su sonrisa boba de qwertyuiop en la primera línea de teclas. Dios, quiero hacer esto un poco más liviano, menos feroz, y termino escribiendo pavadas. De todas formas, es una suerte que haya decidido desde ahora no leer este capítulo al terminarlo para que aquí estallen mis dudas sin censura, para poner lo que Dios me dio de hombre sobre el escritorio, para abrir mi corazón como fue mi promesa desde el primer día en que empecé a hablarles a ustedes.

—*Vas bien. Sin frenos pero bien.*

Ni siquiera me importa si voy bien. No quiero ser mi propio juez al menos en lo que hace a lo presuntamente literario. Me siento como una barracuda desdentada, un pobre personaje secundario de un drama ajeno, un imbécil que juega a escribir.

A partir de aquí, voy a transcribir de manera absolutamente textual la conversación que tuve con María Cundari, la esposa de José Antonio. Lo que me dice y ahora leerán me tomó con la guardia baja por completo. Yo llamaba para que me contara los últimos y pacíficos momentos de su esposo. Y me encontré con algo inesperado que me hizo tambalear. Dudé, sí, ¿y qué pasa? ¿Yo soy el superhombre de la fe? ¿Un santo? ¿Un ángel? No, lo siento. Soy débil, flaqueo, me caigo, me angustio. Desde el primer librito les digo a ustedes que, por sobre todas las cosas, nunca les voy a mentir, aun cuando me perjudique ser sincero.

—*No olvides la esperanza, Galleguito. Acordate que cuando escribías* El ángel *ocurrió el atentado a la AMIA y también la furia te nubló la fe. En aquella oportunidad te dije algo que te repito: con todo cariño, lo importante no sos vos, sino el que está leyendo este libro. Si lo tiene en sus manos, es porque está esperando que le abras la puerta a la esperanza. No se la cierres. La persona que lee esto, quiere respirar profundo, por lo general. Sin esa persona que sostiene ahora este libro, dicho con todo cariño, vos no tendrías ningún sentido. Yo sé que entendés... ¿Le vas a fallar a esa persona?*

Todos tenemos crisis, Mariano. Muy lejos de lo poco que soy, hasta Pedro negó tres veces a Jesús, lo sabés; San Francisco subió a la montaña con desesperación para pedirle a Dios a los gritos que le diera una señal; San Pablo fue el gran perseguidor de cristianos hasta que se convirtió no sólo en uno de ellos sino en un eje de la historia de nuestra religión; hasta Jesús, Dios Hombre, desde su cruz mira al cielo y pregunta: "Padre, Padre, ¿por qué me has abandonado?". Crisis de un segundo o de toda una vida. Por supuesto no me estoy comparando con ellos porque sería absurdo, sólo me justifico. Debo desahogarme y es lo que estoy intentando hacer, escribiendo muy rápido para no frenar lo que me acongoja pero que es real como esta lámpara, este grabador, como vos.

—*Ya lo sabés: Pedro se arrepintió y lloró y fue perdonado, porque era tan humano como vos lo sos. Francisco recibió como señal sus estigmas y sus poderes. San Pablo fue el gran comunicador de la historia cristiana y pidió perdón, también. Jesús Hombre debía sufrir eso así porque, de lo contrario, no hubiera existido redención alguna para la humanidad, también lo sabés. Incluso algunos de nosotros, los ángeles, se rebelaron en el prin-*

cipio de los tiempos y cayeron. No quieras entender la cosas tremendas que ocurren a tu alrededor con la razón, que es muy limitada, sino con la fe, que no tiene límites. Pero está bien, desahogate, estoy intentando frenar tu enojo y tu dolor, pero nunca intentaría estorbar tu libertad. Desahogate.

Martes 7 de junio de 2005. Son las ocho y media de la noche, más o menos. Llamo a María Cundari sólo para un dato más: escuchar de sus labios los últimos minutos de José Antonio, su esposo, que fue a Salta a buscar a la Virgen y, sobre todo, la paz.

Esta es la transcripción de la charla, resumida para no agobiar pero respetada palabra por palabra y llevada a cabo con el mismo clima de lo que leerán.

La conversación fue telefónica porque estábamos a cuatrocientos kilómetros de distancia y lo que yo buscaba era sólo un dato. Encontré mucho más.

En los primeros momentos, María se sorprende de mi llamado que no esperaba, claro. Me trata de usted. Le pido que no lo haga para no sentirme más viejo de lo que ya soy. Le cuento que yo no sabía que José Antonio, su esposo, había partido con Dios cuando sale al aire su grabación desde Salta en mi programa de televisión. Me dice que fue bueno que saliera. Que su hijo Diego llamó al canal y le pidió a mi colaborador Iván Marich si le podía enviar lo grabado y que el bueno de Iván le mandó no sólo eso sino todo lo que José Antonio había dicho pero que no había salido al aire porque en la tele, se sabe, no hay tiempo para lo que uno quisiera. Agrega que les encantó a todos los de la familia tener ese recuerdo de José Antonio (Nani, lo llamaban) que fue el último. Que su hijo Diego, el que pidió el video, estaba feliz de ver así a su papá.

María Cundari tiene 57 años, estuvo casada con Nani durante treinta y cinco. Ahora hablaba con un tono firme, claro, agradable, cálido.

—Para nosotros fue muy importante ese video…

—Iván me contó, sí.

—Fue muy emocionante porque es lo último que tenemos de mi marido.

—Me dijo, me dijo.

—Y es lindo verlo así y allí....

—Menos mal, me alegra...

Y allí vino el mazazo en medio de mi pecho, casi literalmente. Fue como si estuviera charlando con alguien en pleno centro de la ciudad y, de repente, me empujaran a un río helado que corría a mis espaldas y que ni siquiera sabía que estaba allí. Con apenas un pequeño cambio en el tono de voz, María Cundari siguió hablando con naturalidad al decir:

—Y a los seis meses murió mi hijo.

Al pronunciar la frase recién hay un quiebre en su voz que coincide con un quiebre en mi alma. Hablaba de su hijo, su hijo Diego que había pedido el video de su papá, un chico de 34 años lleno de fe y alegría.

—Tuvo un accidente volviendo de Mendoza. Al llegar a San Luis el auto chocó contra un camión y se murieron mi hijo y mi nuera.

—No sabía nada, María. —Y ahora, al escucharme desde el grabador, me produce cierta pena de mí mismo oír como intento mantener el tono de voz lo más normal posible. Imbécil. Tal vez pensé, sin tiempo para pensar, que si yo era el abanderado de la esperanza no podía flaquear y tenía que tomar las cosas como los médicos que le dicen a la familia que el paciente acaba de morir en la operación. Es un tono que pretende seguir apenas un poco más bajo, pero con una fingida naturalidad. Patético. María Cundari seguía hablando, con firmeza apenas rozada por las lágrimas.

—Un año muy trágico, este. En seis meses murió Nani, mi marido, Diego, mi hijo, y Andrea, mi nuera... Pero a mí lo que me sostiene es la Virgen. Ellos habían ido a Mendoza a ver a la Rosa Mística. Allí hay un hombre, Manuel se llama, que dice que se le aparece todos los días.

El tono de María retoma increíblemente la normalidad.

—A eso habían ido. Tenían contacto con este hombre porque ellos, Diego y Andrea, formaban grupos de oración con otros matrimonios. Por eso, en las vacaciones de invierno, fueron con la ilusión de ver a la Virgen porque, según dicen, no se le presenta solamente a Manuel, también la pueden ver otros cada día 28 del mes. Y bueno, mi hijo y mi nuera fueron con el corazón abierto para intentar ver lo más posible. Habían ido a misa toda la semana, habían hecho ayuno, habían confesado, habían comulgado. Y estuvieron en el momento de la aparición de la Virgen. Después, Andrea me contó por teléfono que ella no había visto nada, que el clima del lugar era muy bueno, muy religioso, pero que ella no la vio. Me dijo que, cuando yo fuera, iba a volver conmigo porque quería intentarlo otra vez. "Pero su hijo debe haber visto más que yo —me contó— porque él lloraba y se reía mientras estaba filmando en el momento en que todos estaban rezando el rosario cuando bajaba la Virgen".

Es impresionante oírla con ese tono de firmeza, tanto coraje natural.

—Y yo hablé con mi hijo el jueves, un día antes de que salieran para acá a la mañana temprano. Le dije: "Diego, pensá bien todo lo que viste porque quiero que me lo cuentes con detalles". Y me dijo: "Mirá, mamá, lo tengo acá filmado. Si realmente sale en la filmación todo lo que vi, yo no necesito abrir la boca, pero si no, te voy a contar todo lo que vi". Al otro día fue el accidente. Mi hijo y mi nuera murieron en el acto. Con ellos iban sus dos hijos, de cuatro y de diez años, que salieron del auto arrastrándose. En la zona los llaman ahora "los chicos del milagro de la ruta", porque, al ver el auto, parecía imposible que pudieran haberse salvado. Ahora están bien, gracias a Dios.

—¿Están con vos?

—Los tenemos con mi consuegra, la mamá de Andrea…

Escuché el relato de María sin interrumpirla, sintiendo que yo no era el mismo que la había llamado por teléfono hacía un rato, apenas. Al hacer la pregunta se me nota ahora, desde el grabador, medio adormecido, golpeado y más humano que cuando quise mantener la estampa soberbia de "son cosas que pasan" y lo único que conseguí es hacer el papel de imbécil ante mí mismo al escucharme luego. María, mientras tanto, seguía con su voz abrigada por la pena pero firme.

—Ellos tenían una imagen de yeso de la Virgen de Medjugorje, la tenían en una cajita porque, en el grupo de oración, se la iban pasando una semana a cada uno y ahí la tenían ellos. Y bueno, como iban ahí a Mendoza a ver si veían a la Virgen y todo eso, pensaron que era buena idea llevarla con ellos. Y otra imagen igual, pero sin la caja, la llevaban con ellos. Y bueno, cuando fue el accidente, el coche chocó con el camión y se ve que la imagen salió despedida del auto y empezó a dar vueltas y vueltas. El coche se desarmó todo y la caja de ellos con la virgencita la encontraron en el medio de la ruta. La abrieron y no se había roto, aunque es de yeso. Lo único que le falta es la mano. Y la mano no apareció adentro de la caja. La otra imagen estaba envuelta en una franela, al lado de mi nuera. Con el choque, casi todo salió despedido de adentro del auto, hasta la ropa, pero la virgencita no. Quedó allí, ensangrentada, al lado de ellos, sin romperse. La tengo aquí, conmigo. Y bueno, Ella sabrá mejor que nadie qué fue lo que pasó y por qué pasó. Ellos estaban muy preparados, estaban absolutamente en Gracia de Dios, venían de ver a la Virgen, habían recibido la Eucaristía, así que Ella sabrá por qué tuvo que pasar eso. Comentando aquí con las hermanitas... las de la Madre Maravillas...

—Las carmelitas —musito apenas con una voz ya lastimosa.

—Las carmelitas, sí. Una sobrina, que habló con las monjitas, les contó todo y la hermanita le dijo: "No, la mano de la Virgen seguro que no la van a encontrar porque debe ser la mano con que se los llevaron". Y yo creo que sí, también, que deben estar bien...

—No tengo ninguna duda —digo seguro pero vencido. María también dijo el último tramo de la charla con una voz nublada, con garúa en el alma y la garganta.

—La filmadora no apareció más. Y yo digo: si es que alguien se la quedó, habrán visto la filmación y, si vieron lo que vio mi hijo, bueno, será para que los redima a ellos. O para que crean.

María llora. Yo me esfuerzo para no quebrarme.

—Yo te pido que me disculpes, Víctor, que disculpes que aflojo así. Yo aguanto siempre, pero es que hoy es un día especial, me levanté mal, de entrada... Disculpame...

—Pero ¿qué me estás diciendo, María?, ¿cómo no vas a llorar?

—Yo te digo que no sé de dónde saqué las fuerzas para llegar hasta aquí. Yo sigo dando catequesis, estoy en un grupo, Resurrección, de gente que ha perdido a sus seres más queridos, no sé... Alguien puede pensar que a mí no me dolió. ¿Cómo no me va a doler la muerte de mi hijo y de mi marido, al que adoraba? Pero... gracias a Dios tengo la fortaleza de poder seguir y sé que ellos están bien adonde están.

—No tengo dudas, María, no tengo dudas. Ellos ya no saben qué es el dolor, la angustia, el miedo, es verdad. El dolor es todo tuyo, eso es lo que me acongoja. Mirá, ya alguna vez lo dije, pero no por eso es menos cierto: hay quienes imaginan a Dios como un francotirador que pasea su mira hasta hallar al que busca y le dispara; pero la realidad es que es un jardinero maravilloso que mira hacia abajo y, de pronto, ve una flor hermosa y se dice "es demasiado bella para estar en ese lodo", y se inclina, y la toma en su mano, y la lleva con Él...

—Yo pienso eso, también. Te digo que iban los dos cajones detrás de mí y yo tenía puesta mi cruz de cursillo, porque soy cursillista, como el Nani, y cuando velábamos a mi hijo y a mi nuera, vino una pariente mía y me dijo: "Pero ¿vos todavía tenés colgado eso?". Le contesté: "Yo tengo colgado esto porque no miro para atrás, estoy mirando para adelante porque me dejó los dos chicos. ¿Puedo pensar como si nada que en un accidente tan grande de estos dos chicos salieron ilesos?"...

María vuelve a masticar angustias. Nuevamente se le quiebra la voz. Yo ya sentía que mis fuerzas físicas y las otras huían de a poco de mí. La escuchaba en silencio más que respetuoso. Silencio conmovido.

—Yo quería irme detrás de mi marido cuando él se fue. Y después, cuando se fue mi hijo, no. No hago más que rezarle a la Virgen y a Dios que no me suelten, que me sigan agarrando porque necesito estar bien, necesito estar bien para llevar adelante a los chicos, ¿no?... Perdoname, perdoname, yo no soy así, de ponerme a llorar, siempre voy al frente, perdoname...

—Pero, ¿qué me estás diciendo? Estoy llorando yo, María. ¿Cómo podría no entenderte? Y no lloro por ellos, que sé dónde están, cómo están. Lo hago por admiración, lo hago por vos, por esa fortaleza y ese coraje que son magníficos. Lloro porque tu fe impresiona, María.

—Todo eso no es mío. Me lo presta la Virgen, me lo da Dios.

—Me hago mil preguntas, María, y sé que no voy a tener respuestas. Lo que sé con certeza es que hay un plan divino que nosotros no podemos comprender por ser humanos, un plan divino que nos supera aunque ahora no entendamos lo que nos pasa...

—Yo también lo sé. Estamos aquí porque tenemos algo que hacer, después nos vamos con Dios, al cumplir la misión.

—La misma María, la Virgen, la Mamita, vio frente a Ella como su hijo era crucificado. Y eso formaba parte del plan divino, también.

—Ya lo sé, es así, sí. Yo pienso igual.

—Dios mío, y yo te llamé para que me contaras cómo partió Nani, tu marido. No sabía nada de lo demás.

—Nani murió en paz. Totalmente en paz. El video que ustedes mandaron y en el que él aparece en el cerro de Salta, hablando, se lo mostré a mucha gente, incluso lo pasé en mis clases de catequesis. Y es una lección de fe. Nani termina esa entrevista diciendo: "Y si no creemos en los milagros, ¿en qué podemos creer?".

—Él consiguió el milagro de la paz...

—Vos sabés que Nani murió con el sacerdote en la cama, al lado de él. El cáncer había avanzado por todo su cuerpo y le tomó también el cerebro. Yo tenía miedo de que perdiera la conciencia, pero no, estuvo muy lúcido hasta último momento, a pesar de todo lo que le daban para soportar el dolor. Y no quería meterse en la cama, estaba en un sillón. Mantenía completamente el sentido del humor, pese a todo eso. En los cinco meses que sufrió la enfermedad, sabíamos que todo lo que se hacía era un paliativo, algo para que sufriera menos, pero que no había ninguna posibilidad de cura. Iba a morir y él también lo sabía. Yo, a los médicos, les decía que sigan haciendo lo suyo pero que me dejaran a mí hacer lo mío. Por eso es que lo llevé a Salta, por eso es que allí vivimos cuatro días intensísimos... No todos tenemos la gracia de morir rodeados por la familia, con un sacerdote al lado y rezando el avemaría...

—¿Murió rezando el avemaría?

—Sí. Cuando vimos que se puso tan mal, los chicos llamaron al médico y yo llamé al sacerdote, un sacerdote que estuvo con nosotros los cinco meses, que nos traía la comunión todos los días estando Nani internado, en casa, donde sea. Ese día, el médico y el sacerdote llegaron casi juntos. Mi marido estaba en el sillón, ellos lo acostaron en la cama y el sacerdote se tiró en la cama al lado de él. Cuando mi marido estaba internado, Vicente, el cura, no le mentía, le decía: "Vos sabés que esto va a florecer", y le decía: "Vas a ser una luz para todos nosotros, porque vos hiciste mucho en la tierra". Y ese día, acostado en la cama al lado de él, cuando Nani estaba muriendo, le decía: "Bueno, Nani, tranquilo, porque estás ahí, al lado del Señor, estás haciendo el pase para el otro lado, tranquilo". Y mi marido estaba con la máscara de oxígeno y lo miraba al sacerdote y, cuando ya no había más que decir, el padre Vicente dijo: "Recemos un avemaría" y Nani rezaba el avemaría mirándolo al sacerdote mientras lo rezaba y así se quedó.

María contó esos últimos momentos de Nani en el mundo sin tomar un solo respiro en su relato, largándolo mientras seguramente volvía a recordar cada gesto, cada sonido, cada palabra de esos minutos. Lo hizo acongojada, con una lágrima en su voz. Ya por la mitad del relato, yo me quebré del todo. Lloré también. El gladiador de la esperanza, el detective de Dios, el repartidor de fe, llora como un chico, pretendiendo que María no lo advierta, sofocando la angustia. Una vez más no lloraba por Nani, que no podía haber partido mejor, sino por los que quedaron, por ella que lucía su enorme coraje sin siquiera pensar en que estaba luciendo su enorme coraje. Y por Diego, el hijo, que no podía imaginar que seis meses más tarde partiría también para estar junto al padre y al Padre.

Como sea, escuché cada palabra imaginando lo que me contaba como si lo estuviera viendo en ese instante. Y no dije ni una sola palabra.

—Un grupo de gente que llevaba una Virgen de Fátima peregrina de casa a casa, la llevó a la nuestra la noche anterior a que Nani falleciera. Mientras llevaban la virgencita arriba, adonde estaba Nani, las chicas iban cantando al subir las escaleras. No sabés la emoción de él cuando la vio, es una imagen enorme. La emoción de él fue muy grande cuando la vio en la puerta, todo fue emocionante. Y me la dejaron, la dejaron ahí en el dormitorio. Así pasó Nani su última noche en este mundo. Yo creo que nos acompañó en todo momento, mirá, y nos preparó toda la vida, toda la vida nos estuvo preparando para todo esto. Estoy sostenida por Ella. Le digo a la Virgen que no me suelte, que si alguna vez aflojo, que me agarre fuerte de la mano...

Hay una pausa larga que, al escuchar el grabador, parece más larga aún. María se da cuenta de lo que pasa del otro lado de la línea. Toma aire con fuerza al decir, rompiendo la pausa y ese silencio respetuoso pero incómodo:

—Mirá qué gusto oírte y con cuánta cosa te tuviste que encontrar, ¿no?

—No, está bien — respondo llorando en su honor.

—Vos sabías que yo me tenía que descargar de esta manera, ¿no?

—Por supuesto, por supuesto, por supuesto... Disculpame, por favor, pero no puedo evitar que me escuches así. Te pido que disculpes este resbalón. No es buena manera escuchar lo que me contaste y ponerme yo igual que vos, no es manera...

—No, no, no... Al contrario.

—Y mirá que mi fe es granítica, no tengo ni la menor duda de dónde están Nani y tu hijo, pero algo se rompió adentro mío al escucharte...

—Yo te lo agradezco.

—No sé si voy a tener fuerzas para volver a escuchar todo pero, si las consigo, ¿puedo contar todo lo que me contaste?

—Por supuesto. Te lo puedo repetir minuto a minuto.

—Tengo que juntar esas fuerzas, porque el tuyo es un ejemplo de fe impresionante, impresionante. Es muy fuerte, muy fuerte.

—Yo hice soldar el anillo de matrimonio de Nani y el mío. En las parejas se habla de estar unidos hasta que la muerte los separe, pero yo me siento más unida ahora que antes, cuando estaba. A mí me mantienen en pie Dios y la Virgen. Si no tuviera fe no podría seguir.

—María, me va a gustar mucho ser amigo tuyo.

Dije que no leería este texto para no arrepentirme. No pude cumplir con eso, no puedo ni quiero ni debo mentirles a ustedes. Lo leí. Pero, eso sí, no cambié ni una coma. Hay errores de sintaxis, pero lo que menos importa en este caso es la gramática. Importa la potencia del relato, las frases tal como fueron dichas, golpe a golpe. Quiero que quede así. Incluso, la confesión de mis lágrimas me deja ante ustedes desnudo como una de ellas. Casi desprotegido, débil, pequeño. Pero humano. Elijo eso.

—*Y a mí me hace feliz que elijas eso. Sos nada menos que humano.*

Y nada más.

—*Un día, hace catorce años, le preguntaste a Ernesto Sabato cómo era posible que hubiera gente inteligente que no creyera ni aceptara lo sobrenatural. Y él te dijo: "Lo que pasa, Víctor, es que son nada más que inteligentes". Lo tenés grabado, ¿te acordás?*

Me acuerdo muy bien. Una frase perfecta del maestro.

—*Allí sí que ser "nada más" es feo. Ser nada más que inteligente te cierra las puertas del alma en la que Sabato y vos —salvando las distancias, si me permitís— siempre creyeron. Ser "nada más" que humano es mucho ser. Un humano es alguien rindiendo examen de ingreso a la eternidad.*

Lo voy a escribir.

—*Ya lo hice yo, no te molestes. ¿Te sirvió el relato de María Cundari como una nueva lección de fe en tu vida?*

Sí, pero me dolió su dolor, el de María. Y me golpeó su coraje.

—*No hay fe sin coraje, Galleguito. En un salmo, Abraham, padre de los pueblos, dice: "Señor, tú eres mi roca, mi escudo, mi fortaleza, mi refugio, mi lámpara, mi pastor, mi salvación. Aunque se enfrentara a mí todo un ejército, no temerá mi corazón; y si se levanta contra mí una batalla, aun entonces estaré confiado".*

228

Confiado en luchar, no en ganar.

—*Te pegó fuerte en serio, ¿eh?... Confiado en luchar, no en ganar, puede ser. Decime, ¿vos creés que la vida es un partido de fútbol?... Ganar o perder en lo que tengas adelante es cosa tuya, del empeño que pongas, de tu voluntad de vencer, de tus fuerzas, tu valentía y tu conocimiento. Pero el que te da la posibilidad de luchar, el que te regala la lucha, es Dios. No estoy muy seguro de que me entiendas...*

Te entiendo, sí. Dios me da un lápiz, lo que yo escriba con él es cosa mía, pero sin el lápiz que Él me dio no tendría cómo hacerlo.

—*Algo así. Entendés.*

Lo que no entiendo es por qué María sufre dos golpes tan fuertes en muy poco tiempo.

—*Vos mismo se lo dijiste a ella: hubo otra María que vio cómo clavaban a su hijo en una cruz y, tanto eso como lo de hoy, forman parte del plan divino. Nunca entenderías el plan divino.*

Contame, por favor. Un poco, sólo un poco.

—*María Cundari es notable y te impresionó tanto porque ella, como dijo San Pablo a los romanos, "cree esperando aun contra toda esperanza". No necesita que yo ni nadie le cuenten nada del plan divino. Siguiendo con San Pablo, escuchá bien esta definición preciosa: "La fe es la forma de poseer, ya desde ahora, lo que se espera...". María tiene tanta fuerza porque, a pesar de su dolor, ya posee lo que espera, el Reino de Dios. Porque, como dirías vos en tu a veces sospechoso lenguaje: "Tiene la fe bien puesta". ¿Vas entendiendo?*

Siempre te entiendo. Y te agradezco. Pero no puedo dejar de buscar respuestas con la necesidad con que alguien busca una linterna en las sombras cuando se corta la luz.

—*Usaste una palabra clave: necesidad. La fe no es una obligación, es una necesidad, vos mismo dijiste esa frase a los Tanoira unos capítulos atrás. Es una necesidad. Y un regalo, un regalo de Dios. Pero vos ya sabés todo esto, ¿qué te pasa?*

Ya sé, tenés razón. Me angustió mucho lo de María. Sus agallas son magníficas. Su marido y su hijo están en la gloria de la Vida Eterna, de acuerdo, pero siempre lo mismo: los que quedan son los que sufren.

—*La fe es el comienzo de la Vida Eterna.*

Eso es muy lindo.

—*No es mío, es del Catecismo de la Iglesia Católica, punto 163... ¿ya estás un poco mejor?*

Aún me duele porque no encuentro respuestas a algunas preguntas.

—*Ni lo harás. Felices los que creen sin haber visto... Tampoco es mío, es del Evangelio de San Juan, capítulo 20, versículo 29.*

Ya está bien. Todo es de otros. ¿No tenés algo tuyo?

—*Sí, claro. Mi cariño por vos, mi custodiado, mi grandote sensible, mi Gallego enojado, mi amigo. Y eso no va a cambiar nunca, ¿sabés por qué?*

No me hagás llorar, ¿querés? Ya está bien por hoy.

—*Porque el amor nunca se acaba...*

Eso lo escribió mi hijita Rocío en un papelito cuando tenía cuatro años. Jamás supe por qué.

—*Lo sé. Por esas cosas que tiene ella es que la amo tanto. Vamos, Galle, no te vas a poner a llorar otra vez.*

No sé.

—*"El amor todo lo sufre, todo lo cree, todo lo espera, todo lo soporta."*

Eso es San Pablo en Corintios 13... Tampoco es tuyo, Marianito.

—*Eso es de todos, Galle. Preguntale a María Cundari. Eso es de todos.*

17

Let it be

El tema *Let it be*, de Los Beatles, dice:

> *When I find myself in times of trouble*
> *Mother Mary comes to me*
> *speaking words of wisdom: let it be.*
> *And in my hour of darkness*
> *She is standing right in front of me*
> *speaking words of wisdom: let it be...*

En nuestro bello idioma eso significa, más o menos literalmente:

> Cuando me encuentro en problemas
> la Madre María viene a mí
> y me aconseja con prudencia, déjalo estar.
> Y en mis horas de oscuridad
> se planta recta frente a mí
> y me aconseja con prudencia: déjalo estar...

En el final dice:

> Cuando la noche esté nublada
> aún hay una luz que brilla en mí.
> Brilla hasta mañana, déjalo estar.

Me despierto al oír el sonido de la música
y la Madre María viene a mí
aconsejándome con prudencia, déjalo estar.
Déjalo estar, déjalo estar.
Habrá una respuesta. Déjalo estar.

Si bien es cierto que Los Beatles no fueron líderes espirituales ni mucho menos, también es cierto que tuvieron contactos directos con lo religioso. George Harrison, a fines de los sesenta, se convirtió al hinduismo. El resto tuvo raíces cristianas y las mantuvo, mal o bien. En pleno éxtasis de la fama, John Lennon visitaba a menudo un orfanato llamado Strawberry Fields e incluso compuso para los chicos que allí vivían el tema *Strawberry Fields Forever*. Ese orfanato era dirigido por militantes cristianos. Al morir John Lennon, unos quince años después de aquella declaración publicitaria suya que provocó el escándalo mundial que esperaban ("Somos más populares que Jesús"), se descubrió algo no publicitado, pero más cercano sin dudas a sus sentimientos: en su testamento dejaba cien mil dólares al orfanato cristiano Strawberry Fields.

El clima en el que ellos se criaron, la ciudad de Liverpool, tenía una dosis alta de religión católica de las dos ramas imperantes en Inglaterra, la Católica Apostólica Romana y la Católica Apostólica Anglicana. De la romana, ni hablar en lo que respecta a la Virgen; y tampoco de la anglicana, cuyos fieles veneran a María considerándola Siempre Virgen y Madre de Dios.

Por último, si se lo viera desde el punto de vista de los cristianos protestantes, aun cuando ellos no practican la devoción católica a la Virgen, no está de más recordar lo que sigue:

A la Virgen María se la llama debidamente no sólo "la madre del hombre" sino, también, la Madre de Dios. Es cierto que María es la Madre de Dios actual y verdadera.

Esto fue escrito por el hombre que, defendiendo lo que consideraba justo y seguramente lo era para ese año de 1517, provocó el cisma del cristianismo proponiendo la reforma: Martín Lutero. Esa rebelión que, vista a los ojos de la historia, era bastante justificada dados los desparramos morales en los que caían los jerarcas de la iglesia de entonces, dio a luz al protestantismo y a fe de Dios que había unas cuantas cosas por las cuales protestar con total legitimidad. Lástima separarse entre hermanos, pero bueno, lo de otro Martín (Fierro) con respecto a "los hermanos sean unidos, pues esa es la ley primera" vino mucho después. Dicho unos siglos antes, zafábamos. Lo cierto es que también se cambiaron algunas cosas y aunque la devoción a María no era ni es uno de los puntos fuertes de la reforma, su fundador y líder absoluto reconoció en la frase de más arriba lo que Ella significa para todo cristiano.

Y, si quisiéramos ir más lejos aún, no es necesario quedarnos entre los seguidores de Cristo. El mismísimo Corán menciona a María con profundo respeto y amor en treinta y uno de sus versos. Los musulmanes aceptan con fervor la Inmaculada Concepción, su santidad purísima, su calidad de Siempre Virgen y su condición de reina por el lugar de privilegio que ocupa en el paraíso... El Sagrado Corán (3.42) dice, textualmente:

Y cuando los ángeles dijeron: ¡María! Alá te ha escogido y purificado. Te ha escogido entre todas las mujeres del universo.

Como si hiciera falta algo más sobre la universalidad de María, baste con recordar que entró al templo de Jerusalén a los tres años de edad y allí vivió entre sus mentores hasta los catorce años.

Por todo esto, por esa fuerza universal impresionante de la Virgen, no es en absoluto algo extraño que Paul McCartney escribiera esos versos llenos de esperanza, el plato predilecto que Ella nos prepara. Incluso, por si aún queda alguna duda, el disco llamado *Let it be* se iba a llamar originalmente *Mother Mary*, Madre María, que por otro lado es la forma en que suelen mencionar a la Virgen los sajones.

Todo esto para decir, finalmente, que hasta eso se puede tomar como una señal en casos especiales. Cuando uno no comprende por qué pasan cosas que sentimos como terribles, cuando uno no tiene la fuerza descomunal de María Cundari y pretende cuestionar todo, cuando uno desespera, ese "let it be" puede sonar muy parecido a "no te preocupes que yo me hago cargo".

Cuando uno grita por qué ante el dolor, tal vez sea Ella la que nos repite y nos repite: "Habrá una respuesta. Déjalo estar".

18

Algo asombroso pasó camino al cerro

Florencia Lacroze, 29 años, soltera, arquitecta. Es la cabeza ejecutiva de la organización de peregrinaciones a Salta, para ir al cerro. Es dulce pero se le adivina un carácter de esos que mejor es verlos en foto. Es, también, un poco ingenua al estilo de los chiquitos que van descubriendo la vida y se asombran sanamente, lo cual es bueno para cualquier persona. Por supuesto, no gana absolutamente nada —en lo material, claro— por ser quien se ocupa de las peregrinaciones. Podemos ver el apellido de Florencia en el nombre de una avenida de la Capital, una estación de subtes, una de tren, más de una biblioteca, tal vez una plaza y el primer tranvía (*tranway*) que tuvo el país, a mediados del siglo XIX, traído por los Lacroze. Pertenece a esa familia que, desde hace rato, forma parte de la historia del país.

—Tu familia es la que donó el cerro...

—Sí, mi madre, junto a sus cinco hermanos, la familia Garat, son los que donaron el cerro.

—¿Por qué?

—¿Por qué? Bueno, porque en el año 2000 la Virgen dice que desde ese lugar va a derramar infinidad de gracias y en ese año empiezan las peregrinaciones a este cerro...

—Sí, esa parte la sé. Mi pregunta apunta a otra cosa. ¿Por qué donar un cerro entero a alguien? ¿Qué les dio la certeza de lo de María Livia?

—No, mirá, al principio, como en todo, se desconfiaba un poco porque la verdad es que nunca habíamos tenido contacto con nada de todo eso ni con lo que estaba pasando. Cuando tomamos contacto, se empezó a analizar desde Pupa (el esposo de María Livia) hasta María Livia, toda su familia, lo que se te ocurra. Y todo era impecable, muy coherente con lo que decía. A mis tíos y mi madre lo que más los sorprendió fue esa coherencia, esa sencillez, esa humildad de María Livia. Y, además, lo más asombroso fue la conversión de toda mi familia. ¿Por qué se donó el cerro? Nada más que por amor a la Virgen.

—Pero tu familia no se convirtió recién en esa época...

—Sí. La conversión de mi familia comienza en el 2000 cuando mi hermana más grande decide casarse en Salta y por eso toda mi familia viajó allá y desde allí empezamos a profundizar todo lo que estaba pasando.

—¿Quiénes fueron las primeras personas que subieron al cerro con María Livia?

—Las primeras fueron mi madre y mi hermana mayor.

—¿Cómo es el nombre de tu mamá? Porque es la primera que subió, eso es para la historia del cerro.

—María Marta Garat. Esa primera vez subieron con el indio con un machete porque ni siquiera había un camino.

—¿Y ella estaba alejada de la religión?

—Ella estaba alejada y mi familia entera estaba alejada. Aquella ocasión en la que subieron por primera vez, con el indio abriendo camino con un machete, lo primero que le dijo mi mamá a María Livia es que ella no tenía fe, que no creía en esas cosas. Le dijo que de ella no pretendía nada porque no esperaba absolutamente nada de todo esto. También le dijo que ni siquiera entendía por qué estaba ahí, subiendo ese cerro.

—¿Por qué ese cerro? Si no creían, ¿cómo se liga tu familia a todo esto?

—María Livia recibía a la Virgen desde 1990. Muchas veces vio su imagen en la cima de ese cerro al que nadie iba y el mensaje era que desde allí iba a derramar infinidad de gracias. El primer contacto de la familia con este tema fue a través de un tío mío,

Eduardo Garat. Después que mi mamá y mi hermana subieron, empezaron las conversiones.

—¿La tuya también?

—No, de mis cinco hermanos yo era la más escéptica de todos, era la más escéptica de toda la familia. Yo era una persona muy racional, tal vez por mi profesión de arquitecta. Siempre creí que la religión era una sugestión, una necesidad de creer, algo que no era real. No creía en la Virgen.

—¿Y cuándo cambiaste?

—En un principio tuvimos una charla con María Livia donde recuerdo que ella nos dijo que, si alguna vez fuéramos conscientes de las lágrimas que derramaron Jesús y María por nuestra redención, no pararíamos de rezar para honrarlos y agradecerles. Ese día quedé muy impresionada, miraba a mi familia allí reunida sin cuestionar nada de lo que María Livia decía y yo estaba en un rincón, como mirando desde afuera, pero me golpeó. Siempre miro a los ojos de la gente con la que hablo y, me acuerdo, cuando hablé esa vez con María Livia, no podía mirarla a los ojos porque me emocionaba.

—¿Allí fue tu conversión?

—No. Después empezamos a subir al cerro con toda mi familia. Ellos rezaban. Yo siempre fui coherente en mi manera de pensar y de actuar, y en ese momento, esa coherencia me llevaba a decir: "¿Cómo voy a rezar a algo en que no creo?". Estaba en un momento en que no creía en Dios y no creía, tampoco, en la necesidad de creer en Dios. Esas etapas en las que uno cree que con uno basta.

—Pero el resto de la familia seguía. Vos eras como la rebelde.

—Yo era la que seguía sin creer. Una vez me mostraron una foto en la que aparecía una imagen que parecía la de la Virgen, pero eso sirvió para que dudara más que nunca. Otra vez mi mamá trajo un video y me dijo: "Mirá, en este video aparece la forma de la Virgen". Yo le dije: "Mirá, mamá, me parece que te están lavando el cerebro, te muestran cosas armadas". Con mi madre y una hermana mía empezamos a ver el video. Como era un video casero, yo le decía: "Mamá, esto está armado totalmente". Me burlaba de mi madre y le decía que seguramente íbamos a ver rayos a través del sol que se rebotaban en una piedra y todos iban a creer que era el Espíritu Santo. Le decía un montón de cosas irónicamente y mi madre hace un comentario y yo me empiezo a matar de risa de lo que ella me estaba diciendo y lo que pasó fue que, en ese momento...

La voz de Florencia se quiebra de golpe a pesar de su esfuerzo por seguir hablando. Lo logra, pero la emoción que siente es muy notoria. Su voz suena como un instrumento de cuerdas que se dejó bajo la lluvia y que ahora emite un sonido desafinado. No llega nunca al llanto, pero está ahí, como acechándola. Transmite emoción y verdad a quien la escucha. Y lo que sigue tiene motivos de sobra para la emoción. Mucho más cuando le pasó a ella, la descreída, la escéptica, la que se burlaba.

—... en ese momento lo único que se me presentó fue el perfil en carne y hueso de la Santísima Virgen...

—¿A vos?

—Sí... y a mí me cuesta mucho transmitir esto porque cada vez que yo lo cuento, cada vez que lo comparto es como... como...

—Te entiendo, Flor.

Desde aquí, Florencia se va reponiendo cada vez más y su relato es una catarata incontenible mezcla de ternura y asombro.

—... es como sentirlo otra vez y me cuesta mucho poner en palabras lo que yo sentí en ese momento porque son cosas muy profundas. Creo que lo que más sentí es como si me hubiesen abierto el corazón de par en par. Y empecé a llorar como una chiquita de dos años y medio sin parar, me fui a mi cuarto y estuve como cuarenta minutos llorando desconsoladamente con un dolor muy fuerte en el corazón. Ahí tuve una pelea muy fuerte entre mi mente y mi manera de actuar. Mi mente que me decía: "Bueno, esto puede ser parte de tu sugestión y no por eso es real". Y por otro lado: "Es verdad que esto puede ser sugestión, pero yo no esperaba absolutamente nada y, sin embargo, lo que yo vi lo vi y lo que estoy sintiendo lo estoy sintiendo". Lo que me mataba era que no podía justificar algo así porque en ese momento en mi vida estaba todo bien, no tenía ni un solo problema ni nada que pudiera darle sentido racional a ese dolor y ese llanto. En ese momento agarré un rosario que mi mamá me había regalado y lo apreté con fuerza. Y mi razón me decía: "Bueno, ¿por qué agarrás ese rosario si vos no sos católica, si no creés en Dios, no creés en la Virgen?". Sin embargo, me pasaba que no podía dejar de agarrar el rosario con mucha fuerza. Pensaba que era cierto que no creía en Dios ni en la Virgen pero me estaba pasando algo que nunca imaginé que pudiera pasarme. A veces uno tiene el corazón tan duro que ni siquiera es consciente. Al día siguiente me desperté y me dije que esa había sido una experiencia muy fuerte pero, como no la pude entender, la puse a un costado.

—¿Dónde ocurrió todo esto, Flor? ¿Cuántos años tenías?

—Fue en mi casa. Ocurrió en el 2001, yo tenía veinticinco años. Y bueno, ahí pasó un año, seguí con mi escepticismo, seguí sin creer en Dios ni en la Virgen.

—¿A pesar de lo que te había ocurrido?

—Sí, a pesar de eso.

—¿Cómo pudiste, con semejante experiencia?

—Es que, a veces, uno puede tener una dureza de corazón tan grande que ni nos damos cuenta. Todo depende de si nosotros queremos abrir nuestro corazón. A muchos no les importa abrir su corazón a esto. Es lo que más se ve en la actualidad, ¿no?

—Sí, es posible. Pero los demás no tuvieron una visión de la Virgen. Se lo podés contar, pero no es igual. Creo que debés entender que hay mucha gente que pueda no aceptar esto así como así. Fulana ve a la Virgen, ah qué bien. No. Te miran raro. Y yo lo entiendo.

—Mirá, yo, la verdad, no quiero convencer a nadie.

—Yo tampoco.

—Lo que yo viví no me lo pueden dar vuelta porque es algo que yo experimenté. Cada uno tiene libertad de creer o no. En estas cosas siempre va a haber gente que crea o no. Y bueno.

—Florencia, no te estoy cuestionando nada, estoy justificando ese año. Creo que lo que vos llamás "corazón duro" yo lo llamo escepticismo natural. Lo que pasa es que vos la viste, no te lo contaron como a mí o a tantos. La viste. ¿Viste a la Virgen como a una persona?

—Yo vi el perfil de la sonrisa de la Virgen en carne y hueso.

—¿A qué distancia tuya?

—Es muy difícil hablar de distancia y de tiempo, pero la vi perfecto. De la misma manera en que te puedo ver el perfil a vos al estar charlando.

—¿Claramente, como a cualquier persona?

—Totalmente. No era una forma, la vi con una nitidez como si estuviera viendo a una persona, sí.

—¿Era bella?

—Mirá, cuando uno habla de la Virgen, como calculo que debe ocurrir al hablar de Jesús, también, se trata de una belleza tan extraordinaria que vos podés decir que es, sin dudas, lo más bello que viste en tu vida.

—¿Tenía mucha luz?

—Muchísima luz. Una luz que no se puede describir. No se puede comparar con… no sé… no se puede…

—Conozco esa luz, no te esmeres en describirla porque no se puede. Ocurre que no es de acá.

—Nunca imaginé que podía vivir algo así. Nunca lo imaginé, nunca lo esperé, nunca lo deseé.

Ahora, sí

—¿Qué pasó después de ese año de seguir escéptica?

—Después de un año de todo esto, mi madre siente una necesidad muy fuerte de invitarme a Salta. Voy y allí tengo una charla con las monjitas, las carmelitas, y fue mi primera gran sorpresa. Yo decía que cómo era posible que vivieran en clausura, sin ver a nadie, sin libertad. Y me di cuenta de que no era así. Tienen una libertad y una sabiduría impresionantes. Yo me puse muy cuestionadora de la fe, la liturgia, la religión. Le dije que no creía en la confesión… Habló conmigo desde atrás de la celosía, porque no se pueden dejar ver, y me conmovió la seguridad con que me explicaba todo. Tanto que luego busqué un cura y me confesé. Y también comulgué. Ese fue el principio de mi conversión, allí sentí, creo que por primera vez, a Jesús, esa presencia viva en la Eucaristía.

—Ya estabas como para subir al cerro...

—Al día siguiente, tuve una charla con María Livia y ella me dijo que había dos cosas que yo tenía que diferenciar. Me dijo: "Una cosa es la inteligencia y otra la sabiduría. La inteligencia es algo que viene de la razón y, si uno vive solamente en base a esa razón, eso es obra de satanás, y la sabiduría viene del corazón, y eso es obra de Dios". Y en ese momento yo empecé a oler a rosas. No había nada, eran paredes nomás. Sentí ráfagas de olor a rosas y la presencia de la Virgen muy cerca de mí. Allí fui consciente de que esas cosas me estaban pasando. Yo olía las rosas, no era que las estuviera inventando. Al día siguiente era mi cumpleaños. Me levanté y, como estaba en Salta, le dije a mamá que lo primero que quería hacer ese día era empezar mi cumpleaños yendo a visitar a la Virgen. Mamá no lo podía creer. Subí al cerro con una sobrinita mía de dos años y medio. Estábamos las dos solas, era un día de semana a la mañana. En el cerro hay una cruz. Me arrodillé allí para rezar el rosario. Después fui a la ermita, donde también estaba sola, y allí le dije a la Virgen: "Siento que es una conversión, pero no sé qué me estás pidiendo con todo esto". Ahí había un librito con los mensajes y dije: "Voy a abrir al azar siete páginas para saber qué me estás pidiendo". Y en la primera página que abro aparece un mensaje que dice: "Hija mía, no sabes lo que es la felicidad de mi corazón al ver la conversión de tu corazón. Te pido que ores, ores y ores". A pesar de todo, yo pensé que el abrir esa página podía ser parte del azar y que no por eso me iba a hacer cargo. Los otros mensajes que iba viendo tenían que ver con todo lo que yo vivía. Y, antes de abrir el séptimo mensaje, le digo a la Virgen: "Virgen, me pasa que creo que esto es una sugestión, realmente no existe una relación con vos de ese tipo, una relación entre algo humano y algo sobrenatural. Me pasa que creo que estoy rezando al viento, a una escultura, pero no a algo real, no creo que vos estás acá, al lado mío, y que me estás escuchando, esto que está pasando es una necesidad que tengo, pero no algo real...". Y abro el último mensaje, al azar, y me aparece un pétalo de rosa, rojo, fresco, y al lado de ese pétalo un mensaje que decía: "Hija mía, por más que esté en silencio, acá estoy escuchándote, acá estoy al lado tuyo. Lo único que te pido es que te consagres al Corazón Eucarístico de Jesús y al Inmaculado Corazón de María...". (El tono de voz de Florencia vuelve a quebrarse levemente pero sigue hablando.) Y para mí eso fue algo muy profundo, que lo voy a llevar toda mi vida...

—Admito que tu relato estremece, Florencia. Se te estruja el alma.

—Puedo dar fe de que todo fue como te acabo de contar. Y, bueno, desde entonces hasta el día de hoy, lo que yo veía como "el opio de los pueblos" dejó de ser eso por completo. Rezar el rosario todos los días, ir a misa todos los días, comulgar todos los días, yo creía que era para gente más grande. Hoy soy parte de ese "opio de los pueblos" y soy la mujer más feliz que hay en esta tierra y agradezco la gracia de haber vuelto a los sacramentos. Eso, nada más que Dios lo puede hacer. Un cambio de corazón tan grande como el que hizo en mí, sólo lo pueden lograr la gracia de Dios y de la Virgen. Porque me llevó a un cambio de vida total. De mis relaciones, de mi novio, de todos los aspectos de mi vida...

—¿Cambiaste tus relaciones?

—Todo cambié. Todo.

—Pero, ¿hoy sos como cualquier chica de veintinueve años? ¿Vas a bailar, salís? ¿O sos alguien que está todo el día metida en la iglesia?

—(Ríe) No, yo soy común, igual que cualquiera de mi edad. Con una experiencia muy fuerte de fe, eso sí. Yo voy a misa todos los días, pero no soy una mojigata ni tampoco eso es lo único que hago. No, para nada. Tengo mis amigos, salgo, tengo una vida normal.

—¿Tenés novio?

—No, en este momento no.

—¿Vas a bailar?

—Ahora no, la verdad es que a los veintinueve años me da un poco de fiaca, pero sí he ido. Salgo a comer, esas cosas.

—No te rías, te pregunto todo esto para que la gente vea que sos una chica normal. Si vas a misa diaria no es por obligación, vas porque querés…

—Voy por amor.

—Así es como vale, perfecto. Yo no creo en la gente que va a misa como a un compromiso social. Mejor que no vayan.

—Es mentirse más aún.

—Exacto. Es meterse más en el barro. Conozco a algunos. Van a misa para ver a los demás o para que los vean. Están en otra.

—Claro, porque, cuando vos amás a tu mujer o a tu hija, estás atento cuando estás con ellas, las escuchás, no te perdés detalle. Y bueno, la misa es lo mismo.

—Flor, en estas épocas jugarse por la fe es un acto heroico. Te felicito. Pero, ¿vos tomás conciencia de que te estás jugando muchas cosas?

—Sí, plena. Cada vez más.

—Vas a toparte con gente descreída, otros que te mirarán de costado, otros que se burlarán por pura ignorancia, otros que te acusarán de vaya a saber qué. Puedo asegurarte que no es fácil lo que has emprendido.

—Para nada. Pero, por amor a Jesús, yo hago lo que él me mande.

—Está muy bien. Pero vas a seguir con tu vida normal, un día te vas a casar, vas a tener nenitos, todo eso…

—Voy a hacer lo que Dios me mande. Hoy no lo sé.

19

"No he venido a criticar ni a destruir, sino a construir"

El mensaje que define a las apariciones de la Virgen en Salta es, en su primera frase, una advertencia, y en la otra, un propósito:

> Hay que juntar el rebaño antes de que oscurezca. No he venido a criticar ni a destruir, sino a construir.

Los mensajes de la Virgen en Salta son muchos. La síntesis y, a la vez, la clave de todos ellos va desde lograr que nos demos cuenta de que Jesús está vivo y presente en la Sagrada Eucaristía hasta apuntalar la esperanza, llamándola "el camino que conduce a Dios".

Nuestra Señora, cuya advocación allí es Inmaculada Madre del Divino Corazón Eucarístico de Jesús, pide –como en otras muchas ocasiones– el rezo, sobre todo del Santo Rosario. Pero no rezar por rezar, como si fuera una actividad social, sino pidiendo desde el alma por la paz de un mundo que parece sembrar y cultivar la guerra.

También ruega (Ella nos ruega a nosotros, ¿se dan cuenta?) que apretemos filas en cada familia porque la familia es el fuerte inexpugnable.

Y habla, también, de la Parusía, la Segunda Venida del Señor, la cual ya hemos tratado en este librito.

Todos los mensajes están impregnados de amor y de esperanza, signos bien típicos de las apariciones marianas.

Como en todos los casos similares de la historia del catolicismo, es imprescindible poner blanco sobre negro dos puntos: no transformarse en fanáticos y no olvidar ni por un instante que la protagonista es la Virgen. Afortunadamente, en este caso, la primera en saber eso y repetirlo hasta el cansancio es María Livia Galliano de Obeid.

A propósito, ya es hora de ir conociéndola.

La vidente

María Livia Galliano era chiquita cuando ya andaba cerca del cielo. Su papá era comandante de Aerolíneas Argentinas y, a menudo, la llevaba a volar en otros aviones pequeños que piloteaba. No podía imaginar, por esa época, que un día iba a volar mucho más alto; a juzgar por lo que está ocurriendo en Salta, lo más alto.

Ser una vidente de la Virgen y de Jesús es, nadie puede dudarlo, una gloria, pero también es una pesada carga. Ella no quiere hablar de eso. En rigor de verdad, no quiere hablar de nada de manera pública. Dice:

Yo vivo más tranquila si me ignoran. Nunca me gustó, digamos, ser protagonista. Es mi naturaleza, no porque no me gusten las personas alegres, al contrario, me encantan esas personas, pero mi naturaleza no es esa. Siempre fui una persona tranquila. No me gusta sobresalir en las reuniones ni como una gran conversadora ni nada de eso. Te diría que siempre estuve un poquito más atrás de mi marido, él sí es la figura en todas las reuniones, es un conversador excelente, él es así, como algo lindo que le dio Dios. Y, pobre, ahora a él le toca estar en el silencio y a mí me toca toda la otra parte que no me gusta. Me costó mucho superar eso.

Lo que seguirá no es una formal entrevista periodística, María Livia no ha dado ninguna y creo que tampoco lo hará. No se trata de haber hecho una excepción conmigo. Siento por ella un

246

cálido cariño que nació y se alimentó por la cantidad de testimonios de conversión que escuché de gente que empezó a creer después de haber subido a Tres Cerritos. Si lo que ella hace en el cerro provoca eso, mi cariño va más allá de toda polémica. Todo esto hizo que se estableciera entre nosotros una relación diferente, muy diferente, a la de un reportaje. Se puede hablar de charla sí, en la que respeto al pie de la letra sus palabras y hasta la forma en que las dice.

Hace unos catorce años tuve la dicha de tener una conversación con Gladys Motta, la vidente de la Virgen del Rosario de San Nicolás. Fue la única vez que ella habló con alguien ligado al periodismo. Nunca lo había hecho antes ni volvió a hacerlo desde entonces. Publiqué esa breve y cálida charla que mucho le agradezco en uno de mis libritos. Mis colegas que la perseguían desde hacía rato no se quejaron, aceptaron las reglas del juego. Cuando Woodward y Bernstein, dos periodistas del periódico *Washington Post*, fueron elegidos por un confidente del FBI para contarles los entretelones del caso Watergate, en Estados Unidos, ningún otro colega se enojó ni protestó. Los del *Post* eran periodistas especializados en política y era razonable que se los eligiera. Hay colegas especializados en deportes, policiales, gremiales, sociales, espectáculos, economía, agro. Bueno, yo soy el único periodista especializado en la Virgen. A algunos pudo molestarles la excepción, pero la aceptaron. Aquella pequeña charla sirvió, en cierta forma, para acercar a mucha gente a San Nicolás, unos porque adivinaron la humildad de Gladys a través de sus palabras, otros por curiosidad. Todos para buscar a la real y verdadera protagonista de aquel hecho, Nuestra Señora, La Mamita. Eso era, en verdad, lo único realmente importante.

Aquí se trata de exactamente lo mismo.

María Livia Obeid es la primera en sentirlo así.

"Quiero que quede en claro que yo no tengo nada extraordinario. Las cosas extraordinarias que pueden sucederme son únicamente por la aparición de la Virgen", dice. También dirá en otro momento:

—Vos vas a escribir un libro donde vas a contar todo lo que está pasando en Salta. Tratá de que yo no aparezca mucho, más bien que brille la Virgen que es lo único que en verdad importa.

—Esa es la idea, pero acá, en este caso, vos sos el instrumento humano que está en el medio.

—Nada más que eso. Una persona común, que sigue siendo mamá, que con aparición o sin aparición tengo mis responsabilidades como madre, como esposa, yo dirijo mi casa personalmente, el hogar, las compras, la ropa, todo. De manera que no estoy desentendida de la vida diaria.

—Yo creo que ese es uno de los motivos que hace al mensaje más atractivo.

—Tal vez lo que la Virgen quiera es mostrar que se puede estar cerca de Dios y, al mismo tiempo, hacer lo común, lo que hacen todos, trabajar, cuidar la casa, criar a los hijos. Somos gente común. La Virgen quiere que todos seamos santos, pero en casa esa santidad cuesta.

Y es cierto que cuesta. Aunque les moleste a los Obeid, debo decir, de acuerdo con lo que investigué y como parte de un apoyo a su honestidad, que al escribir estas líneas ellos –que siempre tuvieron una situación económica holgada– están pasando por un momento difícil. Acostumbrados al buen nivel de vida, viviendo en una casa confortable y cómoda, habituados desde siempre a no pasar necesidades, hoy han gastado mucho de su dinero y de su tiempo en lo que ocurre en Tres Cerritos y sus finanzas son, para decirlo suavemente, un poquito complicadas. Eso, sumado a su humildad y al hecho de no hallar una sola cosa que se aparte de la doctrina de la Iglesia, ha hecho que yo le preste especial atención a lo que ocurre en Salta.

Recogí muchos testimonios, algunos de los cuales ustedes han leído aquí mismo para llegar con cierta expectativa a conocer a María Livia. Recogí muchos testimonios pero nunca fui al cerro, no pisé Tres Cerritos más que en mi imaginación y mis sueños. Fue a propósito. Quise que ustedes vivieran lo mismo que yo, sin parcialidades y sin influencias. Si yo iba al cerro salteño y me tocaba vivir lo que escuché de otros, el peso de algo así quitaría toda objetividad a este relato. Ya iré, si Dios lo permite, al terminar este librito. Mientras tanto, ahora, ustedes y yo estamos en las mismas condiciones, algo que siempre me gustó mucho, me hizo sentir como una suerte de relación amorosa entre nosotros, ustedes que palpan estos papeles de ese lado, acariciando meses de mi trabajo, y yo que aporreo el teclado de este otro, acariciándolos a ustedes. No es demagogia barata. Si llegaron a este punto significa que ya compraron el librito, no necesito convencerlos de nada. Es lo que siento. Los amo, no sé si se los dije. Ni siquiera sé si lo merecen, pero los amo.

Y, hasta aquí en el relato, hemos escuchado testimonios, tal vez fuimos rebotando con el alma de un lado al otro mientras leíamos, quizá dudamos, es posible que nos hayamos desvelado al pensar en un hecho o una frase, nos surgieron preguntas sin respuestas. Y, también, es muy probable que nos hayamos emocionado en algún momento, que hayamos topado con la blanda pared del asombro que nos abriga, que en algún tramo hayamos sentido la suave caricia del milagro. Todo esto es, desde mi puesto en el teclado, posible, probable, tal vez, quizá.

Pero algo es seguro: ninguno llegó a este punto indiferente.

Muy bien, entonces. Ya es hora de conocer a María Livia. Siempre con la premisa de que ni ella quiere aparecer ni yo quiero mostrarla como una especie de manosanta sino, objetivamente, como alguien que pasó todos mis filtros de sospecha y me parece confiable, aunque afirmar esto pueda costarme muy caro si algo falla. Pero, si lo hago, es porque considero que no hay fallas. Siempre con la consigna clara de que en todo este fenómeno lo que importa realmente es la Virgen. Todo el resto, incluyéndola a María Livia, somos simples elementos de difusión, comunicadores de la fe y la esperanza, enfermos del amor a Nuestra Señora o "gerentes de marketing de Dios", como alguna vez me llamó con afecto mi querido y talentoso amigo Jorge Fernández Díaz, un magnífico escritor y periodista. De todas formas, juzguen ustedes.

Una manera de acercarnos al tema fue la primera charla telefónica con Carlos Obeid, cariñosamente llamado el Pupa. Me comuniqué por teléfono con él, que estaba en Chile, en la única semana del año en que con María Livia se tomaban un pequeño descanso. Los saludos de rigor y luego entro en tema como al pasar, casi distraídamente:

—Me cuentan que, con la Virgen, bajan miríadas de ángeles.

—Sí, así es. Y cuando también baja Jesús es impresionante. Son miríadas y miríadas de ángeles. En esos momentos, en el cerro hay grupos de doscientas personas por vez a las que María Livia les hace la oración de intercesión. Y caen, y caen, y caen... Y ella sigue yendo, grupo por grupo, porque son entre cuatro y cinco mil personas las que van cada semana. El sábado anterior hubo una tormenta muy fuerte, pero había cinco mil almas allí arriba y nadie se fue...

—Tengo entendido que, por la oración de intercesión, hubo sanaciones.

—Sí, muchísimas. Hay casos que son impresionantes. Los médicos no pueden entender qué es lo que pasó. Lo que pasó es que para el Señor y para la Virgen no hay nada imposible.

—Carlos, yo tengo entendido que ustedes siempre han tenido un buen pasar. Lo digo porque ustedes no necesitaban nada de esto...

—Mirá, acá lo primero que se hizo es poner en claro que no deben darle a nadie ningún tipo de colaboración y avisarle a todo el mundo que no se acepta ningún tipo de limosna en el lugar... En todos estos años ha subido más de un millón de personas al cerro y no se permite que dejen una moneda.

—Ah, directamente no se permite...

—No, no, de ninguna manera. Hay letreros por todos lados que indican que todo es gratuito y se solicita que no se deje limosna de ningún tipo ni objetos de valor de ninguna naturaleza. Porque a veces hay gente que quiere dejar un anillo o un reloj como agradecimiento y eso no está permitido, sin excepciones. Hay servidores que están junto a la imagen de la Virgen especialmente para no dejar que nadie deposite allí ninguna ofrenda, ni dinero, ni anillos, ni pulseras, ni nada. Queremos que quede bien en claro: acá, plata no.

—Me parece maravilloso y eso es una de las cosas que hace que todo el movimiento alrededor de María Livia y el cerro sea inobjetable, pero la verdad es que, por lo que sé, ustedes tienen gastos al hacer todo esto, ¿de dónde sale ese dinero?

—Como en la perinola, pero en lugar de "todos ponen" es "pone uno".

—A vos te cambió la vida todo esto, ¿no?

—Y sí, pero para bien.

—Me refiero a que trabajabas en algo que no tiene nada que ver con lo que estamos hablando, ¿no es cierto?

—Sí, bueno...

—Vos sos contador, tengo entendido.

—Yo soy contador público, máster en administración, asesor en financiamiento de empresas, y era socio de la concesionaria Chevrolet en Salta y Jujuy...

—¿Y ya no?

—No, la vendí en el año 2000 y, desde entonces tengo una consultoría de empresas con mi hija y con otro hijo tenemos un "rent a car" y bueno, con eso nos arreglamos bien.

—¿Tus hijos qué dicen, a propósito?

—Ellos viven todo esto de una manera muy particular y tienen su apostolado, también. Prácticamente viven en la casa donde no paran las llamadas telefónicas, los e-mails, las cartas. Y bueno, están ayudándonos con eso por decisión propia, por eso digo que hacen su propio apostolado.

—¿Son grandes?

—Mi hija tiene 33 años y tres hijos, mi hijo mayor tiene 28 y se está por casar, y el menor tiene 25, es piloto de avión, está estudiando porque quiere ser piloto de líneas aéreas...

—Vos tenés 56. Sos muy joven para tener hijos tan grandes.

—Sí, supongo que sí. Es que con María Livia nos casamos a los 20 años, tenemos la misma edad. Nos conocimos cuando teníamos 15, nos casamos a los 20...

—Muy chiquitos.

—Sí, pero ya tenemos cuarenta, no, cuarenta y un años juntos, gracias a Dios. Y es lindo ser un papá joven, un abuelo joven. Mis nietos son hermosos... Bueno, nos hablamos la semana que viene, ¿'tá bien?

—Seguro. Gracias por todo. Un abrazo grande y un beso a María Livia.

—Gracias. Que Dios te bendiga.

Después de esa charla inicial vino un mayor conocimiento con María Livia y un acercamiento que se dio de manera natural.

Esta es María Livia. Si a alguien hay que culpar por reproducir las charlas e información, ese soy yo. Pero saben muy bien que es para llevar agua al molino de La Mamita, nada más. Y nada menos. No me deben nada, pero si quieren pueden mandarme sus donaciones por correo, como diría uno de esos terribles personajes que predican hablando raro por la tele.

—*Ay, no me gusta que odies...*

Eh, no. No los odio en absoluto. Solamente los desprecio.

—*Ah, bueno, eso es otra cosa.*

Ahora sí, les presento a María Livia.

20

La Virgen en Salta

María Livia
PRIMERA PARTE

Es febrero de 2005. Los Obeid acaban de llegar de Chile, luego de su breve descanso. Allí estuvieron en una procesión a un pequeño santuario de la Virgen de Lourdes, el día de Ella, el 11.

Lo que más se destaca de María Livia, tal como dijeron todos los que han testimoniado sobre el fenómeno del cerro salteño, es su humildad.

Su voz acompaña: es suave, cálida, muy calmada, llena de paz, limpia. Y, como si fuera poco, con ese tono salteño que la endulza.

Lo que sigue es textual. Sin correcciones, palabra por palabra, para gustarlo tal como fue. Aquí importa mucho más la fuerza de los dichos que la gramática. Yo sé que me entienden. Si no fuera así, estarían leyendo la guerra de las galaxias o una de amor. Aunque ésta es "una de amor", si uno lo piensa un poco nomás. Ahí va.

—María, sin ninguna duda, lo que te ocurre es una gracia maravillosa, pero, ¿es un peso, también?

—Para mí es una gran responsabilidad, no es un peso ni una carga, pero es una gran responsabilidad. Bueno, porque hay que responderle a Dios con todo.

—A eso me refiero. Cuando Dios te llama de la manera en que lo ha hecho, nunca puede ser a medias.

—No, no. En realidad a mí la Virgen no me obligó. Me pidió

253

si yo quería y yo he dado un sí, una total aprobación como para que Dios pueda cumplir sus designios.

—El primer día. ¿Cómo fue el primer día? Supongo que a partir de ese día se agigantó todo.

—Fue así, de a poco, fue creciendo, pero me parece que Dios me preparó desde siempre. Lo que pasa es que no se reveló el designio de Dios hasta esos momentos, en el noventa.

—¿Y cómo fue?

—Bueno... Yo estaba rezando en mi casa cuando me habló la Virgen por primera vez. Allí empecé a tener un diálogo interior. Yo no la veía en ese momento. Ahí fue cuando Ella me dijo a qué venía y qué es lo que venía a decirme de parte de Dios, ¿no?... Fue hermoso. Para mí fue muy lindo pero, a la vez, muy sorprendente porque... en realidad yo soy una persona muy común, Víctor, más común que el común de los denominadores...

—Ya no sos una persona común.

—Ahora, quizá ya no soy común en ese sentido, pero sigo siendo una persona común, con mis defectos, con todas las miserias humanas que puedo tener yo, que tengo muchas...

—No creo eso.

—Sí... A mí no me gusta que la gente me mire como algo distinto porque por ahí la gente se desilusiona cuando conoce una persona como yo. Siempre digo: "No confundan la misión mía que no tiene nada que ver con la santidad", digamos. Soy una persona como todos, si me ves por la calle nunca te vas a imaginar que podría recibir un mensaje...

—Pero, María, por supuesto no se trata de comparar, pero sí de señalar un ejemplo: ¿cómo era tu tocaya cuando estuvo en la tierra?

—Sí, claro. Era una mujer que no pasaba de ser la esposa de José.

—Vos tenés tu propio José, ¿no? Pupa te apuntala, te banca.

—Sí, sí. La verdad que Dios lo puso a él porque yo, cuando era muy jovencita, pensé en algún momento en hacerme religiosa pero Dios me dijo que no.

—Que tenías otra misión.

254

—No me dijo eso, pero me dijo que no. No quería Él que yo fuera religiosa. Y bueno, tenía otra cosa preparada. Pero eso fue cuando era muy chica, como a los catorce años, por ahí. A esa edad una es tan chica, tan joven y, sobre todo nosotros aquí en el norte y en esa época, éramos muy inocentes si se quiere.

—Gracias a Dios.

—Sí, sí, porque mis papás nos cuidaban mucho acá. Mi familia era una familia muy tradicional. Ya se sabe que no fiestas, no salíamos solas a ninguna parte, siempre con compañía, muy a la antigua, digamos.

—Fijate que en cada aparición de la Virgen ocurre que los videntes son chicos o personas con mucha pureza, como el "indiecito" Juan Diego, que veía a la Virgen de Guadalupe. Lo llamaban y lo llamamos "indiecito" por su humildad no por su edad. Tenía cincuenta y siete años. Pero mucha pureza.

—Claro, era un hombre grande, pero tal vez el medio de vida. No es lo mismo que las grandes ciudades donde a la fuerza los chicos se tienen que hacer más despiertos. Nosotros aquí, en Salta... Salta, imaginate, es una ciudad muy chica. En ese entonces casi, casi, era una aldea, era pequeñita. Te estoy hablando de hace unos cuarenta años atrás.

—A tus catorce.

—Sí. No había televisión, no había nada. A veces les cuento a mis hijos cuando íbamos al mercado, como mi mamá, en un mateo. Y mis hijos se matan de risa: "Mamá, ¿en qué año andabas vos?"... Escribíamos con las lapiceras de pluma, mojando en un tintero...

—¿Te acordás de las "plumas cucharita"?

—Claro. Mis hijos no lo pueden creer. Imaginate, hablar de tintero, de plumas, ellos ni siquiera lo han conocido.

—Y tus chicos son grandes... ¿Cómo toman ellos todo lo tuyo?

—Ellos, bien. Excelente. La verdad es que creo que Dios los ha preparado a ellos. No deja de ser un gran sufrimiento, quien crea que esto no tiene sufrimiento, bueno, no es así. Y el sufrimiento no es sólo mío, es de toda mi familia.

—Seguro... Con respecto a lo del sufrimiento, no tengo dudas. Cada don trae lo suyo, algo que no muchos advierten. Supongo que, a veces, subir el cerro es como subir un Gólgota propio, un calvario personal.

—Sí, pero es el camino de los cristianos.

—Yo no sé si esto se puede contestar con una definición perfecta, pero ¿cómo es la Virgen?

—Ah, sí, la Virgen —dice encendiendo el tono de voz, iluminándose, tal vez sin darse cuenta siquiera—. Contarlo es algo tan difícil... Pero ¡es tan hermosa! No hay palabras para definirla, ¿no?, realmente... Mirá, cuando Ella comenzó a hablarme, yo no veía el rostro, yo no sabía quién era, yo sentía la voz de una joven que me hablaba y que me decía que era la Virgen, pero yo no la veía. En esos primeros días en que la Virgen me hablaba, entré en un recogimiento muy profundo, solamente con oír la voz. Inmediatamente tuve una necesidad instantánea que me llevaba a la oración, a pensar en Dios, a amar las cosas de Dios con más fuerzas...

—Eran locuciones interiores.

—Claro.

—Vos no la escuchabas con tus oídos, la escuchabas con tu alma.

—Yo creo que la escuchaba de las dos formas. Era una presencia real, aunque interior, ¿no? Aunque no tenía la visión de Ella sentía que realmente estaba hablando.

—¿Y cuando la viste?

—Cuando tuve la visión por primera vez fue tan fuerte... Porque, hasta ese momento, yo pensé que esto era para mí, para mi alma, para el bien mío, de mi familia. Yo estaba feliz, no quería contarle a nadie. Y lo tenía como un secreto que yo pensaba: "Me lo llevo a la tumba, qué maravilla vivir con esto, pero sin contárselo a nadie".

—Sí.

—Pero, bueno, cuando ya tuve la aparición, ya fue muy fuerte porque, bué... A pesar de que la Virgen me había dicho que tenía designios, uno nunca se imagina qué es eso. La gente que está con temas así, bueno, pero cuando está en otras cosas, uno no sabe.

—Y, en esa primera aparición, ¿tuviste miedo?

—Yo no sé si es miedo, yo no puedo decir que es miedo, porque un miedo para mí es una cosa muy fea, que me asusta, que me deja mal. Yo no diría que fue miedo, yo diría que fue algo tan fuerte, tan sobrenatural, que uno queda muy sobrecogido. Y yo quedé tres días que no podía comer ni tragar nada, ni mi saliva podía tragar. Fue algo muy fuerte para mi persona. Capaz que otra persona que hubiese estado pensando en esas cosas, personas que rezan mucho, o una monjita, no sé... Pero, como yo era una persona tan común, jamás en mi vida, nunca se me pasó por la cabeza que me podía pasar algo así. Para mí que fue muy fuerte en ese sentido, ¿no?... Yo me quedé muy... extasiada. Muy asombrada. Era algo que nunca jamás hubiera imaginado.

—¿Y cómo es Ella?

—La hermosura de la Virgen es algo tan incomparable que... Creo que, si realmente Ella se mostrara con la hermosura que está en el cielo, yo me hubiera caído muerta. Porque no hay ser humano que pueda soportar esa belleza tan grande. Creo que Ella se muestra hasta donde cada uno soporta, ni un poquito más porque no podríamos con tanta hermosura, más que nada porque lo que se ve, más que la cara es su alma...

—¿Tiene mucha luz alrededor?

—Claro, está llena del Espíritu Santo.

—Cuando aparece Jesús, viene con muchos ángeles, ¿no?

—Sí, sí. Viene con muchos ángeles. Y la Virgen también.

—¿Cómo ves a Jesús?

—Jesús es algo impresionante. Jesús es algo tan hermoso, es la perfección máxima como hombre.

—Yo me lo imagino espiritualmente hermoso, el más hermoso, por supuesto, pero físicamente ¿también se lo ve hermoso?

—Sí, claro. Lo que uno está viendo es realmente a Dios. Dios hecho hombre.

—Santo Cielo, lo que te ha tocado vivir, María...

—Sí, sí, la verdad, Víctor, es que yo nunca pienso en eso. Creo que Dios, en ese sentido, me quiere proteger. No quiero pensar en eso, porque pensar en eso me separaría del resto de las personas y eso me da miedo.

—Es que es muy fuerte, María. Sólo oírte me emociona...

—Lo que pasa es que vos también sos un alma enamorada de Dios y de la Virgen...

—Totalmente, pero no hay nada más común que yo en el mundo...

—Pero has hecho mucho bien a mucha gente comprometiéndote con la fe, con todo tu trabajo.

—Dios quiera. Es lo que más deseo. Pero vos sí que estás haciendo mucho bien a costa de tu propia vida y la de tu familia, dando la cara en el cerro, abriéndote al juicio de quien sea, no ganando nada material y con bastante para perder. Eso es puro bien.

—Ojalá que así sea, yo trato de hacer lo mejor que pueda, pero creo que uno, como ser humano, tiene esas cosas... Soy obediente a la Virgen, eso es seguro, porque Ella me ha pedido que sea obediente.

—¿Qué te pide, además de eso?

—Bueno, al principio me pedía mucha penitencia... Ayuno. El Señor me pidió ayuno desde el año 95. Un ayuno de comer un poco de pan, sopa, té, café... El único día que yo como es el domingo. Como de todo. Porque a mí me gusta mucho comer y el ayuno no es fácil pero debo hacerlo. Eso sí, el día domingo como a cuatro manos. Y me gusta todo, dulce, salado, agridulce, todo...

—No sabés cómo te comprendo... Y lo que más te piden, supongo, es oración y penitencia.

—Sí, sí, mucha oración y mucha penitencia. Eso es lo que me pidió la Virgen en el tiempo ese en que yo estuve en silencio. Fueron como cinco años en absoluto silencio. Ahí Ella me pidió mucha oración y penitencia. Y aparte el ayuno que me pidió Jesús. Ya llevo varios años de ayuno. Lo corto, por ahí, cuando viajamos, cuando salimos de vacaciones. En los primeros años lo hacía igual aunque estuviéramos de vacaciones, pero estaba muy mortificado mi esposo y, bueno, Jesús tampoco quiere eso.

—Supongo que el primero en saber de tus visiones fue Pupa.

—En realidad sí, el primero fue mi esposo, después mi familia, mi hija mayor, porque los otros eran un poco más chicos, después mi mamá, mi papá, mis hermanos...

—¿La Virgen aceptaba que lo contaras a tu familia?

—Sí. En el 90, julio del 90, la Virgen me dice que Ella se va a llevar al Cielo a mi papá y a mi mamá...

—Ah, ¿te lo dice?

—Me lo dice. Y me dice: "A tu papá me lo llevo pronto y a tu mamá más adelante". Mi papá murió en octubre de ese año y la Virgen vino a avisarme cuándo se lo llevaba.

—¿Cómo te lo avisó?

—Una semana antes Ella bajó, toda de blanco, con una carita... no triste, pero seria, y no dijo nada, sino que Ella abrió los brazos hacia abajo y yo pensé que me llevaba a mí, fue un gesto como de recoger a alguien. Y después cerró los brazos hacia el pecho, como si recogiera a alguien, puso sus manitos en el pecho como en oración, miró hacia arriba y subió. Yo entendí bien claro que Ella venía a buscar a alguien. Justo a la semana, murió mi papá. Mi papá no estaba acá, él estaba en Colombia. Yo estaba tan segura de que mi papá estaba en el Cielo porque la Virgen me había dicho que se lo iba a llevar allí. Tan segura que yo le pedí mucho a mi papá que intercediera para que los mensajes fueran aprobados. Y justo el 30 de octubre de 1997, fue el día en que Monseñor Blanchoud aprobó los mensajes. Fue justo el día en que se cumplía un aniversario de la muerte de mi papá, era evidente que él estaba en el Cielo intercediendo...

Monseñor Moisés Julio Blanchoud era el Arzobispo de Salta en esa época y, en efecto, fue quien aprobó los mensajes recibidos por la vidente María Livia y autorizó su publicación. Esto no significa un aval oficial de la Iglesia, pero sí una aceptación y un reconocimiento de que los mensajes no se apartan en absoluto de la doctrina de la Iglesia. No es poco. Por lo general –siempre, en realidad–, la Iglesia es prudente hasta la exageración con temas como apariciones y milagros. Y está muy bien. No se trata de jugar al viva la pepa místico porque sería muy peligroso. Pero tampoco de negar. Por eso existe la llamada "opción doctrinal". Se aplicó, incluso, en una aparición que hoy en día no admite discusión alguna, la de Fátima. En los principios, cuando los pastorcitos contaban lo que les decía la Virgen, nadie les creía. La Iglesia, entre tantos. Pero el 13 de octubre de 1917, cuando en la Cava da Iria ocurre no sólo la aparición de la Virgen sino la danza del sol y otros fenómenos inexplicables, comienzan a ver el tema de otra manera.

Las cosas cambiaron en Portugal después de ese día. Puede decirse que las cosas cambiaron para todo el mundo católico después de Fátima, que es un hito que nos une a lo sobrenatural y que deja en claro el poder maternal de María, como si hiciera falta.

La Iglesia, luego de agotadoras investigaciones que duraron muchos años, confirmó oficialmente que las apariciones en Fátima eran por completo dignas de crédito. Creer en la aparición se califica como "opción doctrinal", como decíamos, lo que significa que los fieles no están obligados a rendir culto al hecho e, incluso, pueden ignorarlo. Pero nunca negarlo.

En esa condición están, hoy en día, muchas apariciones de Nuestra Señora, incluyendo las de Medjugorje o San Nicolás.

Monseñor Blanchoud aprobó los mensajes desde 1990 hasta 1997. El actual Arzobispo de Salta, Monseñor Mario Antonio Cargnello, asumió en 1998 a sus cuarenta y seis años de edad, transformándose en el arzobispo más joven de la Argentina. Nacido en Catamarca y ordenado sacerdote en 1975, Monseñor Cargnello tiene en estudio, al menos al escribir estas líneas, junio de 2005, el caso de las apariciones de la Virgen en el cerro.

En San Nicolás, el movimiento que arrancó con la primera aparición mariana en 1983, creció de una manera impresionante en gran parte debido no sólo a la aceptación sino al empuje valiente que le diera Monseñor Domingo Castagna, por entonces Obispo de San Nicolás y un mariano que tuvo en cuenta desde el primer momento que aquello ayudaba a su Iglesia para acercar gente a ella en épocas donde los "milagros baratos" empezaban a multiplicarse en otras religiones sin ningún pudor. Eso sin contar

260

la maravilla de lo sobrenatural y los milagros que se fueron dando ante sus ojos y su privilegiada inteligencia. Hoy es obispo en Corrientes y alguien muy respetado en la Iglesia. A San Nicolás, que tiene una población estable de unos 130.000 habitantes, llegaron a concurrir alrededor de 250.000 personas al cumplirse cada aniversario de la primera aparición. Los milagros fueron algo casi cotidiano y ni hablar del mayor de todos: las conversiones.

Es muy posible que alguno de ustedes o alguien a quien le cuenten estas cosas miren el tema de reojo y con una sonrisa torcida y suspicaz. Tengo bien asumido que los milagros no son para que todos los acepten. También tengo asumido que hay gente que cuenta cosas que son difíciles de digerir, pero sé con claridad meridiana que negar algo sólo porque uno no lo entiende es una terrible pe...

—¡Ey!

Ah, estabas ahí.

—Siempre estoy aquí.

Bueno, digamos, entonces, que negar lo sobrenatural simplemente porque uno no lo entiende es una terrible pena, un gran error.

—Así está mejor. Y suena igual.

No, disculpame. No suena igual. Lo que iba a decir es mucho más rotundo.

—Listo, basta.

Sigo con el tema de los milagros y la reacción de uno.

Yo mismo, que soy apenas un pequeño relator de hechos, recibo un promedio de un llamado cada tres meses en el que me hablan de alguien que dice ver a la Virgen o a Jesús. En una ocasión, incluso, hubo un hombre mayor que me contó cara a cara que él veía y hablaba con Dios Padre. Sin saber qué hacer para no herirlo, le pregunté cómo era. "Tiene una gran barba blanca", me dijo. Y no me dio ira, me dio ternura. Quise contarle que nadie vio jamás a Dios Padre, con excepción de Moisés, tal vez, pero el hombre insistía con delicadeza y hasta me contó lo que hablaba con Él. Lo escuché hasta el final sin siquiera apagar el grabador para no lastimarlo. Casi dos horas. Y, mientras ya casi no lo escuchaba, pensaba: "¿Y quién soy yo para patearle el castillito de arena?". No hacía ningún daño a la Iglesia, en absoluto. Entonces, vuelvo a preguntarme, cinco o seis años después de aquello: "¿Qué derecho tengo de juzgar a este hombre de fe? ¿No sería un terrible acto de soberbia? ¿Por qué se supone que yo sé más que él? ¿Porque leí más que él? ¿Porque estudié más que él? Muy bien, que venga entonces el que más leyó, el que más sabe, el que más estudió y me demuestre la existencia de Dios o, sin ir tan lejos, cuál es la razón por la cual alguien es santo o es sacerdote y yo los respetaré desde el fondo de mi alma sin hacer preguntas".

Negar es mucho más fácil que creer, pero creer es más bello.

—Era evidente que él estaba en el Cielo intercediendo —dijo María Livia refiriéndose a su papá, cuya partida coincidió con la aprobación de los mensajes de la Virgen en Salta, que fueron publicados.

—María, ¿qué nos pide la Virgen en esos mensajes?, ¿qué quiere que hagamos, o que no hagamos?

—Lo que pide mucho la Virgen es oración, que es lo que precisamente no hacemos, porque la gente ahora reza poco. Generalmente se hace una vida de mucha actividad y se deja siempre a Dios, a la oración, para mañana, para el domingo, si es que el domingo tenemos ganas de levantarnos e ir a misa. Es una lástima, pero el hombre ha entrado en una etapa de la civilización en la que tiene tantas cosas y parece que Dios ha quedado a un costado, ¿no?

—Es posible. A veces basta con leer los diarios. Pero yo creo que hay un movimiento de fe que crece al lado del caos. Y hay que ayudarlo.

—Sí, pero lo otro crece con mucha fuerza.

—Lo otro tiene al coludo, que no va a abandonar nunca la pelea.

—Claro, sí. La Virgen, en el 90, cuando se me aparece, me da una serie de mensajes que algunos yo iba a revelar y otros iba a guardar. Entre esos mensajes, dice que Ella se aparecía, precisamente, porque iba a ganarle al demonio. Porque el demonio iba a provocar cosas... feas para todos.

—¿Y qué se supone que podemos hacer nosotros para evitarlo?

—La oración, volver a Dios, la Eucaristía... Hay que empezar, como dice la Virgen, rezando el rosario. Empezar por un avemaría, dos avemarías o tres. Ella nos comprende, porque Ella es la madre que sabe como estamos.

—Y nos defiende, además, ¿no?... La mujer vestida de sol que aplastará la cabeza del dragón.

—Claro. Ella nos protege con su manto y con su corazón, en realidad el corazón de la Virgen es el que nos está protegiendo.

—Nos defiende, incluso, de los enojos justificados que puede tener su Hijo con nosotros...

—Exactamente. La Virgen detiene el brazo de su Hijo. Porque, bueno, este es el tiempo de misericordia, dice la Virgen.

—Son tiempos difíciles, María. Tal como los ves, ¿hay esperanzas?

—Claro. El mensaje de Salta es de esperanza. Justamente la Virgen dijo que el hecho de aparecerse significa su triunfo, el triunfo de su corazón. Y bueno, esa es la gran esperanza, ¿no?, la luz que surge de la Virgen que va a evitarnos tantos sufrimientos, aunque vamos a vivir muchos todavía...

—¿Qué? ¿Nos quedan muchos por vivir?

—Y, yo creo que estamos en la gran tribulación, pero también es cierto, como decías vos hace un rato, que hay una fuerza de oración muy grande en este momento en el mundo entero que es lo que está evitando que vengan cosas peores, ¿no?... Yo creo que la Virgen tiene mucha esperanza en los laicos...

—En realidad, la Madre lo viene diciendo en sus diferentes apariciones desde hace tiempo, ya. En Fátima lo refirmó mucho. La Iglesia no pasa por uno de sus mejores momentos y eso también lo ha dicho. Los mensajes de la Virgen al padre Gobbi son muy fuertes... ¿oíste hablar del padre Gobbi?

—No estoy segura, creo que vi alguna vez un video...

—Es un cura italiano, Steffano Gobbi, que hace muchos años

que recibe locuciones interiores, mensajes de la Virgen a quien no ve pero sí escucha y reproduce esos mensajes en un libro muy gordo que está dirigido a los sacerdotes...

La gran tribulación

La Gran Tribulación no es una tribulación así nomás.
—*¿No es un poco frívolo arrancar así un tema tan serio?*
Trato de ser sencillo y, al mismo tiempo, intento que lean esto y no empiecen a correr por los pasillos, llorar a los gritos en medio de la calle o arrojarse por las ventanas, en especial si no están en la planta baja.
—*Veo que te lo tomás en solfa.*
Intento achicar el pánico. Además, digamos de entrada que nadie tiene ni la más remota idea de cuándo se dará la Gran Tribulación, si es que se da. Ya hablamos de eso en este mismo librito.
—*Ah, tenés dudas, advierto. Yo no puedo opinar ni a favor ni en contra, como bien sabés, pero me llama la atención que lo tomés tan a la ligera. Al fin de cuentas se habla de eso en las Escrituras...*
Mariano querido, con todo respeto, creo que hay ciertas cosas en las Escrituras que deben ser tomadas como dichas o escritas en un momento muy especial. Para poner un ejemplo fácil: la prohibición de comer carne de cerdo en las religiones judía y musulmana parece ser que es debida a que, por entonces, era más que común pescarse una mortal triquinosis, enfermedad que se adquiría al comer esa carne porcina. Después quedó. O, si nos ponemos un poquito más pesados, recordemos que el Antiguo Testamento menciona explícitamente el "ojo por ojo y diente por diente", que más que algo bíblico parece un cantito de barras bravas, la exacta y precisa invitación a la venganza por mano propia. O, aún un poquito más pesados, los que tal vez sean mis dos santos favoritos –Tomás de Aquino y Agustín– coinciden con el Antiguo Testamento en aquello de "quien derrame sangre de hombre, verá la

264

suya derramada". Creo que hay frases, hechos relatados, profecías y leyes religiosas que fueron dadas para defender a los fieles, lo cual es maravilloso. Como por entonces la autoridad más grande era la religiosa, de allí tenían que venir las palabras que se obedecerían sin chistar. Y bueno, de allí vinieron. También creo que hay que ser muy cuidadosos con los temas apocalípticos porque lo que queremos es que se ame a Dios, no que se le tema.

—*Nosotros estamos absolutamente de acuerdo con eso...*

¿Y ahora por qué hablás en plural como los Papas o Maradona? "Nosotros".

—*Porque hablo de todos los ángeles, Gallego, no sólo de mí. Hoy estás especialmente alterado.*

Lo siento, me pone nervioso el tema. Perdoname.

—*Amar es no tener que pedir perdón.*

Seguís moderno. Eso es de *Love Story*, una película más vieja que un terreno.

Bueno, listo. Las intimidades para otro día. La Gran Tribulación. Muy bien. O, en realidad, muy mal. Son los tiempos previos a la Segunda Venida del Señor, ya hablamos de eso.

Como dije, nadie sabe (ni los ángeles del cielo, dice Jesús en el Nuevo Testamento) cuándo ocurrirá eso. Tal vez sea dentro de cien mil años, no cuesta nada ilusionarse. Por otro lado, los justos no tienen de qué preocuparse. Justos son aquellos que son "justificados" por Dios. El catecismo dice que Él "nos hace justos interiormente", nos justifica. Pero eso sólo ocurre cuando la persona en cuestión intenta ser justo a través de los sacramentos y de sus buenas obras en este mal mundo. El justo zafa, entonces, de la Gran Tribulación. Ya ven, no hay que temer. A menos que hagan un examen de conciencia y se digan a sí mismos que no son justos. Buenas noches.

—*¿Y María Livia? ¿Buenas noches, también?*

No seas ansioso. Falta la segunda parte.

21

La Virgen en Salta

María Livia
SEGUNDA PARTE

*L*ocuciones, padre Gobbi, apóstatas. Cerremos el tema.
El sacerdote italiano Stéfano Gobbi es el fundador del Movimiento Sacerdotal Mariano, que tiene alcance internacional. El padre Gobbi recibe, desde hace más de treinta años, lo que se conoce como "locuciones", es decir, mensajes de la Virgen que él escucha en su interior como un mandato y que escribe al pie de la letra como si tomara un dictado, que lo es. Existe un libro que está dedicado específicamente al clero ya desde su título: *A los sacerdotes, hijos predilectos de la Santísima Virgen.* En ese volumen de más de mil páginas se encuentran los mensajes que, en forma de locuciones, ha estado recibiendo el padre Gobbi y en los cuales la Madre insiste mucho en pedir oración, sacrificio, entrega, desprendimiento de lo material o mundano, amor a Cristo y apoyo de tipo incondicional al Papa. Habla con ternura de los sacerdotes que dan ejemplo con sus vidas y obras pero, también, en muchas oportunidades los textos –en boca de María– aluden con tristeza y dolor a los ministros de la Iglesia que no cumplen como deben. Y aquí estoy siendo deliberadamente suave al escribir "que no cumplen como deben", ya que esos mensajes marianos son mucho más fuertes y con un tono de marcado reproche. No está mal poner en claro que, tanto en Fátima, como en las locuciones del padre Gobbi, o en otros mensajes de la Virgen bajo diferentes advocaciones, su condena es para los sacerdotes que ofenden a Dios con sus actos, pero que siempre Ella ha rescatado con inmenso amor a los que hacen las cosas como se debe, aquellos que

afortunadamente son más de lo imaginado. Lo cierto es que el clero está formado por seres humanos y, como tales, algunos pueden usar la libertad que Dios nos dio hasta para elegir el peor de los caminos. O el mejor. Ese es el problema.

—*Dígamelo a mí, señora.*

Sí, es verdad. Supongo que es mucho trabajo para todos ustedes, los ángeles.

Es rigurosamente cierto que en los últimos años hubo escándalos de terror con sacerdotes acusados de abusos tan aberrantes que me avergüenza escribirlos aquí. Pero también es cierto que hubo otros que dieron su vida para defender a su fe y a su gente, y esos no salen en los diarios.

Ser sacerdote es un verdadero honor pero es cierto que la sola ordenación como tal no trae garantía escrita de bondad, buena fe, inteligencia, misericordia, entrega o entendimiento. Eso lo pone, de manera libre y por auténtica vocación, el hombre que está dentro del hábito. Hay curas impresionantes y curas imperdonables, que toman lo suyo como un trabajo de oficina o, lo que es mucho peor, como un instrumento social. Me dan asco.

El mismo Paulo VI se quejó amargamente en una frase que quedó grabada en la historia y que es muy clarita: "Por las grietas de nuestra Iglesia se están filtrando los humos del infierno". Es decir: en nuestras propias entrañas crece el enemigo. Claro que también en ellas está el amigo, el hermano, el que está lleno de amor, el cura que está orgulloso de serlo.

Los malos de la película, los que erraron el camino, son llamados apóstatas. En uno de los mensajes de la Virgen al padre Gobbi, dice, en 1988: "La hora de la gran apostasía ha llegado".

Vale aclarar que "apostasía" es negar la fe de Jesucristo dada en el bautismo. Una segunda acepción la define como la acción de los clérigos que se apartan de la religión. Es peculiar que otra palabra con la misma raíz –"apóstasis"– es, en botánica, la que señala el fenómeno de las ramas de una flor que degeneran apartándose del tallo. Muy gráfico.

—*Muy doloroso.*

Ya lo creo. Pero mis esperanzas son mayores que mis miedos, mi dolor y mis dudas. Se lo dije a María Livia.

—Yo creo que es el momento en que debemos apretar filas, defender aquello en lo que creemos, a la Iglesia, a los buenos curas...

—Claro. Y tenemos que rezar, fundamentalmente tenemos que proteger a la familia, porque las familias se están disolviendo. Eso es el corazón de la sociedad, por eso la Virgen dice que si eso se pierde hay mucho más peligro.

—María, en otro orden de cosas, tengo entendido que en Semana Santa te aparecen los estigmas...

—En realidad no es exactamente siempre en Semana Santa, a mí me pasa en cualquier época del año, sin que sea una fecha en especial. Pero no son visibles, los siento en mi cuerpo...

—¿Son dolorosos?

—Sí, muy dolorosos.

—¿Cuándo fue la última vez que los sufriste? (Es febrero de 2005 cuando le pregunto eso.)

—La última vez fue en diciembre, hace poco, el 12 de diciembre... Los médicos me llevan a terapia porque, claro, son cosas muy terribles y ellos no lo entienden. Por eso siempre me internan por si llegara a ser otra cosa.

—¿Cómo fue esta última vez?

—Muy fuerte. La verdad es que esta última vez quedé destruida físicamente.

—¿Y no te dan nada para aplacar el dolor?

—Claro, a mí me dieron cosas, pero lo que sucede es que, como yo hago mucho ayuno, imaginate, años que hago ayuno, mi hígado es como el de un bebé. Y con los remedios que me dieron estuve gravísima después, por los remedios. Mi hígado no aguanta. Si vos hacés una semana de ayuno y el domingo te tomás una pastillita más o menos fuerte, el hígado se resiente.

—Los estigmas se pueden dar en las palmas de las manos o en las muñecas que son, en realidad, el lugar donde a Cristo lo clavaron. Eso no importa, se trata de un símbolo divino, una señal. ¿Dónde te salen a vos?

—A mí me duele muchísimo todo, la muñeca y la palma. Pero cuando me da muy fuerte, que es sufrir la pasión, y ahí es cuando me internan, el dolor más grande me da en el corazón. El dolor es terrible, terrible, terrible... Me decía el cardiólogo: "De uno a diez, ¿cuánto es el dolor?". "Diez", le decía yo. No sé si hay más, pero para mí era diez.

—¿Cómo es el dolor? ¿Una presión en el pecho o como si te metieran un cuchillito?

—Es como si fuera un infarto. Pero a mí me viene como la agonía de Jesús y tengo el color de un muerto, tengo todos los síntomas de una persona agonizante. Y el dolor del corazón, que es terrible. Me falta el aire... Si ves a una persona que haya tenido un infarto preguntale...

—No hace falta. Yo tuve un infarto, en 1990. Es muy feo, ya lo sé.

La caída

—La caída de las personas hacia atrás ocurre también con los carismáticos. Ellos lo llaman "descanso en el espíritu". Pero, según tengo entendido, en este caso no es eso, ni siquiera lo llaman así...

—Claro, yo... digamos: en el descanso en el espíritu también está la presencia de Dios o el Espíritu Santo. Pero en el cerro tiene la particularidad de que hay una aparición de Jesús... Primero rezamos el rosario, después viene la aparición y, en ese momento, se da por primera vez en la historia que la Virgen, a través de la oración de intercesión, es abogada uno por uno de los que allí están...

—¿Qué ocurre cuando vos apoyás tu mano sobre la persona?

—En ese momento yo apoyo mi mano pero es la Virgen la que apoya su mano y Ella es la que pide a Jesús que allí se hace presente. Y Dios va a abrazar a esa persona, es Jesús mismo el que se acerca. Y entonces el alma de la persona, que es la que sabe, porque nosotros no sabemos con nuestros ojos, con nuestros pecados, reconocer a Dios en ese momento, pero el alma, que sí conoce, es la que cae en éxtasis... Es como un éxtasis lo que sufre la gente que se cae. Pero bueno, no todos se caen. Algunos están más observantes, más preparados...

—¿Y hay diferencia entre quienes caen y los que no? Si uno no se cae, ¿es que algo está mal en esa persona?

—No, para nada. Porque Dios se acerca lo mismo. Por pedido de la Madre, Jesús se acerca a esa persona. Siempre reciben una gracia, siempre. Ya el solo hecho de que Jesús te abrace y que la Virgen te toque, es una gracia. Lo que pasa es que son gracias celestiales muy especiales y muy difíciles también de transmitir... Y eso de si somos carismáticos o no, todo ese lío, no es importante para la fe...

—La Renovación es algo bueno para la Iglesia, una brisa.

—Me encanta la Renovación, me parece que está haciendo mucho bien en la Iglesia. Hay gente santa en la Renovación, maravillosas personas. Esa gente ora de verdad, muchísimo. A veces me siento avergonzada y me digo: "Yo veo a la Virgen y no estaba orando tantas horas como hacen ellos". Eso hay que reconocerlo: hay gente que está orando por cada uno de nosotros.

—Está claro. ¿Cuál es el mayor obstáculo tuyo en el cerro?

—Vos lo sabés, Víctor. Siempre estará el demonio queriendo rebajar las apariciones de la Virgen. Por eso yo insisto en que la gente tome conciencia de que eso es lo importante en el cerro: que es la Virgen la que se aparece. Porque también me pueden confundir como que yo soy una persona que tiene algo especial y, cuando es así, yo me siento mal porque me debo a la Virgen y todo se hace porque se me apareció Ella, no porque yo tenga mérito, el mérito es únicamente de la aparición. Yo no quiero que alguien piense que tapo a la Virgen, quiero que esté claro que es Ella la que se está apareciendo y le está dando la gracia al mundo... Por eso es que insisto, la que importa es Ella. Y hay que defender las apariciones, en especial en estos momentos en que están tan combatidas. A la Madre hay que mostrarla...

—Mirá, María, no es casual que en los últimos cincuenta años haya habido más apariciones de la Virgen que en los 1950 años anteriores. Algo está pasando.

—Leí en un librito que me regalaron que a una señora, al recibir la Eucaristía, la hostia se transformó en carne... En Corea, creo...

—En Corea y en Japón hubo apariciones muy, muy fuertes. Pero, por eso te digo: por algo está apareciendo, por algo está apareciendo...

—Y acá, bueno, yo creo que esto es muy grande, esto es para el mundo entero. Los argentinos estamos señalados de alguna manera para la gran evangelización que va a preceder a la Segunda Venida de Nuestro Señor. Esa es la característica de esta aparición, ¿no?

Y lo que dice María Livia coincide en todo con otra aparición. En San Nicolás, el padre Carlos Pérez, rector del santuario de Nuestra Señora del Rosario, me decía hace trece años que "Argentina es la Nueva Jerusalén".

Los mensajes de la Virgen allí, desde 1983, repiten frases al estilo de:

• "Éste ha sido el pueblo elegido por el Señor."
• "Desde esta patria el Señor estará haciendo nacer en el cristiano un nuevo cristiano."
• "Por la gracia de Dios esta tierra es bendita con Su presencia."
• "En esta tierra bendecida por Dios tendré mi morada y, desde aquí, rociaré con mi amor a cada hijo."
• "Es que yo protejo a tu país, protejo a Argentina."
• "Este país se mantiene casi íntegro, comparado con otros países que están deteriorados, casi deshechos espiritualmente (...) En este país mis hijos se están entregando al Señor y el mal no entra jamás donde habita Dios."

Es cierto que los mensajes de la Virgen del Rosario de San Nicolás son muy esperanzados y especialmente cariñosos con los argentinos. También es cierto que eso que acaban de leer se refiere a los primeros mil ochocientos mensajes ya que hace años que no se hace público ninguno nuevo. Y, es cierto, finalmente, que si bien esto no es el paraíso terrenal, no está nada mal comparado con países que la pasan realmente feo, pobres. Y no crean que me refiero sólo a los que están socialmente postergados. Al escribir esto, agosto entrado de 2005, hay países superdesarrollados en los que no me gustaría vivir hoy. Lugares como Gran Bretaña, Estados Unidos de Norteamérica o Italia están amenazados por un terrorismo cruel e impiadoso. Una casa, un bar, un bus, un subterráneo, un edificio, una escuela pueden ser el próximo blanco. Todos sabemos dónde estamos ubicados geográficamente. Mariano no me deja decirlo con todas las letras, que son cuatro, pero lo explicaré de tal manera que no pueda censurarme: el día que le den un enema al mundo, se le aplicará en la Argentina.

Gracias a Dios por eso. No será gratificante, pero es mejor que el terror.

Hay países que la pasan muy mal. Incluso ocurrieron cosas muy duras después de la charla con María Livia, que se llevó a cabo en febrero de 2005. Imagino que se refería a eso cuando, hablando del mundo, decía que faltaban vivir algunos dolores, ciertos sufrimientos.

—Eso que dijiste antes sobre la época de vivir sufrimientos, no sé...

—Es así. Lo estamos viviendo desde hace años y aún nos queda por vivir. No me refiero a algo como lo que vos viviste, un infarto, sino a todo tipo de sufrimientos, los del alma. Hay que aprender a ofrendar los sufrimientos, es una manera de redención. Si no los ofrendamos a Dios, se pierden. Cuando empezás a ofrecer, hay un gozo tan grande en las personas... Porque después no podés parar, estás pendiente de Dios, te vas enamorando cada vez más de Él, te das cuenta de que es tan bueno y que nos ama tanto que ya el dolor te cuesta menos...

—A veces pienso que Dios, a la larga, nos perdona a todos. El "coludo" no puede ganar una sola alma. Ese pensamiento mío es un sentimiento, más que nada. Es que Dios nos ama tanto, pero tanto...

—Y claro, nos ama muchísimo. Y bueno, la prueba más grande del amor de Dios es la presencia de su Madre entre nosotros,

¿no? Pero hay muchas almas que se pierden, Víctor. Eso yo lo veo. Caen millones de almas diariamente en el infierno...

—El infierno... No me imagino cómo es, pero Juan Pablo II dijo que el infierno es algo así como un estado de ánimo, que el verdadero infierno es el alma que duele...

—Bueno, el infierno es un lugar. Un lugar en el que vos vas a estar con cuerpo y alma...

—Espero que no.

—No, bueno. No vos, es una forma de hablar. No, vos no. (Se ríe.)

—Menos mal. (Me río.)

—A veces no recordamos que hemos sido hechos a imagen y semejanza de Dios —agrega—. No somos cualquier cosa. Somos imagen y semejanza de Dios. El hombre tiene su misma libertad, la libertad de decir "yo quiero ser santo o no quiero". Hemos sido creados con alma, conciencia, sabiduría, o sea que cuando uno peca, lo hace sabiendo que está pecando y, cuando hace algo bueno, sabe que es agradable para Dios. No hay excusas.

—Hay arrepentimiento.

—Por supuesto. Basta una sola palabra. Sólo con pedirle "Dios mío" o "Jesús", ya está a salvo.

—O "perdón".

—Claro. Y vale hasta el final eso, hasta el último minuto de vida, pero no todas las almas dicen eso. Hay que prepararnos... Tenemos que trabajar. Mucho. Para que Dios pueda llamar a muchas almas. Por eso la oración es tan importante.

—No tengo dudas.

—Cuando vos comenzás a orar, cuesta orar. Pero cuando empezás a orar, al poco tiempo empezás a recibir las gracias, las fuerzas, el cambio. Y ahí empieza la conversión. La Virgen dice en un mensaje que la oración es el lazo entre Dios y los hombres.

—María, toda la gente que entrevisté coincide en que hay algo que se repite en el cerro, la paz. Vos me has dicho que, cuando le das la oración de intercesión a alguien, Jesús abraza a esa persona... ¿vos ves eso?

—Sí, yo lo estoy viendo. Yo estoy viendo cuando la Virgen baja. Ella desciende en algún momento durante el rezo del rosario. Ella baja con sus ángeles y hay un momento en que ves en los árboles cómo se mueven las hojas, hay como un viento suave, porque bajan los ángeles primero, muchos, y después baja la Reina acompañada también por muchos ángeles. Bueno, es impresionante. Y, después del rosario, la Virgen da la bendición. Luego se arrodilla y queda así, suplicándole a Jesús que baje para la oración de intercesión.

—¿Y vos la ves así? ¿Cómo es?

—Se le ve la cara, preciosísima, con ojos azules, su naricita, la piel, todo. Una belleza… Y después baja Jesús, porque la Virgen se arrodilla y le pide al Corazón Eucarístico que baje a atender a la gente. Y Jesús se presenta al escuchar el ruego de la Virgen y se va a acercar a las personas, uno por uno. Y cuanto termina todo, que es cuando se va el último peregrino, la Virgen se arrodilla frente a Jesús y le da las gracias, le agradece a Cristo. Y Jesús sube y después sube la Virgen. Es un momento muy lindo, de mucho, mucho recogimiento, un momento muy fuerte…

—Sí, claro, lo estoy imaginando, sí.

—No sabés lo que se siente, porque la Virgen se arrodilla y le agradece a Cristo lo que nos ha dado a nosotros. Es muy bonito ese momento, muchos se han postrado cuando pasa eso.

—Pero ninguno de ellos la vio…

—Mucha gente dice que la ha visto. Hay días, sobre todo en los días nublados, cuando Jesús se acerca, hay una luz que se acerca a la persona que queda totalmente cubierta por esa luz…

Eso me recordó muchas cosas personales. Luego, alguna vez le pregunté:

—María: ¿te queda tiempo para tu propia felicidad? Tu vida cambió mucho.

—Claro que cambió, en ciento ochenta grados. Pero si vos me preguntás cuándo era más feliz, si antes o ahora, te digo que ahora, mil veces. ¿Cuándo mi matrimonio fue más hermoso? Ahora.

Y te digo que nos privamos de un montón de cosas. Tenemos muchos sufrimientos, pero somos muy felices.

—Eso te humaniza mucho.

—Nuestro matrimonio tiene mucho más amor, todavía, del que siempre tuvo. Es impresionante cómo nos queremos. Porque es un amor que va más allá de lo humano, tenemos a Dios entre nosotros. Eso es lo que la Virgen quiere y todo el mundo debería entender: que no tengamos miedo de que Dios entre a nuestra casa.

En otra ocasión quise saber si quería ser santa.

—Yo pretendo seguir un camino de santidad, por supuesto. Pero no porque me crea diferente o mejor a nadie, sino porque todos debemos intentar seguir un camino de santidad.

También le dije que su lucha era difícil.

—Es cierto que somos humanos y tenemos que luchar todos los días para tratar de ser mejores, que no es fácil. Hay que luchar contra todo lo malo que nos rodea, hay muchas cosas malas alrededor. No ceder ante las caídas, los problemas, las tentaciones, la vida de hoy que es muy difícil. No ceder. Para mí, la lucha más grande es conmigo misma.

Le pregunté por qué no quería hablar con los medios.

—Mi palabra es palabra de hombre, no sirve para nada. Pero la palabra de la Virgen es fuerte, penetra.

Finalmente, recuerdo haberle preguntado qué le pide ella a Dios.

—Le pido a Dios que me ayude a ser fuerte y que me auxilie en el momento de mi muerte. Porque en el momento de la muerte hay una lucha muy grande, los poderes del infierno luchan para robar esa alma. Y dicen que, cuando la persona estuvo en su vida más cerca de Dios, como las monjitas, sacerdotes, buenos cristianos, luchan con más fuerza para poder llevárselo.

Los mensajes los recibe siempre en su casa. Por lo general, de madrugada. La misma Virgen le ha dicho que aparece allí a esa hora previa al amanecer porque "es tiempo de resurrección". Nada es más parecido a una resurrección que el amanecer. Cuando recibe los mensajes, los escribe de manera textual sin olvidar nada nunca. Luego de recibirlos, va a un pequeño oratorio que tiene allí y reza durante un largo rato.

Esa mujer humilde y querendona, esa doña que no necesitaba meterse en estas cosas porque vivía bien y tranquila, esa señora que no quiere entrevistas y a la que debí robarle las charlas que grabé para respetar sus dichos al pie de la letra, es alguien que defiende a la Iglesia Católica desde hace quince años. Por lo que averigüé, lo hizo y lo hace de manera que no se puede objetar. No gana nada, pierde mucho. Siento, por sobre todo, que ella es sincera consigo misma y con la gente. Y está llena de amor.

Por otra parte, hay una frase bíblica que me apasiona: "Por tus frutos se te conocerá". Es decir: "Vos sos lo que hacés". Y, si uno busca resultados en el cerro salteño, hay conversión, conversión y conversión, más allá de lo sobrenatural, más allá de las dudas, más allá de las sospechas. Eso sí que es un milagro, especialmente en estos días de...

—*¿Cómo?*

Estos días de gran tribulación.

—*Ah.*

Alguno por ahí puede decir que está loca. Tengo entendido que hace años que se entregó dócilmente a los estudios médicos físicos y psíquicos. Sé, con certeza, que ofrece hacerlo ahora, cuando se le indique. Pero, si la locura es eso, creo que es una pérdida de tiempo ser cuerdo.

Respiré hondo y, al mismo tiempo, creí sentir un suspiro sobre mi costado derecho, a la altura del cuello. Cosas de la hora, la madrugada que se está apagando. Me levanté, me puse un gabán sobre el pijama y salí a la puerta de calle. Hacía frío pero iba a ser un hermoso día.

—*Está amaneciendo.*

Ah, ¿estás ahí?

—*Siempre estoy aquí. Está amaneciendo.*

¿Te referís a un nuevo día o a una nueva esperanza?

—*Las dos cosas.*

Disculpá que me desperece. Terminamos el librito.

—*Me encanta que uses el plural.*

A esta altura, ¿alguien puede creer que estos libritos los escribo yo solo?

—*Te quiero mucho, Galle. Cada librito te quiero más.*

Estoy feliz. Mirá: el sol ya ilumina los pinos de costado como un hacha de oro que los acaricia sin cortar. Los pájaros pían en diez dialectos distintos, en cien tonos, en mil voces. ¿Sabés? Hoy es 2 de agosto.

—*Ajá.*

No nos van a creer, pero es el día de Nuestra Señora de los Ángeles.

—*Exacto. Y no es la primera vez que nos pasa.*

Cierto. Qué casualidad, ¿no?

—*La vida está llena de casualidades.*

Me eché a reír como un chico y podría jurar que escuché su risa, era una campanita, de sonido fresco y contagioso. Pasó, a unos diez metros, rumbo a su trabajo, una vecina que, al verme reír allí, solito, sonrió y me dijo alzando la voz: "Lindo día, hoy, ¿eh?". Saludé con la mano y le respondí en voz baja para que no me escuchara: "Dígamelo a mí, señora".

Otra vez nos echamos a reír, Mariano y yo. Era una hermosa manera de comenzar un día. Y de terminar un librito.

Después de todo

Quisiera aclarar algo. Soy laico, no soy un chupacirios, no vivo en el campanario de una iglesia, mi desayuno no es café con Biblia, mi almuerzo no son versículos a la vasca, y ni siquiera me considero todo lo bueno que debería ser. Pero ocurre que desde hace tiempo vengo anunciando las basuras presuntamente religiosas que pululan por ahí y hoy ya las vemos en la tele. Y más allá de eso, éramos pocos y parió la abuela: hay esa suerte de moda anticatólica que pega y pega. Entonces, ante esos hechos, tengo que retirarme o sacar pecho. Ya saben qué elegí. Pero sólo trato de defender a mi religión como puedo. Entre esas hamburguesas de fe rápida chorreante de aceite recalentado y los manjares de mis creencias, no tengo que pensarlo mucho. Ante un mundo que vacila ante la fe, tomo posición. Por eso, escribo estas cosas, dejando en claro que no tengo autoridad para avalar milagros ni hechos tan plenos de misterio, pero ¿hay alguien en la vereda de enfrente que tenga autoridad para negarlos?

Lo único que hago, mientras tanto, es lo mío. Soy un periodista y muestro, cuento, transmito. Con una voracidad terrible de esperanzas, orgulloso de sentirme el detective de Dios y de algo tan profundo pero tan pueril como andar hurgando en los bolsillos del Espíritu Santo. Mostrar. Esa es mi pequeña movida para empezar el partido.

Ahora les toca a ustedes.

Que Dios los bendiga.